一笑

古龍自署

盛期之風貌

與

武俠小說

臥龍生作品　帶動武俠風潮

《飛燕驚龍》開一代武俠新風

《飛燕驚龍》(1958)爲臥龍生成名作，共48回，約120萬言。此書承《風塵俠隱》之餘烈，首倡「武林九大門派」及「江湖大一統」之說，更早於香港武俠巨匠金庸撰《笑傲江湖》(1967)所稱「千秋萬世，一統」達九年以上。流風所及，臺、港武俠作家無不效尤；而所謂「武林盟主」、「江湖霸業」等新提法，竟成爲社會大眾耳熟能詳的流行術語了。

《飛燕》一書可讀性高，格局甚大。主要是寫江湖群雄爲覬覦傳說中的武林奇書《歸元秘笈》而引起一連串的明爭暗鬥；再以一部假秘笈和萬年火龜爲餌，交插敘述武林九大門派（代表正派）彼此之間的爾虞我詐，以及天龍幫（代表反方）網羅天下奇人異士而與九大門派的對立衝突。其中崑崙派弟子楊夢寰偕師妹沈霞琳行道江湖，卻如夢似幻地成爲巾幗奇人朱若蘭、趙小蝶之絕世武功技驚天龍幫，而海天一叟李滄瀾復接連敗於沈霞琳、楊夢寰之手；致令其爭霸江湖之雄心盡泯，始化解了一場武林浩劫云。

在故事佈局上，本書以「懷璧其罪」（與真、假《歸元秘笈》有關）的楊夢寰屢遭險難，卻每獲武林紅妝垂青爲書膽（明），又以金環二郎陶玉之嫉才害能，專與楊夢寰作對(暗)爲反派人物總代表。由是一明一暗交織成章，一波未平，一波又起，極盡波譎雲詭之能事。最後天龍幫冰消瓦解，陶玉帶著偷搶來的《歸元秘笈》跳下萬丈懸崖，生死不明，卻予人留下無窮想像空間。三年後，作者再續寫《風雨燕歸來》以交代陶玉重出江湖，爲惡世間，則力不從心，當屬狗尾續貂之作。

在人物塑造方面，臥龍生寫男主角楊夢寰中看不中用，固然乏善可陳，徹底失敗；但寫其他三名女主角如「天使的化身」沈霞琳聖潔無瑕，至情至性，處處惹人憐愛；「正義的女神」朱若蘭氣質高華，冷若冰霜，凜然不可犯；「無影女」李瑤紅則刁蠻任性，甘爲情死等等，均各擅勝場。乃至寫次要人物如「賓中之主」海天一叟李滄瀾之雄才大略，豪邁氣派；玉簫仙子之放蕩不羈，爲愛痴狂；以及八臂神翁聞公泰之老奸巨猾，天龍幫軍師王寒湘之冷傲自負等，亦多有可觀。

摘自 葉洪生、林保淳著
《台灣武俠小說發展史》

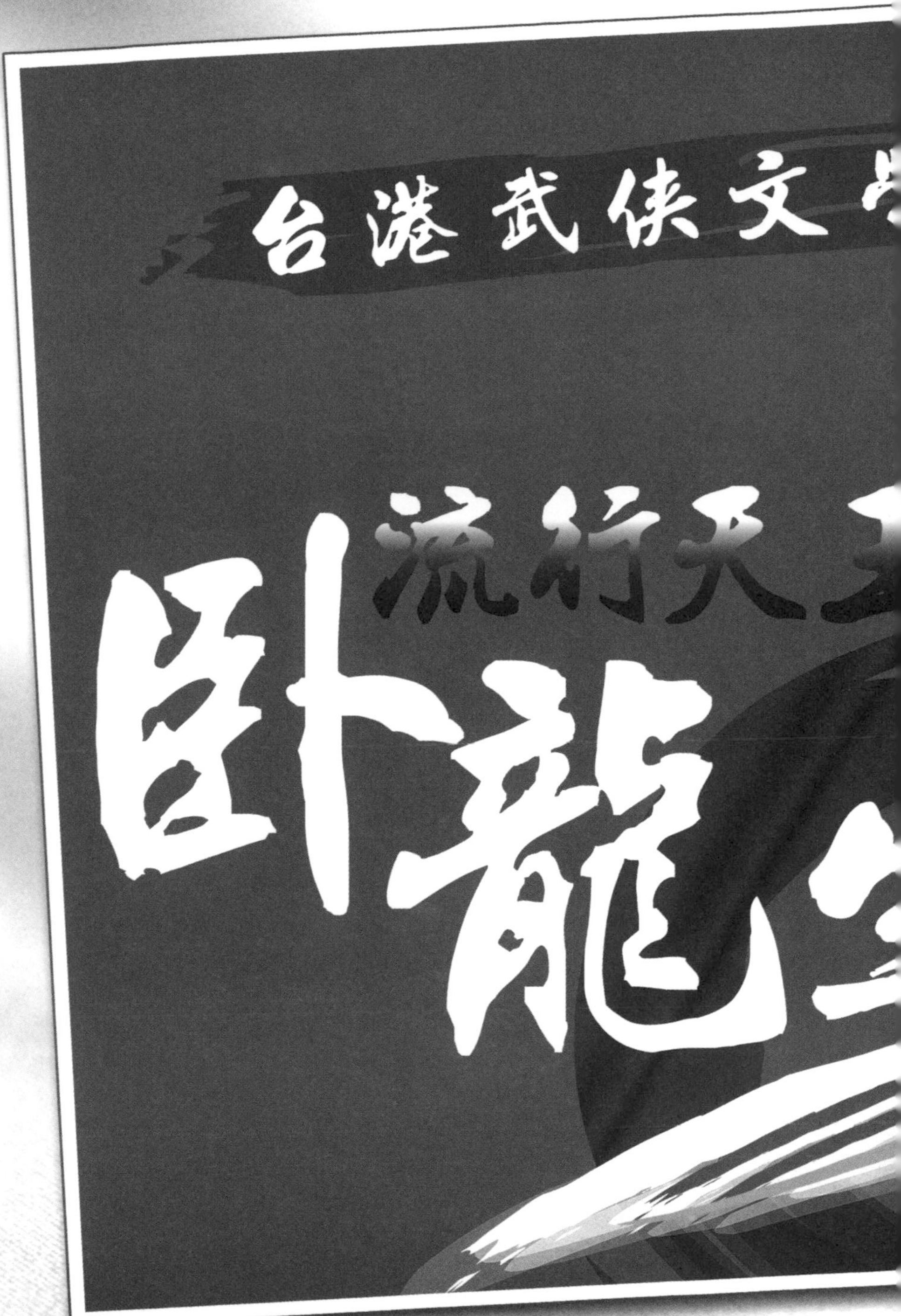
台港武俠文
流行天
臥龍

臥龍生是台灣最著名的武俠小說作家之一，自然也是海外新派武俠小說家中的重要一員。

在台灣武俠小說界，臥龍生曾獨領風騷被稱為「台灣武俠泰斗」。後來司馬翎、諸葛青雲脫穎而出，才與臥龍生並稱台灣俠壇的「三劍客」。那時候古龍還默默無聞。後來古龍名氣漸大，躋身高手之林，與「三劍客」合稱「台灣武俠小說四大家」，但臥龍生仍是深受讀者歡迎的武俠小說作家。

陳墨

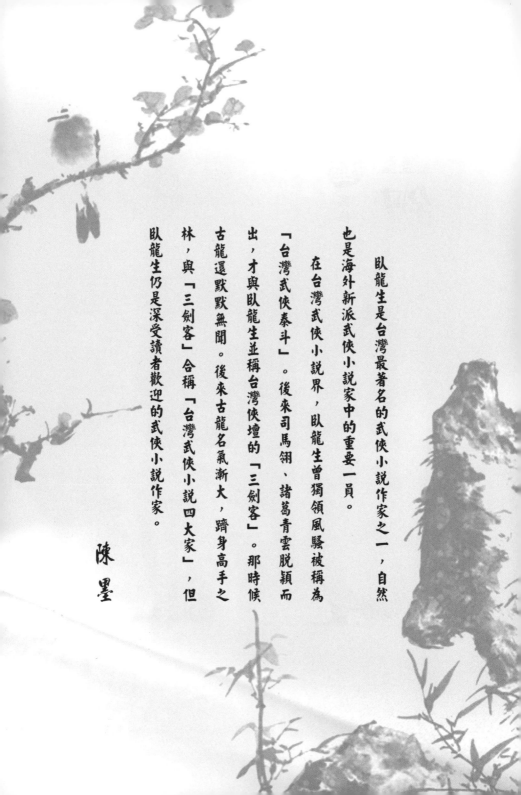

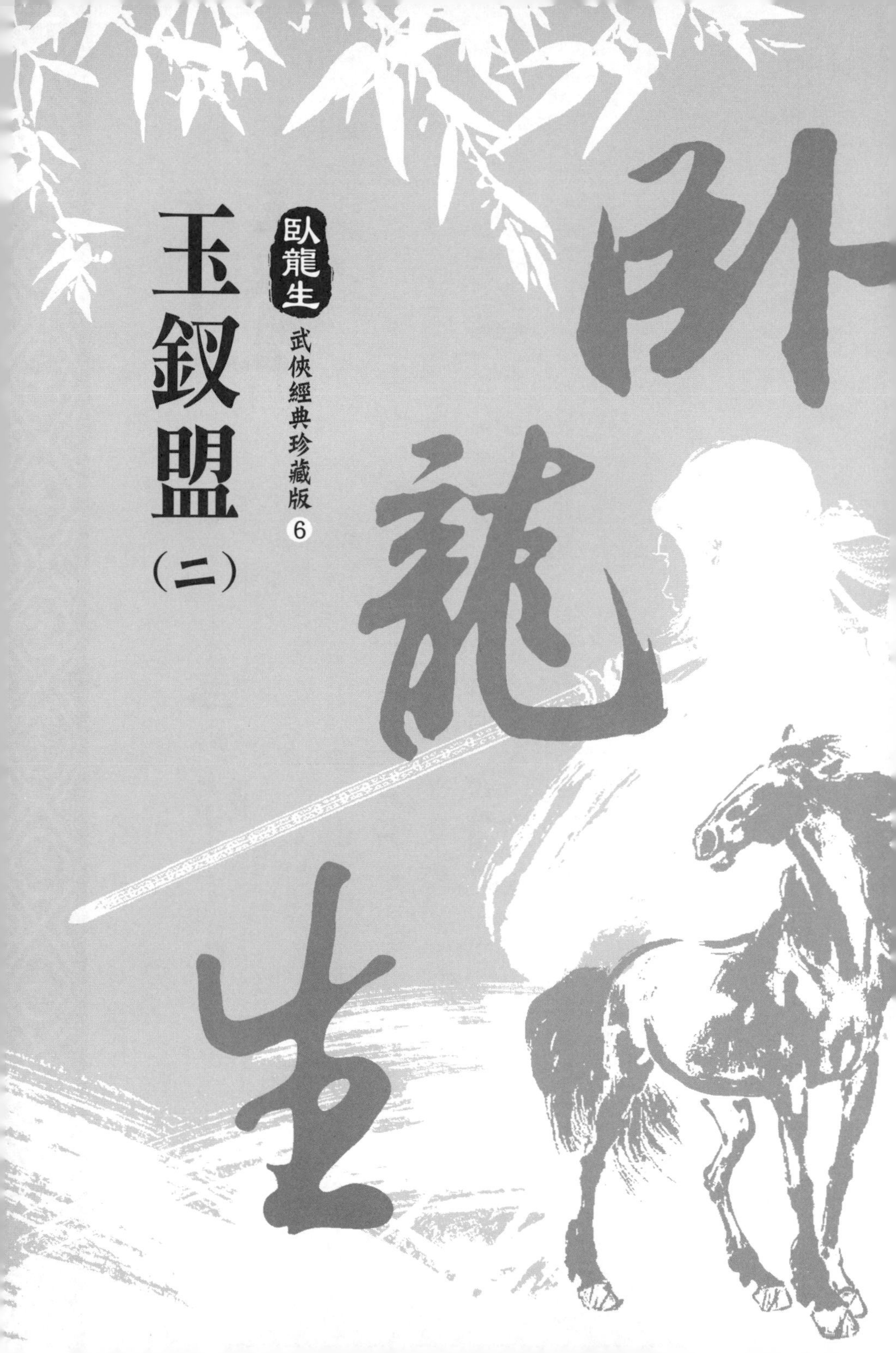
玉釵盟
（二）
臥龍生
武俠經典珍藏版
6
臥龍生

臥龍生精品集 06

玉釵盟（二）

目錄

十一 勾心鬥角

大水上漲之勢雖然變得非常緩慢，但兩人都不會水裡功夫，在這等深及肩頭的洪流之中行動，心裡甚是恐懼，舉步維艱，如履薄冰，借扶石壁，逆流而上。

幸而兩人都是功力深厚之人，落腳甚穩，走了一陣，膽子漸大，行速逐漸加快。

兩人大部分精力都集中對付洪流沖力，也不知轉過幾個彎角，走過幾條甬道，只感到那水勢衝力逐漸加大，翻翻滾滾而來，不禁心生震駭，抬頭望去，只見一道石壁，橫在三、四丈外，原來已走到甬道盡處。

于成道：「前面那橫攔石壁，就是洪流來源之處，只是這水勢愈來愈急，咱們都不懂水性，也是無法出去。」

徐元平道：「咱們先走近去瞧瞧再說。」一提真氣當先開路，側身向前衝去。

這段行程雖只有數丈距離，但因水流湍急，衝擊之力有如飛瀑奔馬一般，兩人逆流走前兩丈，已累得喘息出聲。

徐元平回頭瞧了于成一眼，道：「你守在這裡，我到那石壁處去看看。」

一閉氣，猛然向前行去，裂開一道水波，衝到石壁跟前，真氣一沉，全身入水，腳著實地，伸手向前一摸，觸手處，抓住了兩根手臂粗細的鐵條。

他暗運真力，向後一拉，但覺那鐵條堅硬無比，文風不動，不禁心頭一驚，雙手陡然一鬆，立時被激流沖得站立不穩，隨波而起。

他乃是不通水性之人，這一被湍流沖動，心中大感慌急，不自覺地一張嘴巴，但覺一股水勢，直沖口中，本能地向上一挺，衝出水面，隨手向石壁上抓去。

這只是一種人類生命中潛在的本能，並未受到意識支配，因他早已知道這墓中甬道石壁都是堅硬的青石砌成，滑不留手，無處著力，如若他稍爲用心想一下，決不會用手去抓石壁。

哪知手掌到處，突覺石壁向裡陷去，五指觸摸到一根劍把一般的東西，這等生死交關，求生之念高於一切，徐元平五指隨勢一合，緊緊抓住，用力一拉，身子疾浮過去。

這時，他才把被激流沖擊而隨水浮動的身子完全穩定下來，接著，長長吸一口氣，轉頭向鐵扇銀劍于成望去。

只見于成緊緊地靠著石壁而立，僅餘眼鼻露在水面，只要再等片刻，于成勢非被水淹沒不可，不禁心中大急，高聲大叫道：「于兄，快些游到我這邊來……」

只見于成伸出一隻手來亂搖，不肯過來。

于成早已被強猛的水勢沖得搖搖欲去，借依靠那石壁之力，才勉強站住了身子，哪裡還敢移動腳步，水勢過口，又使他無法張嘴說話，只好舉起手來亂搖。

忽然間，徐元平發覺水位正在迅速下落，片刻之間，已可見于成肩背，不覺心中大喜，心知自己無意之中，找到了控制水位機關樞紐。

這甬道洪流來得如狂飆驟雨，一瞬間洪水滔滔，但下落之勢，亦是迅快絕倫，不大工夫已降到膝蓋以下。

鐵扇銀劍于成眼看水位退減，縱身一躍，飛落徐元平的身後。

定神瞧去，只見那青石砌成的石壁上，陷入兩尺長短，一尺寬窄的一個凹洞，徐元平手中緊抓一個金光燦爛的把柄。

此人生性豪放，雖剛由生死邊緣撿回性命，立時卻縱聲大笑道：「要不是徐兄及時找到這控制水源的機關，今日咱們非得淹死不可，看來生死之事，當真是有天命主宰了。」

水位雖已降落到僅及腳面，徐元平仍然抓住那金色手把不放，目光卻轉投到那甬道盡處的石壁，一瞬不瞬；在他想來水位下落之後，定可瞧到那橫攔在出口的鐵條，哪知望去仍然是一片光滑的石壁，不禁大感奇怪。

他乃極爲聰明之人，略一忖思，立時恍然大悟，敢情那鐵條前面，還有一道活動石壁，一弄動這控制水源的樞紐，活動石壁就立時疾沿而下，又把鐵條掩住。

仔細瞧那石壁，毫無破綻可尋，如非剛才親手抓到那兩根鐵條，絕難想到這面石壁竟然能自動升降，其建築之妙，真乃是巧奪天工。

回頭向身側石壁的凹洞中瞧去，只見那塊凹洞之中，並排三個金光燦爛的把柄，除了自己手中握著左邊一柄之外，右邊還有兩柄並列。

這時，水位已經完全消落，除了甬道中間一條三尺左右水渠中，仍然有潺潺的流水之外，兩側岸上積水已乾。

徐元平緩緩鬆開了手中緊握的金把，笑道：「這凹洞中之三個金把，想必各有作用！咱們再弄動一個瞧瞧……」話未說完，只聽軋的一聲，左面一塊石板直衝出來，徐元平急忙縮手，那塊石板剛好把凹洞填起來，天衣無縫，瞧不出一點痕跡。

鐵扇銀劍于成輕輕歎息一聲，道：「這古墓中構造這等奇巧，實乃從未聞見之事，看來除了楊家堡老堡主神算子楊文堯外，遍天下只怕再難找出第二個人能夠辨認這古墓中的機關。」

徐元平默默思索，恍如未聞于成之言，過了半晌，忽的轉臉望了于成一眼，道：「于兄怕死嗎？」

于成聽得一怔，道：「在下半生之中，都在刀尖上生活，生死之事，早已不放心上，但不知要怎樣的死法？」

徐元平知他誤會了自己話中含意，微微一笑，道：「這石壁凹處，共有三個金把，最左一個，是管制水勢的樞紐，另外兩個，定然也有作用，我想弄動一下看看，只怕誤觸機關……」

于成哈哈一笑道：「徐兄但請動手，反正咱們已被困墓中，與其坐以待斃，倒不如放膽瞧瞧這孤獨老人墓中還有些什麼厲害埋伏。」

徐元平微微一笑，右手一招，疾向石壁之上推去，果然應手裂開一個凹洞，低聲道：「于兄小心。」左手一探，抓住正中一個金柄，用力向下一拉。

但聞一陣軋軋連響，起自兩面石壁之中，不禁心頭暗生驚駭，放手鬆了金把，石壁凹洞，迅速恢復了原狀，但兩側壁的響聲，卻是越來越大，連續一刻工夫之久，才倏然中斷，對面右壁忽然裂現出一座石門。

去。

徐元平略一定神，道：「咱們進去瞧瞧，也許這座門是通往墓外的密道。」當先向前走

這條甬道陰暗異常，徐元平昂首挺胸當先而入，毫無恐懼之情，只看得于成暗生敬佩。走約十五丈左右時，轉過一個急彎，忽覺眼前寶光閃動，一塊通體似墨、橫阻去路的黑壁上，用珠寶嵌成八個大字：擅入一步，永淪九幽。

于成仔細瞧那黑壁上嵌成的八個大字，顆顆寶珠都如龍眼一般大小，不禁歎道：「這些寶珠無一不是價值連城之物，平常之人有上一顆、二顆，就一輩子享用不盡，這八個大字嵌用寶珠，只怕在百顆以上，兄弟在江湖上闖蕩數十年，見過寶珠不能算少，但像這麼多且巨大之寶珠，還是第一次看到……」

于成轉臉望去，只見徐元平低頭默思，渾如不聞其言。

徐元平沉思良久，突然抬頭說道：「想那孤獨老人有能築造了這座機關重重的古墓，才智絕非常人能及，這黑壁上所留之言，看來當非虛作恐嚇。」

于成道：「單瞧這黑壁上嵌用寶珠，不難聯想到室中之物，反正咱們已無法出這古墓，是福不是禍，是禍躲不過，倒不如進去瞧瞧。」

徐元平突然向後退了兩步，暗中運集功力，呼的一掌，直向黑壁上劈去。

一股強猛的掌風，撞在黑壁之上，響起了一陣沉悶的嗡嗡之聲，但黑壁仍然屹立無損。

鐵扇銀劍于成搖頭說道：「徐兄不要再白費氣力了，這樣的黑壁是用鐵鑄的……」忽然發覺「永淪九幽」永字上作點的一顆寶珠，竟被徐元平強勁的掌風震得微微晃動，不覺疑念頓

生，向前走了兩步，伸手按去。

果然寶珠隨手陷入壁中，緊接所有嵌在壁上的寶珠全都緩緩陷入壁內，黑壁忽然由中間向兩側分去，現出一扇門來。

徐元平當先舉步而入，目光觸外，不禁心頭一跳，呆在門口。

于成探頭望去，只見一座寬大的室中，並列著九具棺材，蛛網盤繞，積塵盈寸，瞧上一眼，就使人生出驚怖之感。

兩人在門口呆了一陣，緩步向裡走去，剛走有四、五步遠，突聞一聲大震，積塵蛛網紛紛落下。

徐元平驚覺地回頭望去，那座裂開的鐵門，已經自動閉上。

于成翻腕拔出背上的摺扇，哈哈大笑道：「九個棺木之中，想必有一個是孤獨老人的遺體，他把咱們活活困死此墓，咱們就先把他遺體毀了再說。」

黑門復閉，歸路斷絕，身陷絕地，反而激起了于成的豪邁之氣。

于成出身綠林，久在江湖闖蕩，講究的是恩怨分明，黑門一閉，激起他報復之心，縱身一躍，直向第一口棺木飛去，左手托住棺木頂蓋，右手張開摺扇護身，暗運真力，正待揭開棺蓋，徐元平已追縱躍到，說道：「于兄不可魯莽，快請放手。」

徐元平發話之時，于成已然暗運真力向上一托，只覺那棺蓋沉重異常，竟是難以托起，不禁微生驚駭，趕忙依言放手向後疾退兩步，說道：「這棺材不是木材製成。」

徐元平立時伸手摸去，果覺手心一涼。

原來這棺材竟是用整塊石板雕成，外面塗上油漆。

徐元平輕輕在棺木蓋上敲了兩下，說道：「孤獨老人留下這九具石棺，自然是有其作用，此人才智絕世，能築成這等重重機關之墓，決非危言聳聽之人，門上警語「永淪九幽」之句，可能暗合這九具石棺之數，如果我推想不錯，這石棺之中定然有什麼古怪埋伏。」

于成道：「徐兄高論，在下佩服至極。」

徐元平微微一笑，道：「咱們被囚這古墓之中，早晚都難免一死，別說此地重重埋伏，步步凶險，單是缺乏食用之物，就足置我們於死地……」

于成接道：「既是難免一死，那就不如鬧個天翻地覆，才死得心甘情願。」

徐元平道：「我無意找到了控制水勢的機紐，免去洪水淹死，你在瞧那永字之上作點的一顆寶珠受震晃動，開了這扇黑門，這使我心中想到任何一件精密的事，都難免留下可資尋找的痕跡，此室之中九棺並列，蛛網塵封，一片恐怖氣氛，涉足其間，難免心生恐懼之感，心神一亂，自是易為所乘。」

于成點頭讚道：「徐兄年輕英俊，才智超人，實使兄弟這久走江湖之人汗顏。」

徐元平受人頌揚，心中甚感受窘，當下微微一笑，又道：「室中陰暗，目力難及細微，兄弟之意，咱們不妨先在此室之中，靜坐調息一會兒，一則使消耗的體力元氣恢復，以備應變，再者使眼力能適應此暗室視物，先找一下，看看有無可疑之處，再開棺查看不遲。」

于成道：「徐兄高見，兄弟無不遵從。」當下就地盤膝而坐，運氣調息。

經過一陣坐息之後，兩人目力果然已可適應室中黑暗，仔細在室中搜查了一遍，並未發現可疑之處。

徐元平當下暗中運集真氣，舉手一掌，向最右邊一具石棺上追擊了一掌。

但聞一聲嗡嗡回音，繚繞耳際，徐元平道：「聽這石棺回音，其中似未放屍，于兄請小心戒備，我去打開一具棺蓋瞧瞧。」大步直走過去，兩手用力一托，砰的一聲，棺蓋應手而開，兩人同時探頭一瞧，不禁同時一怔，呆在當地。

只見那石棺正中有一個兩尺見方的圓洞，斜向下面通去，除此之外，再無可疑之處。

徐元平潛運真力，兩臂向上一抬，卡的一聲把棺蓋完全推開，凝神向石洞之中瞧了半晌，仍然沒有動靜，心中甚覺奇怪，搖搖頭，說道：「不知道這孤獨老人在搞的什麼鬼……」

于成道：「咱們再打開一口瞧瞧再說。」

徐元平橫跨一步，雙手托住第二具棺蓋，用力向上一托。

但聞嚓的一聲輕響，棺蓋應手而起，還未來得及向石棺之中探看，忽聽鐵扇銀劍于成大聲喝道：「徐兄快些放手！」

徐元平聽他聲音之中，充滿著恐懼，瞧也未瞧地趕忙一鬆雙手。他應變雖然夠快，但在那棺蓋還未合上之時，一股冷水由棺材之中噴了出來，並且濺得兩人滿臉滿身。

于成哼了一聲，罵道：「孤獨老鬼只會用水淹人……」話還未說完，忽感一股腥味，立時迎面撲來。

兩人同時嗅到，同時轉臉望去，只見第一口石棺之中，探出來一條碗口粗細的大蛇，大口盆張，吐著血紅的火舌，正向兩人停身之處伸來。

徐元平驟見這等大蛇，不禁心頭一跳，雙足微一用力，向後疾退三尺。

于成一看那蛇身鱗紋閃閃生光，立時認出是一條極少見到的絕毒怪蛇金鱗蟒，不禁心頭一震，翻手拔出背後銀劍，橫跨兩步，擋在徐元平身前，張開摺扇，護住身子道：「徐兄小心，此物乃極少見到的金鱗毒蟒，咬中人後，三個時辰內毒發而死，毒性深重，縱有解毒靈丹，也難醫得……」

話至此處，忽聽那毒蟒咕的一聲，紅舌伸縮，直向兩人衝來。

鐵扇銀劍于成怕牠口中噴出的毒水傷人，揮動手中摺扇，灑起一層扇影，護住身子，右手銀劍一探，橫斬過去。

劍光一閃，立時擊中了蛇身，巨蟒又是咕的一聲大叫，蛇身向一側偏去。

于成心頭一震，暗道：我這銀劍用白金合以精鋼製成，鋒利無比，雖不能斬金切玉，無堅不摧，但此蟒鱗皮竟然能擋刀劍，如果衝了上來，銀劍不能斬傷牠，那可是一樁大大的棘手之事呢。

心念轉動之間，那探出石棺的蛇身，突然縮了回去，只露出一個蛇頭，伏在棺口，兩隻綠光閃閃的眼睛，注定著兩人。

于成回頭瞧了徐元平一眼，道：「此蟒全身巨毒，再好的武功也不能用手對付，兄弟用鐵骨摺扇，徐兄請用兄弟這柄銀劍吧。」

徐元平搖搖頭道：「你還是留下自己用吧，我……」話還未完，突然揚手一掌，直擊過去。

只聽兩聲咕咕大叫，巨蟒二度暴衝起來，吃徐元平劈出的疾勁掌風，劈震得身不由主地反轉回去，撞在石棺後面的壁上，只震得塵土如雨紛紛灑落一地。

這一記強猛絕倫的劈空掌力，力道至少在八百斤以上，但仍然無法把毒蟒立斃掌下，只見牠身子搖動了一陣，又縮回石棺之中，目光注定兩人，似是等待第三次襲擊的機會。

徐元平心中暗道：這巨蟒鱗皮堅厚，不畏刀劍，如果不早些把牠給除去，終是禍害。

心念一轉，除蟒之心頓生，低聲對于成說道：「于兄，孤獨老人在這石室中留下了九具石棺，想那每具石棺之中，定都有著埋伏，說不定控制這九具石棺的機關，已然在慢慢發動，咱們縱然不揭棺蓋，只怕也會自行啟開，如果不借眼下機會，把毒蟒除掉，等待九具石棺埋伏齊發之時，那時難免顧此失彼。」

于成道：「此蟒鱗皮堅韌，不畏刀劍，除牠只恐不易。」

徐元平當下想了一想，答道：「兄弟此刻倒是想得了一個除蟒之法，兄弟去逗牠張口，于兄可用暗器打入牠的口中，或者能夠除此毒物呢。」

于成哈哈一笑，道：「徐兄智謀過人，高見妙絕。」伸手把銀劍遞了過去，接道：「巨蟒奇毒，不宜空手相與，請用兄弟的銀劍對付。」

徐元平接過銀劍，閉氣向前走去，于成探懷摸出兩只銀梭，把摺扇插回項後，分執雙手，蓄勢以待。

這時，天色已經破曉，古墓外正站著一個疾服勁裝的大漢，望著那古墓發呆，他眼瞧著總瓢把子陷入了古墓之中，卻是束手無策，直等到天色將曉，仍不見于成出來……

忽然心中一動，暗道：我一人在此，既無破墓之能，再守上幾日幾夜，也是無用，還不如暫時先離開此地，召請四省綠林上高手，設法破此巨塚，救出總瓢子……

心念一動，拔出單刀，就地掘了一個土坑，埋葬了同伴屍體，緩步繞行巨塚一周，正待回身而去，忽聞一陣哈哈大笑之聲，飄入耳際，不禁心頭一驚，閃身隱入一棵古柏之後。

探頭望去，只見兩個長衫老人，並肩走來，右側一人背插長劍，長髯在秋風中飄動；左側一人，遙指巨塚，不時轉臉和右首插劍老者低聲笑語。兩人走到巨塚前面停下，那背插長劍老者，打量了四周景物一陣，遙指著高大的石翁仲，笑道：「金兄小心，這石翁仲恐怕是活動的機關。」

此人一眼竟能瞧出這石翁仲是活動的機關，不僅使隱身樹後的大漢吃了一驚，就是那同行的老者，也為之一怔，流目四顧，瞧了一陣，說：「兄弟來這古墓，已非一次，這石翁仲一直站在原位……」

晨色中，忽見那石翁仲手捧的石笏上，血漬斑斑，不禁大吃一驚。

那佩劍老者微微一笑，道：「金兄是懷疑兄弟之言？」

赤手老者答道：「楊兄土木消息之學，舉世無不敬佩，兄弟怎敢懷疑。」

佩劍老者突然哈哈一笑道：「是哪一位兄台在此？何不請出一見，隱身暗處，豈是大丈夫的行徑？」說完話，忽的轉過身子，目注丈餘外處古柏。

那隱身樹後大漢久隨于成在江湖之上走動，一瞧那佩劍老者注視著自己隱身的古柏，已知對方不是詐語，只好緩步而出。

佩劍老者微微一笑，道：「兄弟是哪一門下人物？」

勁裝大漢道：「在下乃中原綠林道上總瓢把子鐵扇銀劍于成門下。」

佩劍老者雙眉微微一揚，接道：「你可認得老夫是誰嗎？」

勁裝大漢沉吟一陣，道：「老英雄可是金陵楊家堡的老堡主神算子楊……」

佩劍老者點頭一笑，接道：「不錯，想不到中原道上人物，也有識得老夫之人。」

赤手老者接口笑道：「楊兄名傳天下，江湖之上，又有幾人不知楊兄大名。」

佩劍老者淡淡一笑，道：「好說，好說，金兄太過誇獎。」轉臉又問那勁裝大漢，道：「老夫雖然很少涉足中原，但卻聽人談過鐵扇銀劍于成其人，不知他現在何處，可否請出一會？」

勁裝大漢吶吶說道：「這個，敝上現不在此……」

忽見那赤手老者雙肩一晃，迅快無比地欺到了勁裝大漢身後，隨手一掌擊出。

他出手奇快，那勁裝大漢雖覺出掌風迫人，但卻閃避不開，只覺背心如受千斤重錘一擊，口噴鮮血，倒地死去。

佩劍老者微微一笑，道：「金兄好快的手法。」

赤手老者道：「鐵扇銀劍于成在豫、魯、鄂、皖四省綠林道上，實力不弱，留得此人終是禍害，不如殺之滅口。」

神算手楊文堯道：「金兄說得不錯，不過，此處既有于成手下之人，想那于成定然也在附近。」

赤手老者道：「楊兄高見甚是，兄弟想先在四周搜查一下，如若發現了鐵扇銀劍于成，或是他手下之人，那就索性一齊除去。」

楊文堯沉吟一陣，道：「金兄可確知那『戮情劍』匣上所指之處，就是此墓嗎？」

赤手老者並不立時答話，目光轉動，又向四周張望了一下，赤手老者這時才低聲答道：「兄弟為此，花費近二十年的心血，楊兄儘管放心，絕錯不了。」

楊文堯微微一笑，道：「好，金兄搜查西、北兩個方向，兄弟搜查東、南兩個方向，一個時辰內，咱們在此見面。」話剛落口，人已縱身而起，直向正東撲去。

赤手老者奔向正北方向，兩人搜查得十分細心，舉凡樹上草叢只要可以藏人之處，一處也不放過，足足耗去一個時辰的工夫，才重回巨塚前面。

神算子楊文堯抽出背上寶劍，就地掘了一個土坑，埋葬了那雙屍體，緩步繞行了巨塚一周，笑道：「金兄，看這一片亂墓，有什麼奇怪之處嗎？」

赤手老者笑道：「這個麼，兄弟如何能瞧得出來？」

楊文堯道：「兄弟藉著搜查的機會，曾掘開了兩座青塚，並無人體骨灰，如我推想不錯，這一片突立的青塚，可能都是機關埋伏……唉！這一浩大無倫的工程，耗費之巨，實非世人所能測想，老夫費了四十年心血經營的楊家堡，如和這浩偉的建築相比，何啻是小巫與大巫。」

赤手老者緩緩從懷中摸出一個古銅劍匣，笑道：「兄弟半生精力盡花在尋這劍匣之上，總算皇天不負苦心人，讓我如願以償了。」

楊文堯這時目光一掠劍匣而過，微笑不言。

赤手老者沉思了一陣，隨手捧著劍匣笑道：「兄弟做事，向來明快，不喜虛僞造作，楊兄如能破去這古墓機關，不管墓中有多麼珍貴之物，咱們一律平分……」

楊文堯笑道：「金兄費了半生心血，好不容易找到這戮情劍匣，兄弟怎能坐享其成？」

赤手老者道：「楊兄不必客氣，兄弟雖然得到了劍匣，但破除這古墓機關一事，全憑楊兄大力，二一添作五平分，最是公平不過。」說完，雙手把劍匣送到楊文堯面前。

神算子楊文堯面對著天下武林人人夢求的戮情劍匣，竟然毫無激動之情，面帶微笑，緩緩伸出右手，收過劍匣，瞧也不瞧一眼地問道：「不知金兄何以知道戮情劍匣上所示的藏寶之處，就是孤獨之墓？」

赤手老者仰臉望天，思索了一陣，答道：「提起此事，不是兄弟誇口，當今之世，能夠知道此中機密之人，除了兄弟之外，只怕再難找出幾個了。」

楊文堯微微一笑道：「不知金兄能否把此中機密告訴兄弟一些，也好讓兄弟增廣見聞。」

那赤手老者似是極不願洩露胸中隱秘，沉吟了一陣，道：「提起這件隱秘，牽扯甚廣，實非局外人所能想到，當今領袖武林的少林派中很多高僧，都牽入這場恩怨之中……」他似乎自知失言，立時臉色微微一紅，倏然住口。

楊文堯聽他說起這場恩怨，牽涉到少林派中高僧，確實大大吃了一驚，但他乃心機深沉之人，心中雖受劇大的震動，外形仍然能保持平靜的神色，淡淡一笑，道：「有這件事？兄弟在江湖走動了幾十年，竟然未曾聽人談過。金兄見聞之博，實叫兄弟佩服。」他問話卻是十分技巧，實在叫人無法推辭不說。

但那赤手老者，江湖歷練似是不在神算子楊文堯之下，微微一笑，道：「楊兄望重一方，此次肯相助兄弟，破這古墓機關，我金老二實覺榮幸，不過……有關兄弟如何知道這戮情劍匣的隱秘一事，實有難言苦衷。」

神算子楊文堯笑道：「這個兄弟就有些難以明白了，金兄如有苦衷，何不說出來讓兄弟聽聽？或許兄弟可替金兄分憂。」

金老二道：「此事已是數十年前往事，縱然牽扯甚廣，也已過去，何況我只是局外之人，只因兄弟曾經答應過人，有生之年，決不洩露此中機密。」

楊文堯看他執意不講，心知再要追問下去，也是自討沒趣，立時轉換話題，道：「據兄弟看這古墓，不但工程浩大，機關埋伏亦必重重疊疊，有關築造機關消息之學，雖不若武功一道那等深博，但精密則有過之，兄弟雖然浸淫此道數十年，但也不過知道一點皮毛，只怕難以破除這等浩大工程的埋伏……」

金老二道：「楊兄學究天人，武林同道人人皆知，如果楊兄不能破這古墓機關，只怕今後永遠無人能破這古墓了。」他輕輕地歎息一聲，接道：「再說舉世知道此中隱秘之人，只不過三、兩人而已，如果再過幾年，縱然得有能破這古墓的人才，但知道此中隱秘的人卻凋謝逝世，勢必成一宗千古難揭的隱秘了！」

楊文堯笑道：「金兄之言，太過誇獎兄弟了。」他故意停頓了一下，道：「縱然兄弟不計凶險，置生死於度外，竭盡所能，僥倖破除了這古墓機關……」

金老二道：「楊兄可是擔心爲人作弄，白費了一番氣力嗎？」

楊文堯道：「須知江湖之中，盡多行動詭異之人，如若孤獨老人傾盡畢生智力，故意建築了這座機關重重的古墓，作弄後人，亦非絕無可能。不瞞金兄說，兄弟現下心中毫無破這古墓機關的信心，如果墓中真有什麼千古奇珍，稀世異寶，咱們縱然喪生在這古墓中，亦可死而無恨。如單單只是爲了一些珠寶金銀之物，冒此危險，那就有些不值了。」

金老二聽他言詞間頓萌退志，不覺心頭一震，但他究是久走江湖之人，略一忖思，已知楊文堯的心意：還不是想要我說出胸中隱秘，哼哼！我金老二走了大半輩的江湖，還會在陰溝裡翻船不成。

當下故作不解地驚道：「楊兄胸藏玄機，況且如今又有這古墓建築的原圖，刻在劍匣之上，以楊兄的才智學識，按圖索驥，相信楊兄破除這古墓機關，豈不易如反掌……至於古墓中收藏之豐，兄弟敢說舉世無與倫比，珠寶古玩之物不去說它，兄弟只舉出兩件珍品，楊兄就知兄弟絕非誇大其詞了！」

楊文堯笑道：「不知何等珍品，竟得金兄這等讚頌，兄弟願洗耳恭聽。」

金老二道：「楊兄可知玉蟬、金蝶兩件奇物嗎？」

楊文堯如被人重重地擊了一拳，只覺全身一陣顫動，驚道：「什麼？那玉蟬、金蝶二物，竟也在這古墓中嗎？」他雖是心機深沉，喜怒不形於色之人，但在驟聞玉蟬、金蝶二件奇物之後，亦不禁心情震動，難以自制。

金老二卻微微一笑，道：「不錯，玉蟬、金蝶二物，都在這古墓之中。」

楊文堯神色恢復鎮靜，道：「這話可是真的嗎？」

金老二道：「兄弟生平不打誑語，楊兄但請放心。」

楊文堯笑道：「只此二物，已值得兄弟一冒凶險。」當下盤膝坐在地上，用手不住地在地上亂劃，片刻間，一副心神會聚之態，似若不知身旁有人。

楊文堯只管低頭查看，手中不停地在地上劃來劃去，足足有一頓飯工夫之久，突然停下手來，凝眸望天，一語不發，似是遇上了極大的難題似的。

金老二站在一側瞧了半天，仍不見他動彈，心中忍耐不住，低聲叫道：「楊兄，可算出了破除這古墓機關的辦法嗎？」

楊文堯望了金老二一眼，冷冷地答道：「土木建築之學，楊文堯雖說不上博通，但如想欺瞞過我的雙目，只怕舉世難有幾人，如果金兄這戮情劍匣上的原圖，不是孤獨老人準備亂人耳目，故意留下來的假圖，就是金兄尚未尋得這古墓築造的真正原圖。」

金老二道：「戮情劍削鐵如泥，舉世只此一支，兄弟親眼看到這劍匣由劍上取下，如說劍匣是僞造，兄弟不敢苟同。」

楊文堯突然呵呵一笑，挺身而起，道：「縱然沒有築造原圖，這古墓機關也未必真能難得住兄弟。」說罷，大步直向巨塚前面供台之處走去。

這時，那供台的石鼎已自行旋過六個時辰，回復不動。

楊文堯將要走近供台之時，突然回頭望著金老二道：「金兄請自小心，如果這墓中確如金兄所言，機關重重，這第一道機關可能就是那高大的石翁仲……」當下暗運內力，探手向供台上黑色石鼎摸去。只覺觸手冰冷，不覺心頭一驚，趕忙縮了回來。仔細看去，不禁訝然失聲道：「好一塊千年寒玉……」

金老二身子一晃，搶奔到楊文堯身後，探手向石鼎摸去。

他已聽得楊文堯呼叫之言，心中早已有了準備，石鼎奇寒，並沒使他吃驚縮手，反而用力一扳，心中暗道：「神算子盛名不虛，竟然在一觸之下，辨出這是極難一見的千年寒玉……」

心中念頭未息，忽聞一陣軋軋之聲，石鼎緩緩轉動起來。

楊文堯低聲叫道：「金兄快些走開！」說畢當先縱身而起，向一側躍去。

金老二對楊文堯警告之言，並不十分相信，暗忖道：那石翁仲縱然真是機關，也不能夠一衝就兩丈多遠……正自沉忖當兒，突聞一陣疾風破空，那尊巨大的石翁仲，果然迅快無比地向前衝來。

金老二一伏身，疾如離弦弩箭一般，側射而出，直向楊文堯停身之處躍去，身在空中一提真氣，雙臂一張，上半身猛然向上一提，雙腳落著實地。

就在金老二剛剛站好身子之時，楊文堯卻反向古墓供台處回撲過去。

金老二定神看去，只見那石翁仲已衝到供台前面，手捧石笏擊在供台後的青塚之上，打得草石橫飛，那地方正是自己適才停身之處，不禁暗叫一聲好險，如果不是應變迅快，及時躍開，必為石翁仲手中石笏打中。

只見神算子楊文堯雙手扳住黑色石鼎，不住地搖轉，片刻後忽聞軋扳連響，那供台處突然分裂出一座石門。

金老二怕楊文堯獨自入墓，丟棄下自己不管，縱身一躍，搶飛到石門口邊。

楊文堯閃身向旁側一讓，拱手微笑，道：「金兄請！」

金老二微微一怔，笑道：「不敢，不敢，楊兄德高望重，兄弟怎敢僭越？」他怕石門之內，有機關埋伏，不敢當先涉險。

楊文堯不再謙辭，當先步入石門，向前走去。金老二身子一側，緊隨楊文堯身後而入。

兩人向前走約六、七尺遠，身後又響起一陣軋軋之聲，洞中驟然變得黑暗如漆。

金老二呆了一呆，低聲問道：「楊兄，那劍匣原圖之上，可曾提到這石門自動關閉事嗎？」他心中懷疑是楊文堯在搞鬼，故而問了他一句。

只聽楊文堯冷冷的聲音，起自七、八尺外，道：「金兄這般懷疑兄弟，實叫在下寒心，既然如此，我看還是金兄一人深入墓中去吧！」原來，他借光線突然暗下的時機，向前疾進數尺，故佈疑陣。

金老二吃了一驚，暗道：他此言分明未有好心，必得防他一著才行。當下暗中提集真氣，疾向楊文堯身側躍去，口中卻連聲說道：「楊兄不要誤會，兄弟對楊兄多心，也不會請楊兄相助了……」

忽然火光一閃，甬道爲之大亮，楊文堯右手高舉著特製的火摺子，笑道：「但願金兄言出衷誠，咱們此刻已然身陷危境，如若再不能同心協力，謀度險關，只怕……」

金老二接道：「別說兄弟沒有此心，縱然動了疑心，那也是自尋死路，當今武林之世，有誰不知楊兄是建造機關的能手，這古墓之中，埋伏重重，楊兄只要隨手一撥機關樞紐，不用費吹灰之力，就可以把兄弟置於死地了。」

只聽楊文堯哈哈大笑，道：「金兄把我楊文堯看成什麼樣的人了，楊家堡名列三大堡之一，兄弟雖不敢稱一方雄主，但還不致暗算於人，如果兄弟真有不滿金兄之處、自會當面叫陣。」

金老二道：「兄弟隨口說來玩笑，楊兄千萬本要放在心上。」

兩人談話之間已然深入了數丈，耳際忽然響起了淙淙水聲。楊文堯熄去了手中的火摺子，笑道：「金兄請閉目稍作調息，咱們即將步入險境了。」

金老二依言閉上雙目，運氣調息了一陣，再睜眼睛，景物已清晰可見。

楊文堯側耳聽了一陣，道：「金兄水底功夫如何？」

金老二道：「這個麼，不瞞楊兄說，兄弟是個旱鴨子，楊兄無所不能，水中功夫自是不錯了？」此人處處多疑，說完話後，兩道眼神盯在楊文堯臉上，想從他神色中瞧出對方問話用意。

楊文堯淡淡一笑道：「這墓中既有水聲，想必設有控制水勢的機關，如果不小心觸動埋伏，必將洪滔氾濫，金兄既不會水，請隨在兄弟身後而行，眼下兄弟並無破除古墓中機關的把握，此刻咱們只有走一步算一步了。」

要知那戮情劍匣上刻繪的古墓圖案，雖然已繪機關埋伏，但因經過了十二個巧匠之手，各人繪製的比例尺度不同，是以楊文堯瞧了半晌，算來算去，算不出圖中奧妙，才誤爲匣上圖案不是偽製，就是劍匣不是真品。

兩人又往前走了一段，眼前果橫現一道三尺寬窄的水渠，水勢湍急，一望即知是外面引進來的活水。

楊文堯低頭瞧了一陣，忽然驚道：「已經有人先我們進入這古墓中了。」

金老二急道：「什麼？難道當今武林之世，還有人通達這機關埋伏之學不成？」

楊文堯不理金老二的問話，仔細在兩面壁上瞧了一陣，笑道：「金兄放心，進墓之人，大概已被洪水淹死了。」

金老二又聽得怔了一怔道：「這個楊兄怎麼知道？」

楊文堯舉手指著石壁笑道：「金兄仔細看看，當知兄弟之言不是信口開河了。」

金老二運足目力瞧了一陣，搖搖頭，道：「兄弟除看出這石壁是由青石砌成，堅固異常外，再瞧不出什麼奇怪之處了。」

楊文堯微微一笑，道：「兄弟忘了金兄是不通水性之人，實在也難怪。金兄請看頂上石壁積塵極多，但這兩面石壁之上，卻是纖塵不見，是以兄弟推想剛才這古墓甬道之中，定被洪水氾濫過，沖洗了壁間積塵。」

金老二道：「楊兄果然高明，兄弟佩服至極！」

楊文堯道：「壁間被洪水浸濕的痕跡，尚未全乾，使兄弟想到這洪水消去不久，定然有人先咱們進入古墓，無意觸動控制才勢的機關，使洪水氾濫甬道，再看水痕相距頂端不過尺許高低，又想到來人必被淹死沖走無疑。試問在這等狹小的甬道之內，四無著力之處，縱然水性極好之人，也難長久適應，悶也要被活活悶死。」

金老二道：「這麼說來，進入這古墓之人已然死去，是毫無疑問的了？」

楊文堯微微一怔，沉吟半晌，道：「除非他們在洪水沒頂之前，找到了控制水勢的機關……」

金老二極注意有人進入古墓之事，又追問了一句，道：「楊兄看他們是否可能及時找到控制水勢的機紐，而保全性命？」

楊文堯凝眸思索了一陣，道：「這是件希望極小的事，我想他們被洪水淹死沖走的成份很大。」

金老二笑道：「但願楊兄的推想不錯。」

楊文堯微微一笑，緩步向前走去，目光流動，不停打量四周形勢。

轉過了兩個彎後，眼前突然一亮，一片寶光耀目，狹窄的甬道，至此也突然開朗，成了一座兩間房子大小的石室。

這是徐元平到過的石室，室中陳列著很多珠寶古玩，件件都是價值連城的珍品。

金老二目光掠著珠寶掃過，點點頭道：「現在看這石室珠寶，也許傳言並非虛僞。」

楊文堯瞧了珠寶一眼，淡淡一笑，似是毫不爲眼下罕見的珍品所動，心中卻在暗道：這室中的寶珠，最小的都比我收藏的巨珠要大，如果古墓所藏確如傳言，縱然此刻真的死在古墓之中，那也是毫無遺憾。」

兩人雖都為室中珠寶古玩所動，但為了要保持身分，誰也不好意思伸手去拿，只好裝出一副視若無睹之態。彼此各想心事，沉默無言，過了半晌，金老二突然說道：「楊兄，孤獨老人留示，不准人進這石門口內，想來這石門之後，定然有什麼機關……」

楊文堯道：「這個兄弟已在用心查看了。」目光轉動，不停在四壁查看。但見四壁一片潔白，找不出一點可疑之處。

金老二道：「楊兄請取出戮情劍匣看看，也許劍匣上刻繪有開啓這石門之法。」說話之間，人已走了過去，雙手潛運真力，猛然一推。只覺如撼山嶽，石門絲毫未動，自己卻因用力過猛，反被震得向後退了一步。

回頭望去，只見楊文堯已取出戮情劍匣，正在凝目檢視。金老二也不驚擾於他，悄然退到一側，靜立相待。

忽聽楊文堯輕輕啊了一聲，緩步走近石門，伸手在門邊量來量去，約莫一盞熱茶工夫，收了劍匣，伸出右手食中二指，在貴客止步的止字下面一橫，用力一劃，一陣隆隆巨響過後，石門自動大開。

金老二忽的縱身一躍，搶先到石門之前，他卻停在門口不肯進去，回過頭對神算子楊文堯道：「楊兄請！」

楊文堯笑道：「金兄這般相疑兄弟，唉！實叫兄弟心中難……」

金老二接道：「楊兄不要多心，兄弟絕非相疑，實是擔心石門開啓之後，立刻重閉，故而我便首先到門口。」

楊文堯道：「金兄做事，這般謹慎小心，實叫兄弟佩服。」當先舉步入門，金老二緊隨身後而行。

進了石門，景物突然一變，一連六、七間房子，大廳當中，端放著一座五尺高低的大鼎，四周一片漆黑之色。

突聞一陣隆隆之聲，充耳不絕，那大開的石門，突然自行關上。僅有的一線光線，隨之消失，大廳中一片漆黑，伸手難見五指。兩人雖是一身武功之人，但在這等不見一點光線，陰氣森森的古墓中，也不禁生出驚怖之感。

經過了一刻沉默，金老二首先忍不住說道：「楊兄，看看那戮情劍匣上，可有這暗室的記載嗎？」

只聽楊文堯呵呵大笑之聲由大廳一角傳來，道：「金兄快請到兄弟這邊來，這暗室中，恐怕即將有機關發動了。」敢情他已悄無聲息地溜到大廳一角。

金老二心中暗罵一聲可惡，凝神戒備，緩步向大廳一角走去。忽見火光一閃，幽暗的大廳中，突然亮起了一道火焰。

火光照著楊文堯臉上浮現的微微笑容，但那笑容看在金老二眼中，不但毫無和藹可親之感，反而有一種陰森恐怖的感覺，這一瞬間，金老二突然覺得楊文堯是一位陰沉得可怕的人物，心底不自覺地泛起一股寒意。

神算子盤膝坐在大廳一角，高舉著手中火摺子，笑道：「金兄身上可帶有火摺子嗎？」

金老二道：「這個，兄弟沒有準備……」

話還未說完，突聞一陣軋軋之聲，起自那巨鼎之中。

楊文堯急道：「金兄快快走過來……」

一向凶悍陰險的金老二，此刻竟然十分聽話，縱身一躍，飛落在楊文堯身邊。

楊文堯右腕一抖，手中火摺子脫手飛出，黏在那巨鼎之上。

要知他這火摺子是用棉花浸以松油特製而成，不但火光強烈，而且可黏在物體之上燃燒。

楊文堯投出手中火摺子後，緊隨著站起身子，暗中一提真氣，忽的縱身躍起，直向巨鼎處飛去。

金老二冷哼一聲，緊隨楊文堯身後飛起，追蹤躍去。

此時但聞嗖嗖幾聲弦響，巨鼎中忽然飛出一片弩箭，分向四面八方射去。

楊文堯雙掌立時一齊下劈，一股強勁的掌風到處，弩箭便紛紛下落。

鼎中弩箭來得突然，但所幸時間不久，一排箭雨過後，倏然而止。

金老二武功雖高，但他部分視線被楊文堯前面身子擋住，致被兩支弩箭劃破衣袂，心中甚是惱怒，待兩人腳落實地，忽然一步欺到楊文堯身後，力蓄掌心，怨聲問道：「楊兄把兄弟招了過來，自己卻突然躍身而起，避開弩箭，是何用心？」

楊文堯頭也不回地冷冷說道：「如非兄弟招呼金兄一聲，只怕金兄早已死在淬毒弩箭之下……」

金老二暗道：「江湖上盛傳三堡人物之中，楊文堯為人最是和藹可親，不失書生本色，哪知卻是一位心地最為陰險之人，此番如能出得古墓，我定要昭告綠林同道，揭穿他偽裝面貌……」

心念正轉動間，耳際間又響起楊文堯冷冷的聲音，道：「不管金兄如何想法，但此刻你如和兄弟鬧翻，絕難出這古墓……」

金老二怒道：「我金老二豈是受人箝制之人，哼哼，楊兄未免太小瞧於我了。」

楊文堯回頭一笑道：「金兄如若不信的話，咱們就不妨試試。」

金老二掌勢突然向前一送，緊貼在楊文堯背心之上，道：「兄弟只要一吐蓄蘊掌心的內力，立時將使楊兄心胸寸斷……」

楊文堯面不改色，淡淡一笑接道：「別說金兄這一掌未必真能置我於死地，縱然一擊成功，把兄弟震斃掌下，但金兄卻要活活被困死在這古墓中了。」

金老二心頭一凜，緩緩收回掌勢，道：「兄弟雖久聞楊兄之名，但今日才算真正認識你了。」

楊文堯笑道：「好說，好說……」

忽聞巨鼎之中，又是軋軋急響，巨鼎也自動轉旋起來。

金老二急急橫跨一步，全身隱在楊文堯的身後。

神算子目光注定旋轉巨鼎，高聲說道：「金兄快請退回壁角……」忽然一上步，身子飄空而起，人已上到巨鼎之上。

金老二被楊文堯高呼之聲，分去不少心神，就那微一分神，楊文堯自己施展絕佳輕功，腿不屈膝，肩不晃動，只一抬腿，躍上巨鼎。

楊文堯去勢奇快，快得金老二蓄蘊在掌心的內力，這時也來不及推擊出手。

金老二心知自己掌勢如若不觸在對方要穴部位，以對方功力之深，縱然被擊中一掌，也難傷得了他，剎那間心回念轉，主意突變，依言向後躍退，高聲說道：「楊兄請小心點……」話出口，人已躍退到大廳壁角之處。

楊文堯笑道：「金兄放心。」探手向巨鼎下面按去。

但聞嚓的一聲輕響，旋轉的巨鼎，倏然而止。

金老二雖躍退壁角，但兩道眼光卻注意那巨鼎和楊文堯的舉動，一見那巨鼎靜止不動，立時又急躍過來。

楊文堯道：「金兄還是暫退到壁角，只怕這巨鼎之中，還有暗器射出……」話還未完，巨鼎之中，突然噴出泉水，一股腥臭之氣，觸鼻欲嘔。

金老二身子一仰，背脊貼地，避過噴來毒泉，緊接著兩個急翻，迅捷無比地翻回到大廳壁角。

這一股噴出的毒水，似是毒氣很重，腥臭之氣濃烈無比，片刻之間，瀰漫全室。幸好毒水不多，不到半盞熱茶工夫，便自動停止。

但那腥臭氣味卻是越來越濃，兩人雖都有一身精深內功，也難抵受得住，只覺頭腦逐漸脹大，五臟六腑皆欲從胸腹翻出。

楊文堯探手入懷摸出兩粒丹丸，自己先行含入口中一粒，才高聲說道：「金兄接著。」抖腕向壁角投擲過去。

金老二伸手接著藥丸，卻不敢立刻投入口中，目光盯在楊文堯臉上，一語不發。

楊文堯微微一笑，說道：「金兄請放心把兄弟的藥丸含入口中，如這藥丸縱是毒藥，兄弟也先金兄而死。」

金老二道：「兄弟絕無此意，楊兄不要多心。」舉手把藥丸投入口中。

但覺滿口清香，霎時把撲鼻欲嘔的臭腥之氣壓了下去。

楊文堯探手又在巨鼎之中摸了一陣，笑道：「金兄請過來吧，鼎中機關已爲兄弟扣住。」

金老二依言緩步走了過去，但在相離巨鼎七、八步處，停下腳步。

楊文堯縱身躍下巨鼎，笑道：「如果兄弟判斷不錯，不到一盞熱茶工夫，這巨鼎即將自動移開。」

這當兒，金老二已覺到自己性命完全操在楊文堯的手中，他隨時隨地就可把自己置於死地，當下答道：「楊兄之言，自不會錯。」

楊文堯聽他口氣，已知他屈服在自己冷漠的擺弄之下，心中暗自好笑，口中卻故示親近地說道：「此刻咱們已進入步步凶危之境，如果不能同舟共濟，只有雙雙葬身在這古墓之中了。」

金老二低聲下氣地說道：「在這等機關重重的地方，兄弟全要憑仗楊兄大力了。」

楊文堯暗自忖道：當今武林之中，盛傳金老二交遊最廣，一宮、二谷、三大堡中都有交往，看來傳言不虛，此人能屈能伸，確是極難對付的角色，這次如不把他結束在古墓之中，終是一大禍患。

心念一轉，殺機暗生，口中卻微笑答道：「金兄說得也是，不管何等聰明之人，也難精通世間各種學問。武功一道兄弟自知不如金兄，但土木機關之學，耗去了兄弟大半生精力，這自是比金兄稍有心得，眼下處境是生死同命，自應各盡所長以求安度險關。」

金老二道：「楊兄之言，字字金玉，兄弟自聽吩咐。」

楊文堯笑道：「金兄這般說法，兄弟就不敢……」話未說完，忽聞一陣輕輕的軋軋之聲，那巨鼎突然自動升了起來，直到四、五尺高，才停下不動。

金老二凝目望去，只見巨鼎之下，是一個兩尺見方的深洞。

楊文堯歎息一聲道：「建築這古墓之人，果然較兄弟高上一籌，此鼎要是由兄弟設計，定然是向旁側移開，想不到會向上升起，金兄請緊隨兄弟身後。」大步直向鼎下走去。

楊文堯走近巨鼎下洞口之處，略一探望，立時縱身而入。

金老二俟楊文堯腳落實地後，高聲叫道：「楊兄，兄弟是否可以下去呢？」金老二謙恭之情，流露言詞之中。

楊文堯暗自忖道：任你千恭百順，也要你陳屍這古墓之中。

口中卻笑答道：「金兄再要這等謙虛，兄弟如何敢當，快請下來。」

金老二一躍而下，藉著楊文堯手中火光看去，只見數尺之外，矗立著一扇黑門。

楊文堯道：「金兄請把那門上鐵環向右連轉一十二次，這緊閉之門，就可以大開了。」

金老二略一猶豫，大步走了過去，依照楊文堯吩咐之言，把門上鐵環，連向右面轉動了一十二次，正待鬆手而退，忽覺眼前一晃，不禁大吃一驚，腳下加力，向後疾退，哪知身後竟然被一道鐵欄擋住，匆忙舉手向上一架。

但覺臂上一涼，一陣奇疼刺心，被門上落下的一口鋒利鋼刀，從肘間生生切斷，但他功力深厚，手臂雖被切斷，竟把鋼刀下落之勢擋住。

回頭看時，只見身後壁間，伸出兩根鐵棍，攔住退路，這等設計縱是身負絕學之人，如果事先沒想到，也難逃過劫難。

金老二暗中運氣，閉住穴道，先把流血止住，目注楊文堯，微微一笑，道：「想不到這兩扇門前，還設有這等機關，幸好斷去兄弟一臂，也算不幸中的大幸了！」

楊文堯早已運集功力，只要金老二口出不遜之言，立時藉故發作，一掌把他劈死，哪知對方不但毫無抱怨之言，而且還把一切錯誤攬在自己身上，滿臉笑意，毫無怨恨之情，楊文堯竟是找不到一點藉口，不覺微微一怔，暗道：此人果然不凡，如果這次不把他擊斃在古墓之中，此生此世，他將與我誓不兩立了。

心念及此，殺心愈堅。但口中故作惋惜，黯然一歎，道：「都怪兄弟大意，害金兄斷去一臂，實使兄弟難安。」

金老二道：「這如何能怪楊兄，只怪兄弟學藝不精……」他說話之間，人也縱身躍出那兩道鐵欄。

楊文堯揣手入懷摸出一包金瘡藥，緩步走到金老二身邊，一面伸手替他包紮傷勢，一面說道：「兄弟這金瘡藥，雖然說不上什麼靈散金丹，但對療治刀劍之傷，卻也甚有效用……」

金老二笑道：「楊家堡金瘡藥功效如神，江湖上無人不知，兄弟這裡先向你謝謝了！」

忽聞軋軋一陣急響，那門上落下的鋼刀和壁間伸出的鐵棍，同時歸了原位，兩扇鐵門這時也緩緩自動而開。

楊文堯替金老二包紮好了傷勢，說道：「這次兄弟走在前面……」，話未說完，倏而住口，大步地直向緩開大門之中走去。

金老二在楊文堯轉過了身子刹那，忽的舉起右手，但卻又自動收回來。

這一瞬間，他腦際千迴百轉，想了很多的事，只怕楊文堯暗中有備，自己在斷臂之初，傷疼正烈，如若這一掌不能把對方擊斃，勢必引起楊文堯的反擊，以自己眼下處境，絕非其敵。

這兩扇黑門之後，又是一個黑色墨石砌成的石室，不過形式不大相同，狹長有如棺材一般，靠後壁處放著四只大鐵箱。

楊文堯舉著手中火摺子，直奔到那存放鐵箱之處，立刻舉掌朝最右一只鐵箱的銅鎖之上擊下。但聞一陣瑲瑲之聲，鐵鎖應手而落。

金老二忍著傷疼讚道：「楊兄好雄渾的鐵砂掌力。」

楊文堯回頭笑道：「不敢，不敢，兄弟練的是大力金剛掌。」

金老二心頭一震，暗自忖道：大力金剛掌乃少林寺七十二種絕技之一，不知此人得誰傳授，練成這等開碑碎石的絕技……

楊文堯似是已猜出金老二此刻心中懷疑之事，咧嘴一笑，道：「金兄可覺著兄弟言過其實嗎？大力金剛掌乃少林寺七十二種絕技之一，兄弟既非少林門下弟子，自是無法練成這等掌力，是不是？」

金老二道：「這個，兄弟怎能相疑，不過……」

楊文堯道：「金兄如果不信，且接兄弟一掌試試。」臉上陡湧殺機，緩緩舉起右掌。

金老二疾退了兩步，笑道：「少林寺七十二種絕技，流傳於江湖之上的，何止大力金剛掌法一種，就兄弟所知，已在五種之上了。」

這幾句話，果然引起了楊文堯好奇之心，舉起的右手向旁側一偏，隨手打開鐵箱蓋子，登時一片寶光耀目。原來那鐵箱之中盡都是放著明珠寶石，光華燦爛，滿室生輝。

楊文堯側目瞧了那箱中珠寶一眼，不覺心頭微微一動，暗道：如非親眼所見，實使人難以相信這古墓之中，存集了這麼多珠寶，縱是深宮內苑的皇帝之家存集珠寶也難比擬……

忽然想到身側還站著金老二，立時回頭說道：「金兄見聞廣博，兄弟是早已聞名，不知此刻可否把少林派流傳江湖絕技之事，說給兄弟聽聽？」

金老二笑了笑道：「這有何不可……」他微微一頓後，接道：「不是兄弟誇口，少林寺七十二種絕學，兄弟都可讓他們流傳於江湖之上……」

楊文堯突然冷冷地截住金老二的話道：「金兄說話，最好是有點分寸，兄弟雖然孤陋寡聞，但對武林中的大勢，卻也略知一二，據兄弟所知，眼下武林之中還沒敢和少林派正面爲敵之人，不過少林寺清規森嚴，門下弟子很少在江湖之上走動，故而不如一宮、二谷在江湖之上名頭響亮而已……」

金老二哈哈一笑，道：「楊兄說得不錯，別說一宮、二谷，就是身受大江南北黑白兩道上人人尊仰的神州一君易天行，大概也不敢向少林寺啓釁生事，可是兄弟卻有能力調度少林高手……」

楊文堯冷哼一聲，接道：「金兄再這般自吹自擂下去，恕兄弟沒有興致再聽下去了。」

金老二道：「楊兄還記得兄弟在古墓外說過胸藏一件隱秘，牽扯了領袖當今武林的少林派中很多高僧的事嗎？當可想到兄弟此言，並非故作誇大了。」

楊文堯暗道：這倒是有點道理，也許他知道少林寺中一些難以見人的隱秘……

只聽金老二大笑道：「如論武功，兄弟只怕難及少林寺元字輩中高手，但兄弟卻能以所知隱秘，迫使少林寺當今方丈元通大師就範，聽命兄弟，楊兄如若不信，等咱們出了這古墓之後，兄弟立時就做給楊兄瞧瞧。」

楊文堯微微一笑，道：「這麼說來，如果咱們今生今世無法出這古墓，金兄胸中之秘，也是永遠不肯說給兄弟聽了？」

金老二心頭一震，脊背之上，升起來一股寒意，暗道：此人言詞之中，已經毫無顧忌地流露出殺我之意，看來要想逃出他毒手，已非容易之事……

心中雖然甚感焦急，但外形仍能保持著鎮靜，淡淡一笑道：「那也不是，不過此事說來話長，眼下咱們身陷危境之中，生死難料，兄弟縱然不惜毀棄對人承諾之言，把所知隱秘告訴楊兄，對楊兄不能有所助益，但對兄弟卻有極大損害，難道楊兄願兄弟在臨死之前，落下不義不信之名嗎？」他微微一頓之後，歎道：「如果楊兄有把握能夠出這古墓，兄弟縱然身負不守信諾之名……楊兄可以兄弟宣洩隱秘，威迫少林寺掌門方丈元通大師，要他獻出少林寺七十二種絕技秘錄，若能對楊兄有所幫助，兄弟死也無憾了！」

楊文堯暗道：任你舌粲金蓮，也難消去我殺你之心……

心中殺機雖堅，口中卻微微笑說道：「據兄弟所知，數百年來少林寺僧侶之中，尚沒有兼通七十二種絕學之人，就算金兄所言非虛，確能以吾兄宣洩之隱秘，脅迫少林寺掌門方丈交出七十二種絕技秘錄，可是兄弟已是五旬以上之人，行將就木，雖有絕學秘錄，也難練成幾種武功……」

兩人相對望了一陣，楊文堯緩步向第二只鐵箱走去，舉起右手，一掌向鎖上劈去。

但聞噹的一聲，銅鎖應手而落。

楊文堯回頭望了金老二一眼，笑道：「如果這只大鐵箱中，也是放著珠寶，咱們就一人一箱……」

金老二接道：「兄弟孑然一身，四海漂泊，珠寶雖然名貴，但對兄弟卻是毫無用處，這一箱如是珠寶的話，兄弟願把應得一份，奉送楊兄。」

楊文堯笑道：「那金兄是志在玉蟬、金蝶二物了？」

金老二道：「玉蟬、金蝶，兄弟只想得到一件，已經是心滿意足的了。」

楊文堯微微一笑，心中暗道：只怕你連一顆珠寶，也難到手中……舉手打開箱蓋。

但見滿目碧光耀眼生花，原來在這具大鐵箱中，盡都是翡翠珊瑚之物。鐵箱正中，橫放兩條粗如兒臂，長約一尺二寸，晶瑩透明，碧光特別強烈的玉尺，分別雕刻著龍、鳳花紋。

楊文堯探手抓起雕刻著一條飛龍的玉尺，正待拿起來仔細瞧瞧，剛剛拿起數寸，突然又放了下去，向後疾退。

金老二早已暗中留神楊文堯的一舉一動，看他突然向後躍退，不禁心中一動，提聚真氣，側身一擋，左肩猛向楊文堯背撞去。

楊文堯猝不及防，吃他一撞之勢，身不自主地向前一栽，伸手向鐵箱上面扶去。只聽輕微破空之聲，鐵箱之中，忽的飛出一片銀針。

楊文堯冷哼一聲，身軀疾向一側躍去。

任他動作迅快，右小臂也被那飛出銀針射中了兩支，只覺傷口之處一陣麻木，趕忙運氣閉住穴道，回頭望著金老二微微一笑，道：「金兄可想把兄弟謀害在古墓之中，獨吞這兩箱珠寶、翡翠嗎？」

金老二看他神情已知他中了暗器，不覺膽氣一壯，哈哈一笑道：「好說！好說！兄弟剛才無意中撞了楊兄一下，縱然有錯，也是無心之過。」

楊文堯緩緩舉起右臂，捲起衣袖，道：「金兄一撞撞得恰到好處，使兄弟這右臂連中兩支毒針。」

金老二仔細看去，果見楊文堯臂上「曲池穴」下，插了兩支細如髮絲的銀針，不知銀針全長多少，但見露在肌膚之外的，大約有分許長短，不禁望了斷去的左臂一眼，道：「彼此，彼此，楊兄說咱們生死同命，兄弟深以爲然，兄弟既然斷了一條左臂，如果楊兄完好無恙，不覺有些不太公平嗎？」

楊文堯笑容可掬地笑道：「兄弟還可以告訴金兄一句，我臂上中的銀針，都是毒藥淬煉之物，幸好是射中了兄弟，如是射中金兄，只怕難以活過一十二個時辰。」

金老二微微一怔，道：「這麼說來，楊兄是不怕毒針了？」

楊文堯左手突然向懷中一探，摸出兩粒藥丸，以迅速無比的動作，吞入腹中。

金老二想出手阻止時，已然不及，不禁臉色一變。

楊文堯哈哈大笑道：「可惜，可惜，金兄白白的錯過了一個殺死兄弟的機會！」楊文堯微微一頓，拂髯笑道：「剛才兄弟必需運氣閉住穴道，以防止毒氣侵入內腑，如果金兄出手追攻兄弟，逼得我無法運氣封閉穴道，縱然我能夠擋得金兄幾招，但時間一久，毒氣攻入內腑，金兄就是不殺兄弟，兄弟也難保得住性命。」

金老二道：「那也未必見得，楊兄身懷丹丸，縱然有起死回生之能，但在藥力未行開前，只怕也難阻毒氣入侵。」

楊文堯微微笑道：「天下武林道上，誰人不知我楊文堯擅長土木建築和醫術、丹藥之學！兄弟這自製靈丹，只一入口就可阻止毒氣內侵了。」

兩人相對沉默了一陣，楊文堯忽然舉手拔下右臂銀針，說道：「金兄，你又錯過了第二次殺死兄弟的機會了……」他大笑了一陣道：「要知任何靈丹妙藥，也不能一入口中就可阻止毒氣內侵，金兄雖然猜想得到，但卻不敢相信自己的猜想，白白放過了第二次殺死兄弟的機會，兄弟深為金兄惋惜。現在，我已借金兄沉思說話的機會，暗中運氣，行開了藥力，這針上之毒，不但已被藥力阻止，而兄弟借運氣的機會，把右臂之毒迫集在小指之上，只需劃破小指，放出毒血，這針上絕毒即將隨毒血流出體外。」立即刺破小指，一股黑血不住淌下。

金老二道：「任楊兄如何揣想，兄弟不願置辯。」

楊文堯陡然冷笑一聲，道：「如若兄弟想殺金兄，獨吞古墓之寶，那金兄又將如何？」

金老二聽他居然把心中所想之事說出口來，不禁臉色一變。

但他究竟是久走江湖之人，略一驚駭之後，立時恢復了鎮靜，淡淡一笑道：「這個，兄弟很難作得主意，楊兄如何對付兄弟，悉聽尊便就是。」

楊文堯倒是想不到他會這般答覆，不覺怔了一怔，說道：「兄弟本沒有存下殺死金兄之心，但金兄卻處處存了謀害兄弟之心，自入這古墓之後，時時準備下手，如若我此時不殺金兄，金兄勢必殺我，與其兄弟被金兄殺害，倒不如先下手殺掉金兄。」

金老二冷笑一聲，道：「楊兄如果這等逼迫兄弟，說不得兄弟只好一拚了。」暗中一提真氣，運聚功力，蓄勢待敵。

楊文堯笑道：「金兄如能接下兄弟十招，我就饒你不死。」舉起右手，呼的一掌，直劈過去。

在這等狹小之處動手，縱躍閃避的身法極不易施展得開，而且楊文堯劈出的掌風潛力強猛異常，如果讓避不開，反給人以可乘之機，當下奮起真力，揮動左掌，硬接了楊文堯一記強勁劈空掌風。

兩股潛力一交之下，立時分出功力的深淺，平常望去文質彬彬的楊文堯站在原地未動，金老二卻被震得一連向後退了四、五步，右臂斷處血管也被震裂，鮮血如雨，滴在石地上。

楊文堯微微一笑道：「這是第一招，第二招讓金兄試試兄弟的大力金剛掌，看是否有名無實。」

金老二心知再難擋得住他的一掌，與其動手被他打死，倒不如束手受死，也免得臨死之前，受他一番羞辱，金老二當下一挺胸，閉上雙目等死。

楊文堯伸出右手食中二指，輕輕在金老二胸前一劃，笑道：「金兄怎麼不睜開眼睛，難道兄弟就不值一顧嗎？」

金老二道：「楊兄要殺就殺，再要出言羞辱於我，可別怪我出口罵你了。」

楊文堯笑道：「金兄想痛痛快快的一死了之，可是兄弟卻不敢苟同高見，寧願受金兄罵上幾句，也要慢慢的讓金兄嘗試一下各種滋味……」他放聲一陣大笑道：「現在，我先把金兄左臂肩上的關節擊碎，使你兩臂殘廢，然後再挑斷你腿上『足厥陰肝經』，使你雙腿殘廢，無法行走……」

金老二聽得心頭一寒，全身微微顫動了一下，楊文堯卻哈哈大笑了一陣，接道：「然後兄弟再施展分筋錯骨的手法，錯開金兄身上三百六十五處關節……」

忽聞石壁之上，傳來一聲輕微的震盪之聲，不禁心頭一駭，主意忽變，故意提高了聲音，接道：「讓金兄留居這古墓之中。」

金老二忽的睜開眼睛，道：「楊兄和兄弟無仇無怨，這般折磨於我……」

楊文堯突然舉掌按在金老二前胸，接道：「金兄快些運氣調息，兄弟以本身真氣助你一臂之力。」

金老二受寵若驚地奇道：「楊兄是什麼……」

楊文堯微笑接道：「兄弟剛才之言，只不過是說說玩笑罷了，豈能真做出來，金兄身懷戮情劍匣，不找別人合作，單找兄弟，分明是瞧得起我。」

金老二看他忽然間態度大變，直疑似在作夢，口中連聲應道：「江湖傳言，一宮、二谷、三堡中人，以楊兄人最謙和，肝膽照人，不失書生本色，眼下想來，傳言……」

楊文堯道：「金兄快些運氣療治好內傷後，咱們再談不遲。」

金老二依言閉目運氣調息，楊文堯果然以本身真氣相助，掌心熱流滾滾，傳到對方身上。他內功精深，一面以本身真氣相助金老二療傷，一面凝神靜聽壁間動靜。忽聞石壁間傳來一聲大震，打斷他心中忖思之事。

楊文堯收回按觸在金老二身上的掌勢，問道：「金兄可覺著好了些麼？」

金老二道：「得承楊兄相助，兄弟真氣已經回丹田之中。」

楊文堯霍然站起身子，道：「金兄臆測不錯，這古墓之中，確已有先我們而入之人，而且來人看來就在和我們一壁之隔的另一座石室之中。」他聽得石壁第三次震動之後，已確定那是一種強勁的掌力，或兵刃擊中石壁後引起的震盪聲。

金老二長吸了一口氣，問道：「咱們要不要想辦法過去瞧瞧，也許那金蝶、玉蟬就在隔壁石室之中存放……」他連番吃過苦頭之後，驕狂之性已然大減，言詞神色之間，流露出唯對方馬首是瞻之意。

楊文堯心中怦然一動，暗道：這話倒是不錯，如若那金蝶、玉蟬確爲來人得去，縱然這室中四箱都是罕得一見的珠寶、翡翠盡都歸我所有也不合算。

楊文堯故一沉吟，說道：「金兄之見，和兄弟心意相同，咱們得過去瞧瞧是哪路英雄，不得戮情劍匣指引，竟也能深入這古墓之中。」話中隱含譏諷之意。

金老二尷尬一笑，默默無言。

楊文堯連續闖過四個機關之後，對戮情劍匣上原圖，已有了信心，全圖雖然叫人無法推算出來，但個別的機關布設，都和圖上吻合，當下取出戮情劍匣，仔細瞧了一陣，緩步走向鐵箱之處。

金老二默默相隨身後，也不敢多問他一句。

楊文堯合上鐵箱蓋子，回頭望了金老二一眼，立刻急步向一處壁角奔去。

只見他在壁角處摸索了一陣，忽聞一陣軋軋連響，石壁陡然裂開一道六尺多高，二尺寬窄一扇石門。

金老二縱身一躍，落到石門邊，笑道：「兄弟替楊兄開路。」

身子一側，當先穿過。

楊文堯緊隨身後穿過壁間石門。抬頭望去，但見滿室森森劍氣，逼得人面生寒意。

金老二身子緊貼石壁而立，一瞧楊文堯過了石門，低聲說道：「楊兄可認識這兩人嗎？」

楊文堯仔細瞧瞧，只見一個十、八九歲的少年，右手舞著一柄短劍，幻化成一片劍幕銀虹，封住了一個洞門，另一個中年大漢，右手持劍，左手拿著鐵骨摺扇，站在一側，滿頭汗珠如雨，滾滾而下。

十二　螳螂捕蟬

金老二看楊文堯只管瞧著兩人，默不作聲，立時道：「那手執摺扇銀劍之人，就是豫、魯、鄂、皖四省綠林道上的總瓢把子，鐵扇銀劍于成；手舞短劍的少年姓名，兄弟雖不知道，但卻和他有過數面之緣，那短劍就是傳誦江湖的戮情劍……」

楊文堯啊了一聲接道：「戮情劍……」

金老二道：「不錯，兄弟這戮情劍匣就是從他的手中取得。」

鐵扇銀劍于成眼瞧徐元平劍勢如虹，追趕不捨的怪物都被擋住，連頭也不敢再伸出石門，不禁放下了心中一塊石頭，心神略定，舉手揮拭一下頭上汗水。

他緊張的心情消失之後，耳目恢復了靈敏，立時覺出了石室中有人，摺扇護胸，陡然一旋，轉過身子。

于成目光一瞥兩人，立時辨出來人是誰，哈哈一笑道：「我道是誰，原來是金兄……」他微微一頓後，目光投注在楊文堯的臉上，道：「大駕可是金陵楊家堡楊兄嗎？」

楊文堯道：「不敢，不敢……」

徐元平忽的一收短劍，滿室銀虹，忽然斂收，目光轉投到楊文堯和金老二臉上，瞧了一陣，低聲問道：「哪一個是姓金的？」

鐵扇銀劍于成道：「那位臂上裹藍布的就是。」原來古墓中沒有裹傷的白紗，金老二傷臂裹用的藍布還是從衣服上撕下的。

徐元平道：「他可是人稱金老怪的金老二嗎？」

于成道：「不錯，不錯，金老怪正是此人。」

徐元平突覺一股熱血直沖上來，縱身直向金老二猛撲過去。

楊文堯立時揚手一招「天外來雲」，猛對徐元平劈了過去，喝道：「年輕輕的孩子，怎麼一點禮貌也不懂？」

徐元平看他掌勢凌厲，立時一提丹田真氣，身懸半空，橫裡向右躍開三尺。

鐵扇銀劍于成縱身一躍，落在徐元平身側，和他並肩而立，舉劍指著楊文堯道：「這位就是名列三堡之一的金陵楊家堡老堡主楊文堯，號稱神算子，以精通機關埋伏之學而馳名江湖。」

徐元平目光炯炯地打量了神算子楊文堯一眼，冷然問道：「在下和楊家堡主素昧平生，不知爲何出手劈我一掌？」

楊文堯微微一笑，接道：「你撲來之勢，強猛至極，話未說明之前，很難不使人生出誤會，老朽隨手一擊，志在自保。」

此人狡猾無比，先把自身關係推脫乾淨，然後再以局外人的身分，見機而作。

徐元平聽他說得倒也有幾分情理，因爲金老二和他停身之處，相距不過二尺遠近，自己縱身猛撲而上，難免不使人生誤會。當下說道：「楊堡主說得也是，既是出於誤會，在下也不願計較。」

轉臉望著金老二，高聲問道：「大駕可是人稱金老怪的金老二麼？」

金老二他究竟是老謀深算之人，覺出當前局勢對自己不利，當下正容說道：「不錯，不知兄台何以得知在下姓名？」

徐元平冷笑一聲，道：「這麼說來，你是一點也不認識我了？」

金老二道：「這個……兄弟實是記不得了！」

徐元平立時一揚手中短劍，怒道：「你記不得我，該記得這支『戮情劍』。」

金老二道：「『戮情劍』是武林奇寶，切金斷玉，削鐵如泥，武林之中人見人愛，兄弟在江湖闖蕩半生，焉有不認得之理？」

徐元平聽他東扯西拉，不覺心頭火起，雙肩激晃，直欺過去，舉劍逼在金老二前胸，問道：「我那戮情劍匣現在何處？快說！如再措詞推脫，哼哼！可不要怪我出手毒辣……」

金老二只覺逼在胸前短劍，寒氣逼人，但外形仍能保持著鎮靜之態，說道：「那戮情劍匣確然是我取得，不過，謀奪劍匣並非在下之意，我只不過受人所托，而且，志在劍匣，於人無關，所以並未注意兄台的形貌。」

徐元平道：「在下身懷戮情寶劍之事，知道之人並不很多，不知你受哪個所托？」

金老二聞言問道：「你這把寶劍得自何處？」

徐元平冷笑道：「這等事，也是你問的嗎？分明措詞推脫……」

忽聽楊文堯大喝一聲，舉手一掌直劈過去，強猛絕倫的劈空勁氣，立時劃起輕微的嘯風之聲。

徐元平心中悚然一驚，陡然轉過身去。

只見一條頭如巴斗，滿身鱗甲似蛇的怪物，蠕蠕向外爬來，上半身已然探出石門數尺。

楊文堯劈出的強勁掌風，雖然凌厲絕倫，但那怪物竟然毫不在乎，大頭微微一搖，突然咕的一聲大叫，前進之勢忽然加快。

鐵扇銀劍于成大喝一聲，欺身直躍過去，他不敢正面迎擊那怪物的來勢，卻由側面攻上，左手鐵扇護面，右手銀劍一招「直搗黃龍」，疾刺過去。

但聞呼的一聲，于成手中銀劍正中那怪物頭上。

那怪物又是咕的一聲大叫，巨頭一轉，張口疾向于成咬去。

他早已知此怪物厲害，一劍擊中，立時向後疾退。

金老二低聲對徐元平道：「眼下如讓這怪物衝過石門，咱們幾人，都難活命，當前之局，合力擊退這怪物要緊，至於戮情劍匣之事，待擊退這怪物之後，再談不遲。」

他本可陡然下手暗襲徐元平背後「命門」要穴，但他早已暗中反覆推想，徐元平武功雖高，但卻毫無江湖閱歷經驗，只要用點心機，哄騙他並非難事，楊文堯卻是個極難對付的角色，心中又存必殺自己之心，留得此人性命可兼收制衡之效，必要之時，想辦法挑起他和楊文堯的火拚，以保自己性命，楊文堯武功雖高，但如聯合自己、于成和這少年之力，決不致敗在他手中。

徐元平回頭瞧了金老二一眼，道：「好吧！我先將這怪物擊退，再和你算帳。」忽的縱身一躍，直向那似蛇非蛇的怪物撲去，劃起一圈冷森森的銀虹，連人帶劍直撞過去。

那怪物似是極怕徐元平手中的戮情劍光，大頭疾縮，以迅快無比的動作退回那石門之內。

牠向外爬時，蠕蠕而行，緩慢異常，但後退之勢卻迅如電閃一般。

徐元平逼退那怪物之後，手執戮情劍守在石門口邊，皺起兩條眉頭發愁。

他明白自己一退，那怪物定然又重追出來，但是守在門口，亦非善策，一時之間，想不出抵擋之策，呆在那石門之前。

楊文堯四下張望了一陣，縱身躍到石門旁邊，舉手在壁間一拂，只聽一陣隆隆之聲，石壁之間，陡然擁出一塊石板來，剛好把那兩壁之間的石門封了起來，笑道：「那蛟頭怪蛇，已被我關在對面石室之中，你們有什麼糾葛之事，可以放心談啦。」

此人心機陰沉無比，眼瞧金老二放過傷害徐元平的機會，已知他留得此人性命，目的在借用對方對付自己，眼下古墓藏寶之地已知，入墓之人也在眼前，而且傳誦江湖的戮情劍也在此地出現，如若能把眼下之人一網打盡，毀去古墓，不但墓中藏寶和戮情劍盡爲自己所有，而且人不知鬼不覺。但如憑仗自己武功，一舉盡殲三人於古墓，別說毫無把握，縱然是力能勝任，也必累得筋疲力盡，最上之策，就是先挑起眼下之人自相火拚，自己再俟機出手，先去強敵，逐一搏殺。

徐元平雖然聰穎絕倫，但他乃毫無江湖閱歷之人，哪裡能想到楊文堯、金老二在互相鬥智，自己卻變成兩人爭奪的盾牌，以擋強敵。當下舉劍指著金老二道：「那蛟頭怪物已被這位楊老堡主關在石室，現下已無怪物威脅，咱們也該算算偃師郊外，謀奪我㦬情劍匣的一筆帳了。」

金老二暗自忖道：楊文堯果非易與之輩，我想利用此人對付他，想不到卻被他搶了先著，看來如不下寧為玉碎之心，實難鬥得過他了。心念一轉，微笑說道：「兄弟和閣下素不相識，卻想不到那名動武林道上的㦬情劍會在兄台手中。」

徐元平想道：這話說得倒不錯。不自覺微一點頭。

金老二哈哈一笑，接道：「閣下身懷㦬情劍，不過是數日間事，天下武林同道能知此事的又有幾人？兄弟這麼一說，想兄台定然想到兄弟是受什麼人所托的了。」

徐元平略一沉思，道：「托你之人可是少林寺的慧果大師嗎？」

金老二既不承認也不否認地說道：「閣下身懷㦬情寶劍，想那授劍之人，必已把劍上蘊藏之秘告訴兄台了？」

徐元平暗道：此人既能謀奪我的劍匣，自非好人，我如坦誠相告於他，他定然會欺騙我，不如給他來個莫測高深的答覆，看他說些什麼，再作計較。

當下冷笑一聲，道：「他既肯授劍於我，自然會把劍上蘊藏之秘相告在下，難道這還用問不成？」

他這句謊言，倒是說得金老二和楊文堯都有幾成相信，如若他不知劍匣上蘊藏秘密之事，絕不會找到這墓中。

金老二有心把墓中藏寶洩露，挑起他們爭奪寶藏之心，雖然對徐元平之言還有幾分懷疑，但卻毫不猶豫地說道：「閣下失去戮情劍匣，仍能找到這座古墓，安度重重機關，才智記憶，實叫兄台佩服。」

徐元平道：「那也沒有什麼，只要能夠謹慎小心一些，這也並非什麼難事。」

金老二道：「兄弟既有戮情劍匣上刻繪的古墓原圖，又有被譽爲當世精通土木機關之學的楊兄同行，仍被墓中機關斷去一臂，兄台只憑記憶所及，深入這古墓之中，自非常人所能。」

楊文堯鐵青著臉冷哼了一聲，道：「那只怪金兄學藝不精，又不肯聽兄弟指示之言，斷去一臂已算是萬分僥倖了。」

金老二呵呵一陣大笑，道：「如果兄弟句句聽從楊兄，只怕早已橫屍古墓了！」

楊文堯突然微微一笑道：「難道金兄此刻還存著生出這古墓之心不成？」

金老二暗罵道：可惡，我如不挑起你們一場火併，金老二算白跑了半輩子江湖。因此愈堅定洩露墓中寶藏隱秘之心，道：「當今之世，知這墓中隱秘的人，寥寥可數，兄弟機緣湊巧，三十年前無意中得知此墓隱秘，這其間還包含著一個震驚武林，被譽爲泰山北斗的少……」他似覺著說溜了嘴，忽然住口不言。

徐元平心中一動，忽然記起和慧空大師在那幽室中相處三日的諸般情景。

慧空雖未告訴過他少林寺中爭權之事，但他已從慧空和慧因、慧果的對話之中，聽出了一些端倪。

徐元平只管凝神思索往事，忘記了眼前險境。忽覺一股強勁的掌風，由身側擊過，不禁心頭一驚，其實他此時武功已精進甚多，反應特別靈敏，心念初動，掌勢已出，揮手一掌斜斜拍出。一股潛力，應手而出，正和那由身側疾過的掌風，撞在一起。兩股激盪的潛力，捲起一陣旋風，徐元平不由自主地向後退了一步。

回頭望去，只見楊文堯滿臉殺機，站在原地未動，不由暗吃一驚，忖道：此人掌力好生雄渾。

原來楊文堯聽金老二滔滔不絕，大有盡洩墓中所有隱秘之意，心中忽然覺到事態嚴重起來，如若他毫不顧忌地把墓中藏寶盡皆說出，就是鐵石之心也要怦然而動，那時三人合力對付自己一個，勝敗之數，就難預料了……念轉心動，殺機陡生，暗中提聚了功力，一語不發，遙空一掌向金老二劈擊過去。

楊文堯存心殺人滅口，一擊成功，是以運足了十成功力，卻不防徐元平橫裡插手，斜劈一掌，竟把自己擊出的強勁內力撞開。

金老二目睹徐元平一擊撞開楊文堯的掌力，心中大感快慰，當下哈哈一笑道：「楊兄好辣的手段，可是準備先把兄弟劈死，然後再暗算于成和這位小英雄，獨吞這古墓寶藏，但這墓中存放的珠寶富可敵國，楊兄哪能要得這許多……」

鐵扇銀劍于成聽得怦然心動，一揮手中摺扇，道：「江湖規矩，見者有份，這古墓有多少珠寶不管，但得四份均分，誰想獨吞咱們就聯手先把他除了。」

徐元平淡淡一笑：「這墓中藏寶，在下倒無意分得……」

金老二怕他撒手不管，急急接道：「那小兄弟深入古墓定是志在玉蟬、金蝶了？」

徐元平道：「什麼玉蟬、金蝶？在下一概……」

鐵扇銀劍于成大聲叫道：「玉蟬、金蝶也在古墓中嗎？這話可是當真？」

他在聽得玉蟬、金蝶之後，神經陡然緊張起來，大失常態。

徐元平聽他在叫聲中，微帶顫抖之聲，心中甚感奇怪，回頭問道：「玉蟬、金蝶難道比珠寶還要珍貴不成，你這般大叫作甚？」

金老二搶先接了一句，道：「兄弟素來不打誑語，玉蟬、金蝶確在這古墓之中。」

于成似是自知失態，長長吁一口氣，道：「徐兄有所不知，那玉蟬、金蝶乃傳誦武林中的兩件奇寶，玉蟬能解百毒，至於金蝶……」

他只聽到江湖傳誦之言，說這兩件奇物諸多珍貴神奇之處，但究竟有何用途，鐵扇銀劍于成根本就弄不清楚，說得兩句之後，瞠目結舌，再也說不下去。

金老二長長一歎，道：「玉蟬、金蝶的神奇之處，兄弟倒是知得一二……」

楊文堯接口道：「不是兄弟小瞧金兄，只怕你對那玉蟬、金蝶所知也極有限。」

金老二冷笑一聲，道：「這麼說來，楊兄定然知道那玉蟬、金蝶的用處了。」

楊文堯仰臉緩緩說道：「玉蟬、金蝶，只不過是巧匠名手雕刻而成的兩件死物，其神奇之處，還在人去運用，知其特性，用在得心應手，使兩件死物傳出了諸般神奇傳說，如若不知兩物特性，那就形同腐朽。哈哈！可是當今世人，又有幾個能知得玉蟬、金蝶特性？」

金老二道：「楊兄別太過夜郎自大，土木建築之學，兄弟自知不如楊兄，但如講江湖間傳誦的奇珍掌故，不是區區誇口，只怕楊兄難及兄弟了……」

徐元平忽然插口接道：「這些事在下恕無興致多聽，不說也罷！金兄竊取兄弟戮情劍匣，先請還了兄弟再說。」

金老二目光一掃楊文堯，道：「那戮情劍匣，現在這位楊堡主的身上……」

徐元平不等金老二的話說完，轉頭望著楊文堯，道：「劍匣既在楊堡主的身上，快請還給在下，此劍鋒利無比，沒有劍匣，攜帶極是不容易。」

楊文堯微微一笑，道：「這劍匣上邊，刻繪著古墓築建之圖，眼下咱們在古墓之中，生死一體，這劍匣先由兄弟保管，待出了這古墓再奉還不遲。」

徐元平想到他剛才手拂石壁封堵石門、擋住那蛟頭怪蛇之能，心中暗道：此人之言倒也不錯。一時之間，不知是否該逼他討回。

金老二突然冷笑一聲，道：「楊兄帶著我戮情劍匣，利用這墓中機關，如想把兄弟等關閉在古墓之中，那可是舉手反掌的易事。」

楊文堯做賊心虛，一聽金老二點破了心中陰謀，突然縱身一躍，直向一側石壁躍去。

金老二大喝一聲，揮手一掌劈去，口中大喝道：「楊兄當真要把兄弟關在這古墓中嗎？」

楊文堯一語不發，左掌一推，硬接了金老二一記劈空掌風，把金老二震得向後退了兩步。

這時候，楊文堯身子已到石壁之下，舉手在壁邊拍了一掌。

楊文堯和金老二入得此室之後，那壁間石門早已自動關閉，此時吃他拍了一掌，那關閉的石門突然又大開。

鐵扇銀劍于成大喝一聲，揮動手中銀劍追了過去。

楊文堯半身已然過了石門，聽得于成大喝之言，冷笑一聲，說道：「三位就請留在這古墓之中，陪陪那孤獨老人吧，一年之後，兄弟再來此奠祭三位的週年忌辰。」說話之間，他右手便虛空劈出。

于成疾向前衝的身子，吃那擊來掌風一撞，立刻摔落地上。

忽聞衣袂飄風之聲，徐元平以快捷絕倫的身法，立時躍奔到石門旁邊，他探手一把抓住了楊文堯的左腿。

神算子楊文堯暗中讚道：好迅快的輕功身法。左手一翻，五指也扣在徐元平的左手腕上。他見多識廣，對敵經驗豐富異常，心知脈門如被對方扣上，立即將受制在對方手中，當下反手一把，左手五指也緊抓在對方腕上，暗中運氣加力，加大手勁，準備搶得先機，把對方制服。

徐元平雖得先機，但卻不如楊文堯變化迅快，只覺對方五指一著腕上，立時如鐵箍緊縮一般，趕忙運氣抗拒，同時運勁疾收扣在楊文堯腕上的五指。

兩人同感如扣鐵石之上一般，暗中運氣加力，互較力勁。

鐵扇銀劍于成挺身爬起，衝了上來，長劍一抖，直向神算子楊文堯前胸刺去。

這座石門，只不過有兩尺多寬，徐元平、楊文堯各居一方，佔住了大半位置，所餘空隙甚小，鐵扇銀劍于成一劍刺去，閃避自是不易。

哪知神算子楊文堯確有過人的武功機智，一瞧刺來劍勢來得猛惡，立時大喝一聲，猛然一抬左手，把徐元平的左臂疾向劍上迎擊。

徐元平猝不及防，一時之間，要把左臂收回，大是不易。

于成出劍雖快，但收勢更快，銀劍疾收，摺扇一合，點了出去。

楊文堯冷哼一聲，舉袖一挑，立時劈出一股潛力，震開摺扇，伸手疾攻一招。

這時金老二也已逼近身來，但因石門之處，早已被站滿，無法擠進門去，只得站在數尺之遠，高聲說道：「那石壁一面，乃是這古墓藏寶之地，四大箱明珠、翡翠，件件價值連城，如若咱們被他按動壁間機紐關在此處，不但那珠寶被他獨吞，而且永難出這古墓，決不能讓他退過石門。」

金老二遠遠地說了這幾句話，對楊文堯、于成、徐元平三人，都發生了一種作用。

楊文堯既震驚徐元平過人的武功，又擔心金老怪的狡詐，怕他點破自己的陰謀，在生死利害之前，這少年必然會全力相搏。所以在聽了金老二這幾句話後，目光斜掃了金老二一眼，冷冷哼了一聲，手上的攻勢同時也更為凌厲，他此時已存了速戰速決之心。

鐵扇銀劍于成，一面醉心富堪敵國的寶藏，一面也怕楊文堯發動機關，將自己困死古墓，所以聽了金老二之言，也起了力拚之意。

徐元平雖然無意那些奇珍珠寶，卻當然不甘被困古墓，這時見楊文堯和于成隔著一道石門，在自己身旁互相搏鬥，而自己又和他互扣腕臂，相持下去也無法解決問題，倒不如索性鬆開對方手腕，看他如何，憑自己的輕功，相信不至於輕易地讓他跑掉。

就在徐元平念轉心動時，于成已右劍左扇，猛烈擊向楊文堯，但見于成右劍挾著一股勁風，由二人脅下穿過，直向楊文堯腰際的「章門」要穴刺去，左手猛抬，銀扇啪的一合，一招「俯瞰神州」，疾點楊文堯左臂「臂儒」穴。

楊文堯左胸被徐元平緊緊扣住，突見于成劍扇齊到，要想避讓，行動上自是大受箝制，但凌厲的攻勢已到，哪裡能允許他多作考慮，只得拚著左臂受傷，避讓開劍勢再說。心念及此，左手一加勁，藉著扣住徐元平腕臂，猛吸一口真氣，雙腳一頓，人已斜飛而起，正好讓開于成的劍鋒。

于成一劍未能刺中，左扇也已落下，但因楊文堯是借徐元平的手腕之力騰起，所以二人的手腕都不免移動了一下，于成眼見落下的扇勢，勢必要殃及徐元平，逼得倏的猛收鐵扇。

徐元平心中既已不願互相扣拿住手腕，苦纏無益，所以在楊文堯讓開一劍，雙腳放落之時，暗聚其力，開聲吐氣，一抖左臂，激發一股強勁猛烈的反震之力。

楊文堯此時正氣聚丹田，力量全用到下半身提騰之上，徐元平這一用力，他陡覺左手五指如裂，心頭一凜，再想回運功力，已是不及，左手一麻，人已被震摔出，便向隔室跌去。

金老二一見徐元平震開楊文堯，急得大叫一聲：「不好」，人已騰身躍起。

徐元平聽金老二一叫，不由回頭望去。

楊文堯被摔落隔室，手臂雖感一陣疼痛，但心中卻暗暗高興，迅速由地上爬起，放眼張望，閃電般地探出右手，在壁間一拍，但聽一聲隆然大響，那道不及二尺寬的石門，竟迅速移動起來，楊文堯哈哈一笑，道：「三位就請永留古墓，陪陪孤獨老人吧！」

徐元平見石門移動，心知不好，雙臂平施，使用神力擋住移動的石牆，金老二和鐵扇銀劍于成電火般地由徐元平臂隙下穿越而過，猛追上去，口中喝道：「楊文堯，你往哪裡跑！」

楊文堯頭也不回地袍袖一拂，立時劈出一股潛力，直擊過來。

金老二走在前面，首當其衝，他已知楊文堯功力深厚，此刻急憤之際，定然是全力出拳，哪裡敢硬接掌勢，趕忙橫向左側一躍，讓開了擊來潛力。

于成久走江湖，早知三堡之名，剛才被他一掌把自己向前飛躍的身子擊落，心中餘悸猶存，也不敢擋他劈來掌勢，橫向右面躍去。兩人一齊讓開，因此之故，那劈出的掌力立時直向徐元平站立之處撞擊過去。

他正運集了全身功力，把那橫移過來的石門擋住，忽覺一股強猛潛力襲過身來，不禁暗道：完了！楊文堯掌力雄渾無比，我眼下不能運功抗拒，看情形，勢非被他震死在掌下不可。

心中雖在暗自忖量，但潛在的求生本能卻是不甘束手待斃，一提丹田之氣，雙手用力向前一推，硬把那橫移過來的石門，向後推動數寸，身子一側，反向楊文堯擊來的掌力之上迎擊。

只覺一股暗勁，完全撞了上來，不禁全身微微一顫，但人卻仍然站在原地未動，氣血如常，絲毫不覺異樣之感。耳際間響起一聲巨石的撞擊之聲，那橫移石門已然封閉了石壁間洞開的門戶。

凝目望去，只見楊文堯似被人推動一般，一連向後退了數步。這一瞬間，兩人都愕然相顧，臉上都流現著一片茫然之色。

鐵扇銀劍于成和金老二，本已從兩側環繞攻上，忽見楊文堯自動向後退了數步，耳際又聞得石門撞擊之聲，不覺同時一怔，收住了攻勢。定神一瞧，只見楊文堯和徐元平互相凝目而視，心中大感奇怪。

只見徐元平緩緩地把投注在楊文堯臉上的目光移注室頂之上，雙眉微微聳起，他似是在思索著什麼難題。

了再說！」

金老二沉聲喝道：「那位徐兄定然想到什麼重要之事，別驚擾他，咱們先聯手把楊文堯除

他大半生的歲月，都在江湖之上飄蕩，見聞廣博，一看徐元平的神情，立時想到他不是在思索武功上的難題，定然是在索解墓中機關，此等一時靈智衝動，稍瞬即失。

于成亦是久走江湖之人，金老二出言一點，心中立時瞭然，一語不發，縱身而上，舉手一劍，當胸刺去。

楊文堯似是也正在思索著一件困惑之事，對于成疾撲而上的攻勢似是渾然不覺，直待劍勢疾近前胸，他才霍然驚覺，左掌橫拍一擊，避開劍勢，飛起一腳「魁星踢斗」，直向于成小腹上面擊去。

鐵扇銀劍于成劍勢已被逼開，摺扇立時疾點而出。但是楊文堯迅快的一腳，迫得他收了摺扇而退。

楊文堯一腳逼退于成，猛聽背後颯然風動，一股強勁的力道直襲而至，楊文堯心知必是金老二乘機偷襲，心中甚是憤怒，倏然一翻右腕，衣袖翻浪，拍出一股掌力，硬向金老二擊來力道迫去。

金老二此時早知楊文堯的內力深厚，見他馬樁不移，反臂持掌，就知這一掌定然聚匯了相當功力，哪裡還敢硬接，一挫身軀，斜躍出三、四尺之外。

鐵扇銀劍于成適才被迫收扇而退，這時見楊文堯揮臂掌拒金老二，心念一轉，乘楊文堯攻出之勢，尚未收回之際，一揮銀劍，迅如電閃，猛向楊文堯刺去。

楊文堯右拒金老二，陡聞左側劍風破空，微一冷笑，不避不閃，左掌猛舉迅落，直向攻到的劍身上壓去。

于成這一劍，原本是想攻其無備，所以出力甚猛，這時見楊文堯不但不避，並且硬以掌力相拒，心中既驚且怒，就這略一遲緩，楊文堯掌力已然壓上劍身，陡覺劍身一震，劍勢下沉，似要脫手而去，當下不禁大駭。

鐵扇銀劍于成成名江湖數十年，如若仗以成名的銀劍，竟叫他人以一雙肉掌逼得撒手棄劍，那實是莫大的羞辱之事，將來如何有顏再在江湖上走動，想到此處，不由雙眉一挑，也顧不得厲害，猛提一口真氣，右劍不撤，左肩疾張，欺身挺進，舉扇向楊文堯「腮角穴」點去。

楊文堯武功再高，也不能不有所顧忌，正待移身避閃，驀地拳掌呼呼，金老二又從旁側夾攻而上。

楊文堯這時要避退，已是來不及，被逼得心頭火起，臉色驟變，泛現出滿面殺機，一聲冷笑，身軀猛矮，右掌力拒金老二的攻勢，左手五指箕張，變擊爲掌，倏的如流星墜地，向下一沉，又往上一抄，一招「碧海探驪」，但聞一聲悶哼，空中銀光一掠，鐵扇銀劍于成的銀劍已被楊文堯奪在手中。

楊文堯手腕微抖，但見劍花錯落，分向金老二、于成刺去。

于成銀劍被奪，心中羞憤已極，扇交右手，右扇左拿，一連幾招，急向楊文堯攻去。金老二這時也從一旁夾攻。

楊文堯左拒右擋，應付綽如，眼角微瞟，徐元平還怔怔地站在那裡出神，他心中不免一動，暗道：我不乘他在發愣之時，除去此二人，更待何時？

心隨念轉，冷笑一聲，銀劍驟緊，但聽嘶的一聲，于成的半截衣袖，已被劍鋒齊齊地割下，于成大吃一驚，一個箭步，躍退一旁。

于成驚得一身冷汗，身子尚未站穩，耳邊衣袂飄風，寒光一閃，楊文堯已滿臉殺機，挺劍追到，一支劍直刺胸前，于成正待振扇拚搏，楊文堯突覺手臂一震，劍身竟被無比的內力逼擋開去，轉眼回望，不由嚇了一跳，但見徐元平已躍到身邊

楊文堯銀劍被震，人已驚覺，迅快地橫躍三步，銀劍護胸，冷冷地看著徐元平。

徐元平迅快絕倫的一招逼開楊文堯，化解開于成的險象，卻並不出手相攻，身立原地不動，淡淡地說道：「楊老堡主年事已高，想不到用心卻如此狠毒，出手便欲置人於死地。」

神算子楊文堯哼哼冷笑，道：「非是我楊某人出手狠毒，實在是徐兄一向少在江湖上走動，不知這二人……」

金老二也怕楊文堯揭破自己的用心，急忙地插嘴截住道：「我二人雖然不是什麼英雄豪俠，但卻不似楊兄這等心機險惡陰詐，哼哼，想將在下二人和這位徐兄困死古墓之中，這等用心自是叫人難以忍受……」說著望了徐元平一眼，接道：「要不是他心懼徐兄手中的這把斷金切玉的戮情寶劍，哼哼，只怕也不會讓避，把徐兄放在眼中……」言語之間充滿挑撥。

猛聽楊文堯一聲低叱，道：「金兄少逞口舌之能，任你舌粲蓮花，今日也難逃出古墓。」

人隨聲到，斜出一劍，疾向金老二刺去。

楊文堯銀劍出手，金老二尚未來得及閃避，驟覺一般暗勁衝來，身側人影一掠，徐元平已

飛撲而至，人到掌到，掌勢一推一送，已將楊文堯的銀劍逼向一邊。

徐元平劍交左手，笑道：「楊兄但請放心，我徐某人此刻絕不會仗利刃取勝。」

這句話無疑公然挑戰，楊文堯生性再陰沉，也難忍下這口氣，銀劍一抖，劃成一圈銀虹，劍花一分，倏的向徐元平當胸刺去，口中說道：「徐兄豪氣干雲，如此兄弟倒蒙承讓了。」

楊文堯心機很深，知徐元平年輕氣傲，所以又拿話來挖苦他，使他無法再使用戮情劍來對付自己。

徐元平一看銀劍刺到，身軀微抖，反拍出一掌，直向銀劍來勢撞去。

楊文堯已知他掌力雄厚，縱然是手持利劍，也不願硬拚，一挫腰，疾向一旁躍去。

金老二大聲喝道：「徐兄不要受他所愚……」

忽然慘叫一聲，一股血箭，直射出來，濺了鐵扇銀劍于成一身。原來楊文堯殺機已動，趁著金老二分心說話的工夫，暗中提了一口真氣，腿不屈膝，腳不移步，憑借一股真氣，側身直欺而上。這等上乘內功身法，身子移動之時，不帶一點破空風聲，金老二只覺眼前銀光一閃，劍氣撲面，寒芒已近前胸，匆忙之中，向旁一閃，橫裡向一側躍去。他閃避之勢雖快，但楊文堯的劍勢比他更快，只覺右肩一涼，銀劍對穿而過。

這只不過是一剎那的工夫，楊文堯一挫腕收回銀劍，金老二卻慘叫一聲，右肩傷處，噴射出一股箭血，濺飛出五、六尺。

徐元平冷笑一聲，道：「楊兄好辣的手段！」欺身直攻過去。

忽聽金老二有氣無力地說道：「徐兄，快點取……取他戮情……劍……匣，此人陰險無比，那劍匣上刻繪著這古墓築造原圖……如若他帶在身上，對兩位大是不利……」話到此處，突然一跤跌在地上。

徐元平本已欺身攻上，但聽得金老二說話之後，又疾退回來。

楊文堯目光凝注在徐元平身上，緩步向後退去。

金老二說完話跌倒地上時，楊文堯已退到石壁旁邊，正待舉手向石壁上機關拂去，突聽徐元平大喝一聲，揚手劈來一掌，人也緊接撲襲而上。

掌力強勁雄渾，有如巨浪排空而到，楊文堯被勢所遏，只得橫向一側躍去。但他動作迅快，左掌已然拂中機關，人向橫裡躍開，機關已然發動，這時只聽一陣軋軌之聲，壁間裂開一座石門。

徐元平一撲未中，轉身擋在門口，目注楊文堯，臉露慍色，冷冷地說道：「楊堡主不還我戮情劍匣，今日咱們都別想出這古墓。」

楊文堯轉頭看去，鐵扇銀劍于成已把金老二扶到石壁一角，替他包紮傷勢，兩人停身之處相距自己甚遠，心中暗暗忖道：這徐姓少年，武功甚是高強，再加上有個見聞廣博的金老二從旁指導，又有鐵扇銀劍于成相助，不論鬥智鬥力，都難有必操勝算的把握，眼下之策，只有先把他們實力分散，然後俟機猝下毒手，先除兩個強敵，才可穩操勝券，或借重這古墓的機關，把他囚在此地，活活餓斃，日後自己單獨再來，這墓中藏寶和戮情寶刃，盡皆爲自己所有了。

心念一轉，橫劍封住門戶，探手入懷，摸出戮情劍匣，暗運內力，把劍匣在左腿肌膚上用力一按，然後取了出來，雙指又潛運內力，微微在劍匣之上一擦，毀去劍匣上部分圖案，笑道：「徐兄一定要立刻討回，在下只好奉還。」

徐元平接過戮情劍匣，把左手寶劍還入匣中，身子一側，讓開石門去路，說道：「在下做事，一向恩怨分明，你和金老二之間的恩怨，兄弟不知內情，也不願插手過問……」回頭瞧著金老二又道：「你竊取我劍匣之事，暫時記在帳上，以後咱們再算，于兄，咱們走啦！」

金老二突然挺身坐起，說：「慢著！」

徐元平回頭怒道：「你要怎麼樣？」

金老二道：「這墓中機關重重，如無楊文堯帶路，絕難出得古墓……」說話之時，轉臉望了那四箱珠寶一眼。

楊文堯趕忙說道：「既能相見，總算有緣，只要能夠信得過兄弟，帶路之事，在下絕不推辭，不過這墓中佈置，異常複雜，還得借重徐兄戮情劍匣上的原圖才行。」

徐元平已知這古墓埋伏的厲害，除了各種機關之外，還有蟒、蛇之類的毒物。略一思忖，說道：「那麼兄弟這劍匣還要暫交由楊兄保管了？」

楊文堯道：「這倒不必，待兄弟遇到難題，請借劍匣一觀即可……」說完，急步當先而去。

徐元平緊隨在楊文堯身後，于成扶金老二走在最後。楊文堯早已把來路默記心中，但他卻故作疑難之狀，走上一段，必要把徐元平劍匣借來瞧上一陣，凝目思索一陣，然後才動手找尋機關，開啓門戶。四人足足耗去一頓飯工夫之久，才度過五重石室，行到了甬道之中。

楊文堯心知已到了最後一道可能囚困人的地方，只要走完這條甬道，再也無法把三人留困這古墓之中了。

這是一次成敗各半的冒險。如果自己已判斷這甬道中布設的機關位置錯誤，或是推動埋伏的機關因年久失靈，自己立時有被三人聯手合擊的危險。他乃老成持重之人，在未操絕對的勝算之前，決不肯隨便冒險，所以四人將要把甬道走完時，他仍然沒有動手。

轉了兩個彎後確定甬道已盡，眼前拱立了三面石壁。

徐元平瞧得一皺眉頭說道：「甬道已盡，怎的不見……」

楊文堯輕輕地咳了一聲，道：「出這甬道之門麼，就在這三面石壁之上，不過在哪一面，兄弟還得仔細的瞧上一瞧，才能決定。」

鐵扇銀劍于成道：「不用瞧了，如若這三面石壁間果真有門，定然是在前面壁上。」

楊文堯冷笑一聲，道：「只怕未必。」忽的向左面石壁之上拂去。

他袍袖寬大，動作迅快，幾人尚未看清他拂向壁間，楊文堯已然向後疾退了數步，若有意若無意地剛好把徐元平和于成視線擋住。

但聞一陣軋軌之聲，起自石壁之中，這時幾人停身處，突然活動起來。

金老二低聲喝道：「徐兄請看緊他……」

徐元平依言向前上了一步，隨手一揮，當下便見戮情劍掠著楊文堯頭頂而過。

一股寒森森的劍氣，嚇得楊文堯打了一個冷顫，但他仍能衿持不動，頭也不回地說道：「徐兄這是什麼意思？」

徐元平道：「楊兄最好別懷異想，只要有一人不能出這古墓，楊兄就也別想活著出去。」

楊文堯又輕輕地咳了一聲，道：「如果區區存心暗算幾位，只怕幾位也到不了這甬道盡處了。」

鐵扇銀劍于成說道：「如若楊兄沒有那戮情劍匣，只怕也難到這甬道盡處。」

楊文堯微微一笑，說道：「于兄說得不錯！」心中暗自罵道：該死的東西，把我楊某看成何等人物，哼！戮情劍匣上的原圖，已被我運用指力毀去，異日你們再仗那劍匣原圖入墓，就有好看的了！

軋軋之聲倏而停了下來，壁間果然裂開了一道二尺多寬的石門。

楊文堯微微一笑道：「幾位進了這石門之後，最好能以最迅快的速度通過，以兄弟推想，這石門之內的通路，定然有著一定的時間，如若延誤過久，只怕這石道會自動封閉。」說完，側身當先而入。徐元平手執戮情劍，緊隨楊文堯身後而行。

這時候，于成、金老二卻和徐元平保持三、四尺的距離，以使他能有讓避楊文堯猝然施襲的空間。

這甬道之中，異常黑暗，但地勢卻甚平坦，兩面都是墨色山石砌成的石壁，一種濃重潮霉的氣味，觸鼻欲嘔。

四人走約十餘丈遠，地勢緩緩升高，登上七層石級，到了盡處。

楊文堯舉手一推，只聞喳的一聲，一面石板應手而起。

石門一啓，楊文堯立時以迅快無比的動作，衝了上去，徐元平怕他出洞之時合上石蓋，一提真氣疾隨而上。

環顧停身之處，是一座特製的石棺，寬約五尺，高可及人，四人一起停身其間，毫無狹小之感，石質光滑，還有名手雕刻著幾副形容驚心的鬼像，除了略感恐怖之外，倒不失一處極好的休息之處。

楊文堯舉手一推石棺，應手輕響，石棺壁板一轉，成了一道斜門。

原來那石棺頭端的石壁，是人工用鐵軸連在上下石板之上，稍一用力，立時推開。

幾人跨出石棺，又是一條紅磚砌成的甬道，走了數丈，甬道又斜向上升，大約有四、五尺遠近，頭頂之上，現出一具棺木，楊文堯雙手用力一推，棺木應手而起，一股強烈的日光，透射進來，照得幾人眼睛一花。

楊文堯道：「把棺木和青塚連在一起，成了一道神鬼難測的秘門，也虧那孤獨老人，竟然能夠想得出來。」

徐元平一提真氣，躍了上去，回頭伸手接過棺木，說道：「幾位快快出來。」

楊文堯一鬆手，縱身躍出，于成抱著金老二，緊隨躍了出來。

徐元平一鬆手，放開石壁的木棺，但聞蓬的一聲輕響，木棺復了原位，立刻回復變成了一座青塚，如果是不知底細之人，相信誰也絕難瞧得出可疑之處。

一陣秋風吹來，飄飛下幾片黃葉，極目荒塚壘壘，一片片衰草枯黃，那巨大的孤獨之墓，相距幾人停身之處已遠在數十丈外。

徐元平悵然一歎，說道：「好一座建築精巧的地下墓府，看荒塚壘壘，有幾人能夠想得到這……」

忽聽金老二冷哼一聲，道：「跑得了和尙跑不了寺，金老二不把你楊家堡鬧個天翻地覆，就誓不爲人。」

徐元平轉頭瞧去，只見一點人影疾如電奔而去。

原來幾人出了墓門之後，楊文堯卻趁幾人眺望景色之際，悄然逸走，待金老二發覺之時，人已到數十丈外了。

鐵扇銀劍于成望著楊文堯背影，罵道：「哼！二谷、三堡中人沒有一個好東西。」

金老二微微一歎，道：「于兄說得也是，過去江湖道上，雖有黑白之分，但對信諾二字，卻還能遵守不諭，自從一宮、二谷、三堡崛起江湖之後，對江湖上信諾二字，破壞無遺，處處講求機詐、權謀，不管用何等手段，均以成敗論英雄……」

于成微微一歎，道：「金兄說得不錯，兄弟亦有同感。」

金老二黯然一笑，瞧著斷臂說道：「如果不是得遇兩位，兄弟勢必被楊文堯殺於古墓之中了，殺死兄弟事小，但古墓之秘，只怕也將成千古疑案了。」

于成道：「金兄交遊廣博，遍及江湖各門各派，不知何以竟找得楊文堯這等陰險之人？」

金老二道：「楊文堯在三堡之中，素以忠厚著稱，而且對土木建築之學研究甚是精深，兄弟才找他同入古墓，哪知此人外表忠厚，內心險詐……」

于成仰臉望望當空秋陽，說道：「此刻時光還早，金兄傷勢甚重，不如就在這荒墓中休息一陣，再走不遲。」

金老二連受斷臂掌震之苦，雖是內外兼修高手，也覺著體力難支，聽得于成之言，當下點頭一笑，緩步走到一株白楊樹下，盤膝而坐，運氣調息。

徐元平心中對金老二其人甚是厭惡，但見鐵扇銀劍于成此刻和他談得甚是投機，當下不便當面發作，只好隨在兩人身後，走到那白楊樹下。

金老二一直提聚著一口真氣，忍受著各種傷勢痛苦，精神過度的緊張，激發他生命中的潛力，平時修爲的真元之氣，運轉於全身各大脈穴之中，支持著他的重傷之軀，此刻，險境既過，精神隨之鬆懈下來，這一靜坐調息，那運轉於各大脈穴中的真氣，漸歸平靜，只覺一股熱血，由胸中直沖上來，張嘴噴出一口鮮血，一陣目眩頭暈，仰面跌倒地上。

鐵扇銀劍于成看見吃了一驚，伸手扶起金老二，急急問道：「金兄，你……」

金老二苦笑一下，接道：「我因爲被楊文堯掌力震傷了內腑，只怕是不行了。」

這兩句話，說得甚是淒涼，只見徐元平心頭大爲感動，急上兩步，走到金老二身邊說道：「金兄請振作起來，兄弟以本身真氣，助你一臂之力，只要能把散去的真氣凝聚丹田，就可保無事了。」

他本是情感脆弱、極易衝動之人，雖對金老二其人甚感厭惡，但仍不自禁油生憐憫之心。

金老二忽的仰天長笑，聲音淒厲，刺耳異常，但他中氣不足，笑了一半，突然中斷。自言自語地說道：「榮兄陰靈有知，請恕兄弟無能爲你報仇了！」

徐元平聽得心頭一動，忘了替金老二療治傷勢，凝神靜聽下去。哪知金老二傷勢極爲慘重，講得幾句之後，竟然接不下去。

一陣秋風吹來，使徐元平驚愕的神智，突然一清，慌忙伸出右手，托在金老二後背「命門穴」上，潛運真力，一股熱流循臂而出，緩緩攻入了金老二「命門穴」中。

金老二散去真氣，得徐元平攻入內腑真氣之助，逐漸回集於丹田之中。

他本是有著深厚功力之人，真氣一聚，立時清醒過來，坐正身子，運氣調息，片刻之後，吐出來幾口淤血，長長吁一口氣，睜開了眼睛，回頭說道：「多謝英雄相救……」

徐元平心中一直在想他剛才所言之事，見他醒了過來，立即問道：「剛才金兄口中說的榮兄，可是姓徐嗎？」

金老二臉色一變，道：「我幾時講過了……」

他剛才神智昏昏沉沉，不知不覺之中，洩露了存在胸中十幾年的隱秘……

鐵扇銀劍于成接口說：「不錯，金兄剛剛確實說過此言，兄弟也親耳聽到！」

徐元平道：「金兄真氣初聚，不宜多講話，一會兒再說不遲。」

金老二果然不再言語，緩緩閉上了雙目，心中卻在暗暗想：該不該把這椿深藏胸中十幾年的隱秘之事說出……

大約過了有一頓飯工夫之久，金老二才緩緩睜開雙眼，瞧了徐元平一眼，道：「小英雄雖對我有過救命之恩，但此事乃是在下生平中最大的隱秘，實難隨便相告他人。」

他微微一頓之後，又道：「不過，在下可以把一件震盪江湖的隱秘大事告訴兩位，以報小英雄相救之情。」

徐元平搖搖頭，說道：「在下絕無挾恩求報之心，迫請老前輩講出胸中隱秘之事，只因老前輩適才感歎之言……」他突然長長歎息一聲，道：「老前輩既不願說，那也罷了，今日一番相逢也是有緣，憑此一面，在下願不再追究戮情劍匣之事。」

金老二惘然一笑，道：「二十年前，老朽亦和小兄弟一般豪氣干雲，言無不信，但這二十年來，迭經變故，目睹武林間正義消解，信諾成空，彼此之間，全以機詐之心相處，鬥勇之外，兼以鬥謀，老朽也不覺中養成機心，今見小兄弟豪情之氣，不禁感愧無地。」

徐元平接道：「老前輩這等誇獎，晚輩愧不敢當，在下就此別過。」抱拳作禮，轉身而去。

鐵扇銀劍于成忽的躍身而起，大聲叫道：「徐兄要到哪裡去呢？兄弟承蒙數番救命之恩，尚無……」

徐元平停步回頭笑道：「武林之間，偶伸援手，也算不得什麼重大之事，報恩之事，再也休提了。」

于成大步追了上去，笑道：「徐兄的手儀、豪情，兄弟甚是傾服，甚願隨侍左右……」

徐元平朗聲大笑，接道：「這個叫兄弟如何承受，于兄身為豫、皖、鄂、魯四省綠林道上總瓢把子，是何等威風，徐元平何許人物，豈敢……」

鐵扇銀劍于成大聲接道：「如果肯允在下常隨左右，以討教益，縱然是當今天下盟主，兄弟也不願再戀棧下去。」

徐元平笑道：「在下孑然一身，自己都無一定的去處，于兄盛意，只好心領了。」

于成哈哈大笑道：「兄弟跑了大半輩子江湖別無所成，但對各處山川風景，卻是知之甚詳，如蒙不棄，願以識途老馬，帶徐兄遍遊天下風景。」

徐元平黯然一歎，道：「于兄熱情可感，但兄弟卻有難對人言的苦衷，待日後兄弟恩怨結清之後，自當和于兄結伴遨遊天下名山勝水。」說完，轉過身子，緩步而去。

金老二突然站起身子，叫道：「小兄弟請留步片刻，在下有事請教。」大步追了上去。

徐元平回身說道：「老前輩有何見示？」

金老二道：「小兄弟姓徐嗎？」兩道目光，凝注在徐元平臉上，一眨不眨。

徐元平道：「不錯，晚輩叫徐元平。」

金老二一語不發，在徐元平臉上瞧了半天，說道：「徐兄的令尊、令堂，可都健在嗎？」

這兩句話，直似一柄鋒利之劍，刺入了徐元平的心上，登時覺得胸前熱血沸騰，滴滴淚珠奪眶而出，緩緩答道：「不敢相欺，家父早已去世，家母生死不明！」

金老二沉吟一陣，道：「敢問小兄弟令尊可是叫徐榮麼？」

徐元平答道：「不錯，老前輩適才昏迷之時，曾經提過家父之名……」

金老二突然雙目圓睜，沉聲問道：「天下姓徐名榮之人何止一個，小兄弟怎知我昏迷時呼叫之人就是令尊呢？」

徐元平倒是想不到他有此一問，怔了半晌，才緩緩道：「這個晚輩很難肯定答覆，不過晚輩曾聽師父說過家父一些事跡，雖因當時年紀幼小不能全盤悟解，但大略經過倘可默記心中，所以不揣冒昧……」

金老二神色凝重地接口問道：「你師父叫什麼？」

徐元平道：「晚輩恩師姓梁，單名一個修字，和家父有著金蘭之交，如非恩師相救，只怕晚輩早已不在人世了，唉，恩師雖然救了我的性命，但卻因此和人結仇，身遭慘死，最可悲的卻是，恩師膝下唯一的骨肉，被人誤認為我，也吃仇家活活震斃掌下……」

話至此處，忽見金老二老淚紛紛，黯然說道：「這麼說來，你當真是弟兄的骨肉了。唉！孩子！你可知道，這世間還有一個人，為著要替你父母報仇，不惜聲譽狼藉，偷生人世，混跡江湖之上，終年奔走，費盡心機，為了掩飾他的企圖，曾經大背良知，做下了很多不願做的事情，因此為很多正大門派的人物所不齒……」

他雖是半百年紀之人，但說到傷心之處，也不禁真情激盪，涕淚滂沱。

徐元平雖已聽出他言中之意，但一時間卻想不透他的身分，不知如何接口，呆立一側。

金老二痛哭一陣後，心情逐漸鎮靜了下來，又把目光投注在徐元平的臉上，端詳了一陣，自言自語地說道：「十幾年未見榮兄夫婦風采，今日重在小兄弟面貌神情之中見到……」他緩緩抬起頭來，望著無際蒼穹喃喃祈禱：「感謝皇天保佑，榮兄有此佳兒，大哥身負血海沉冤，洗雪有日了，榮兄陰靈有知，亦當瞑目泉下了……」

徐元平看他對自己關注之情如此深切誠摯，心中大是感動，不自覺地向前走了兩步，扶住了金老二顫抖的身軀，說：「不知老前輩和我父如何稱呼？」

金老二伸出獨臂，撫著徐元平頭頂說道：「我和你那師父梁修同時和榮兄結義南嶽，二十年前，江湖上並稱我們為南嶽三傑，榮兄長我兩月，我長梁修三歲……」

徐元平此時心中全無懷疑，撲身拜倒地上，說道：「二叔父請恕平兒不知之罪，以至在古墓中言語間開罪叔父。」

金老二不知是高興還是傷悲，老淚滾滾而下，扶起徐元平說道：「孩子！你那三叔梁修可曾把你父母蒙冤慘死之事，告訴過你嗎？」

徐元平黯然一歎，道：「師父一直未對我談過此事，只說平兒父母雙亡，他受我父母托孤之重，定要盡他心力把我教養成人，日日勸勉我用心學習武功，並且對我說，待我把他一身武功完全學會後，他就要把我引薦到另一位高人門下，再求深造……」

金老二道：「可憐三弟，用心這等良苦，也不枉大哥對他一番情意，不知他對你提到過我沒有？」

徐元平道：「師父從來對平兒，絕無提到叔父……」他口稱師父慣了，一時間改不過口。

金老二嘆道：「三弟為人忠厚拘謹，心中雖然恨我甚深，但卻不肯在人前罵我一句……」

徐元平道：「師父雖然未把平兒父母慘死經過告訴於我，但平兒卻從師父平日言語之中，聽到一點蛛絲馬跡，我也曾數次追問他老人家，但都被他用言語推過，再不然就聲色俱厲的把我教訓一頓，不許平兒追問……」

金老二忽然轉臉張望了一下，接道：「孩子，這個不能怪他，要知害死你父母之人，乃當今江湖之上勢力最大，望重黑白兩道，就是一宮、二谷、三堡中人也要對他敬畏幾分……」

徐元平只覺胸中熱血上衝，脫口說道：「害死平兒父母之人，可是神州一君易天行？」

此言一出，只聽得鐵扇銀劍于成不由自主地打了一個冷顫，接口說道：「什麼？神州一君易天行大俠乃當今之世最受武林同道推重之人，豈會做出這等敗德無行之事……」

徐元平突然轉頭望著于成說道：「易天行僞善行惡，一手掩蓋天下英雄耳目，我親眼看到他殺死我師父、師兄，難道此事還會假了不成？」

于成雖然明知不可和徐元平爭辯此事，但因他平日心目之中，對神州一君易天行過於尊仰，不知不覺地搖頭說道：「易大俠成名已垂三十餘年，盛名遍傳大江南北、關外、邊荒，爲人排難解爭，黑白兩道中人都對他尊崇萬分，數十年來，未聞他做過一件惡劣之事……」

金老二道：「于兄以外貌取人，不知其中底細……」

于成接道：「兄弟縱然會被神州一君僞善所欺，難道天下英雄都是耳聾眼瞎之人不成？」

徐元平聽他處處爲神州一君辯護，不禁激起怒火，厲聲叱道：「于兄既對那易天行敬服得五體投地，恕在下不敢攀交，你請便吧。」

鐵扇銀劍于成見徐元平怒火甚大，沉吟了半晌接口說道：「在下身受徐兄救命之恩，雖爲赴湯蹈火，萬死不辭，而且極願放棄中原四省綠林盟主之位，得以常隨左右，不過，對徐兄污蔑神州一君易大俠之事，卻是不敢苟同。徐兄心地光明磊落，決不致隨口輕言，但易大俠生性正直，也是兄弟親自所睹，我想其間如不是有人設計陷害，定然是有了誤會……」

金老二身軀微微顫抖了一下，道：「易天行機智絕倫，不管做什麼歹惡之事，均經過縝密無比的計劃，或是借手他人，或是親自出手，均能做得密不透風，不留半點可資查詢的蛛絲馬跡，別說于兄了，遍天下也難找幾個知他底細隱秘之人。兄弟曾在神州一君手下做過很多年事，如非我親眼看到，縱然聽到，只怕也難相信。」

于成道：「空口無憑，不知金兄可否有法子使兄弟相信……」

徐元平道：「我們在說話，哪個要你多口，還不快走，等我怒火難耐之時，想走就悔之無及了。」

于成道：「徐兄救了兄弟之命，再把兄弟殺掉，那也是應該之事……」

徐元平怒喝一聲，一晃身直欺過來，舉起右掌，冷然喝道：「難道我就不敢殺了你嗎？」

鐵扇銀劍于成笑道：「在下敬慕徐兄，意出衷誠，死有何懼，不過徐兄要和易大俠結仇之事，卻是萬萬不可……」

他不顧自己生死，仍然替神州一君辯護，不禁使徐元平心中動搖起來，暗忖道：世上哪有這等事情，不顧自己生死，仍然替別人辯護，莫非那神州一君果是好人不成……

只聽金老二冷笑一聲，問道：「于兄可受過易天行佈施之恩嗎？」

于成搖搖頭：「在下雖和易大俠有過一面之緣，但並未身受其惠，不過……」

徐元平心中一動，厲聲問道：「不過什麼？快說。」

于成神色不變地道：「不過在下卻親眼看到他為人排解紛爭，不但氣度恢宏、和藹可親，而且立論公正，不偏不倚，全場中人無不心服口服，俯首聽命……」他微微一頓後，接道：「他身負絕世武功，卻不肯以武服人，虛懷若谷，神態不亢不卑，句句字字無不使人心生佩服，徐兄如有緣和他一見，就知在下之言非虛了。」

金老二忽然微微一歎，道：「平兒，不要傷他，他這話並非捏造之言……」

徐元平聽得微微一怔，緩緩收回右掌，說道：「平兒親眼看到神州一君殺死我的恩師，難道這其中還有人冒他之名不成？」

金老二搖頭笑道：「三弟武功不弱，一般武林人物想殺他豈是容易之事……」他微微一頓之後，接道：「于兄只見神州一君易天行的外貌言行，也難怪你佩服得五體投地，我和弟兄、三弟初見其人之時，何嘗不是傾心相服，才甘心爲他所用，相處到數年之久，才發覺他是陰詐無比之人，唉！舉世不少奸惡之人，但都難及神州一君之萬一。不過他聰明絕世，機智過人，任何事動手之前，設計均極完整，一出手必然成功，乾淨俐落，不留一點痕跡……」

于成一皺眉頭，道：「金兄之言，叫人實難心服，兄弟就此告別。」他不願再聽下去，轉身欲行。

金老二高聲說道：「于兄慢走，兄弟還有下情相告。」

于成回頭說道：「兄弟生性，只斷不彎，金兄就是要殺人滅口，兄弟也不願隨聲附和。」

金老二微微一歎，道：「如論我金老二近年作爲，此事確然做得出來，不過今日情形不同，兄弟要將神州一君生平惡跡，舉說一、兩件出來，讓于兄聽聽……」

他緩緩把目光投注在徐元平臉上瞧了一陣，移目望天，接道：「今日湊巧和平兒相遇，那報仇之事都落在平兒身上，縱然日後被神州一君查出此事，把兄弟粉身碎骨我也心安理得。」

這幾句似是對徐元平說，也似是對于成說，又好像自言自語，神態間流現出無限淒涼、驚懼，就似此密一洩，定要被神州一君查將出來一般。

于成看他神情嚴肅中帶著畏怯，心中甚是奇怪，暗道：久聞金老二能言會道，舌粲蓮花，交遊異常廣闊，大江南北、武林同道，他都能攀上交情，所以行蹤所至，無不對他相容三分，有當今蘇秦之稱，想不到卻是個這等沒有膽氣之人。

只聽金老二長長歎息一聲，道：「于兄、平兒，走！咱們找一處僻靜之處坐下，我要把榮兄被害之事詳詳細細的告訴於你。」說完轉身向前走去。

徐元平瞧了于成一眼，默然相隨金老二身後而行。

于成暗暗罵道：此地人跡罕至，難道還不僻靜嗎？哼！花樣真多。

金老二走出荒塚，腳步逐漸加快，直向一座小山上面奔去。

十三　武林隱秘

三人到得山頂之後，金老二當先盤膝坐下，閉目調息起來。

他傷勢好轉不久，經此一陣奔走，甚覺睏乏難支。

徐元平、于成分在金老二旁側和對面坐下，流目打量山勢，一眼可見數里之內景物。

原來這座山峰，是一座和群山脫節的孤峰，雖然不高，但視野卻是十分廣闊，徐元平忖道：此山四無林木，一目可見數里景物，怎能算得隱秘。

金老二運氣調息一陣，睜開眼睛，說道：「于兄、平兒，你們一定奇怪我爲什麼選擇這樣一座孤峰之頂，數里外就可看到我們的地方，做我談話之地吧？」

徐元平道：「晚輩孤陋寡聞，想不出其中原因，還得請二叔父多多指教！」

金老二歎道：「神州一君易天行表面上氣度恢宏、心胸磊落，其實暗地中卻遍佈爪牙，他雖很少在江湖之上走動，但對武林中的一舉一動，都能瞭如指掌，不過他派遣各處臥底之人，不但事先經過極嚴格的選擇，而且機密異常，除了他本人之外，再也沒有第二個人知道，不知底細之人，覺著他和藹可親，但知道他底細之人，卻是覺著他險沉凶陰，使人驚怖……」

鐵扇銀劍于成皺皺眉頭，道：「金兄最好先別出口傷人。」

瞥眼見徐元平滿臉怒容，趕忙咳了一聲，倏然住口。

金老二道：「于兄久在江湖之上走動，不知是否知道南嶽三傑之名？」

于成沉思了片刻說道：「南嶽三傑之名，兄弟倒是聽人說過，可惜未能見過三人之面！」

金老二道：「這個只怕于兄自難再見，南嶽三傑已然三亡其二，只有兄弟還苟活人世之上……」滴滴熱淚，滾下雙頰。

于成見他神情激動，似非虛構謊言，不覺之間，心中信了一成，暗道：金老二雖然是久走江湖之人，但這等至情至性的流露，絕難裝得出來。

當下問道：「南嶽三傑如何被神州一君所害，金兄且請說給兄弟聽聽！如果確有此事，自當把他陰惡事跡公諸江湖……」

金老二搖搖頭，說道：「不是兄弟小瞧于兄，以我等人微言輕，縱然不惜冒萬死之險，把神州一君惡跡，昭告天下英雄，只怕也難動搖易天行數十年僞善換得的清白聲譽……」

于成接道：「話不是這般說法，如以武功而論，咱們再多上幾人，也難是神州一君之敵，但咱們如把他惡跡公諸江湖之上，至低限度，也可讓武林同道……」

金老二接道：「易天行耳目遍及天下，武林間一舉一動，他都能極快的得到消息，不是兄弟誇張，只怕一宮、二谷、三大堡中，都有他派去臥底之人，也許于兄身側，就布有他的耳目，兄弟選擇這孤峰之上，用心也就在避他耳目，此地一目可見數里景物，人在數里之外見我，我們也可目及數里之外來人，此地看來雖然毫無隱蔽可言，其實可算最爲安全之地。」

于成道：「金兄一言，使兄弟茅塞頓開，佩服！佩服！」

徐元平聽兩人談了半天，仍未提及父母被害之事，不禁心中焦急起來，忍不住接口說道：「數年以來，平兒一直念念難忘家父被害之事，尚望早將其中內情相告。」

金老二仰臉望天，長長一歎，他在傷感往事，又似在整理腦際的紊亂思緒，半晌之後才黯然說道：「這數十年前的往事，雖然已成過去，但如說將起來，仍有礙難出口之事，賢侄不要放在心上。」

徐元平道：「二叔父但請直說，縱有傷到平兒之處，我也洗耳恭聽。」

金老二臉上掠過一抹青春光輝，但一剎那間，已爲那沉痛憂鬱的神色掩遮，說道：「距今大約是二十三年時光，衡陽名武師一刀鎮三湖白倚天，設擂城郊，張貼佈告，傳柬江湖爲他膝前愛女白明珠比武選婿。

「設擂初期，與會之人雖然不多，但在一月之後，聞名與會之人，日漸增眾，白明珠眼過於頂，武功又極高強，一連兩月，均未有勝得她武功之人。

「那時，我剛好遊罷燕趙歸來，聽得傳言，一時興起，兼程趕到衡陽，到達擂台那天，已是天色過午時分，我躍身登上擂台索戰，白明珠以先和人訂約爲由，不肯和我動手，被我出言相激，挑起了她的怒火，盛怒之下竟然出手，哪知我們整整打了一個下午，仍是不勝不敗之局，我約她明天再戰，務必要分個勝敗出來，她卻不置可否，下台而去。

「次日上午，我一早趕到了擂台之下，準備搶先向她挑戰，哪知她剛一出場，我還未來得及飛身上台，卻有一人先我而上。」

徐元平道：「那人可是平兒的師父嗎？」

金老二道：「當時我們三人，還互不相識，只見那登台之人，先用一番諷激之言，挑起她的怒火，然後出手和她動手，天下事就有這般巧合，兩人打了一個上午，竟然也是個分不出勝敗的局面。」

鐵扇銀劍于成突然插嘴，接道：「兄弟也聽到過衡陽打擂招親之事，但因被瑣事繞身，而未能親身與會……」

金老二流目向四外張望一下，接道：「當日下午，我又極早趕到擂台之下，準備爭得先行出手，哪知白明珠剛一現身，三個人都同時飛上了擂台。」

于成微微一笑，問道：「這三人之中，定然有金兄一個了。」

金老二滿臉莊嚴之色，不理于成譏諷之言，接道：「除了兄弟之外，另外兩位就是大哥徐榮，和三弟梁修，這是我們南嶽三傑第一次會面。」

于成道：「你們同時躍上擂台，對方卻只有一人，不知這個武如何比法？」

金老二道：「我們三人同時飛上擂台，不早不晚的竟一齊落在台上，彼此之間，雖都不相識，但卻要爭先出手，一言不合，我們三個人竟然先在擂台之上打了起來……」

于成忍不住又接口問道：「你們三個人彼此自無奸惡之分，不知如何個打法？」

金老二道：「我們三人，誰也不肯幫誰，你給我一拳，我踢你一腳，三個人都是同時向兩人出手，打了半個時辰，仍然是個難分敵我的混亂之局。」

于成道：「這倒是件罕難一見之事，只可惜那時兄弟為一件緊要之事困擾，未能親赴衡陽一看。」

金老二道：「群集台下的各處豪客，見我們這等不守打擂的規矩蠻幹，立時引起了公憤，不知何人在台下高聲罵道：『你們三人如想拚個死活，何不找一處僻靜所在，拚上一場，這等擾亂台規，不知是何用心？』我們三人雖然都聽到了台下責罵之言，而且都覺著人家罵得一點不錯，但因正打到緊張之處，誰也不肯先行收手，還是大哥徐榮忽發全力，攻了我和三弟每人一掌，把我們同時迫退了一步，他疾退了三尺，說道：『我們如若想打，乾脆找別處拚個死活出來，哪個勝了，再來這裡打擂台不遲。』他一挑戰，我和三弟自然不甘示弱，當時就一齊答應了下來，三人同時躍下擂台，奔到城外一片荒野之區，彼此約定，抽籤決鬥，先由兩人相搏，三百招如若不分勝負，停下手再抽籤抉擇，如若有人在三百招內勝了對方，那就由得勝之人和另一個出手相搏……」

于成搖頭叫道：「這法子不公平，如若抽中先行比武，兩人打了三百回合後，還要再抽，要再抽中，還要出手，豈不是吃虧太大。縱然勝得一人，還得以疲累之身，和另一個養息了半天的生力軍相拚，體力上自是不易支持，就是武功高過另外兩人，但如天不相助，讓你先抽中籤，也要敗在那運氣好的手中。」

金老二道：「此法雖欠公平，但卻不失一個可用之策，需知我們三人心中都很明白武功相差不遠，如若求得公平，只怕極難分勝負，這個武不知要比到哪一天才能分出勝敗，這等比法，除了武功之外，還加上個人運道的好壞，抽中先比之人自應認個……」

鐵扇銀劍于成一見金老二住口不談，立即問：「不知三位哪個好運，沒有中籤？」

金老二沉吟著無言，似在回想那段比武往事，半晌之後，才繼續道：「第一次由大哥和三弟抽到，兩人一看中籤，一語不發的就動手相搏，過招之時，雙方均以快攻求勝，二百招後，三弟已累得筋疲力盡，以當時情形而論，如再打下去，不出五十招，三弟非傷在大哥手下不可……」

于成微微一笑道：「是啦！你們那大哥和白明珠動手時……」

金老二瞧了于成一眼，道：「你想說我們大哥故意在擂台隱技不露，是也不是？」

于成聽他毫不含蓄地揭露了自己心中所想之事，只得硬著頭皮，說道：「不錯！」

金老二搖頭接道：「大哥乃心胸磊落之人，哪裡會動這等心機，事實上白姑娘的武功，要比我和三弟高上一籌，和大哥才是真的棋逢敵手，半斤八兩，只因她缺少和人對手經驗，如若施展絕技，又怕傷了我們，不敢胡亂出手，她想迫我們自己承認不敵，或是知難而退，自不是容易之事……」

于成道：「這倒不錯，不知你們那第二簽抽中了哪個？」

金老二道：「第二次抽籤由兄弟和大哥抽中，我們兩人也依約言，打了三百回合才停手不打，大哥仍然略佔上風，他以疲累之身，仍能和我打成平手，武功自然要高出我和三弟。這一戰，在我和三弟心中，都有了一個主見，他雖然未對我說過，但以當時情形而論，這場比武應該算已經分出勝敗了，但我們卻仍然繼續比了下去，因爲我和三弟同時看出了，大哥武功事實上要比我們高強。不自覺間，竟然生出聯手之心，暗中互通聲息，輪番和大哥動手，由下午開始，一直打到次日清晨，大哥一直沒有停過，我卻和三弟輪流，在這等局面之下，大哥自是吃虧極大……」

于成插口道：「看來你們那位大哥，武功方面比你們定然高出很多，要不然早就該敗在你們兩人手中了。」

金老二道：「我們暗通聲息之事早已被大哥瞧了出來，但他一直隱忍不發，直待天黑之時，才笑對我們道：『這位白姑娘的武功，要比我們高出很多，只是她對敵經驗缺乏，心地又甚善良，不願施展辣手傷人，才容我們和她相搏數百招不分勝敗，剛才我們在擂台之上搗亂，已然激怒於她，如果我們不知進退，還要上台比試，定要傷在她的手中。』」

忽聽徐元平道：「前面有人來啦！」

于成、金老二同時轉頭望去，果見兩條人影，遙遙奔來。

金老二望了一眼，突然加快地說道：「大哥說了幾句警告之言後，就自行轉身而去，但我和三弟並未聽大哥警告之言，立時趕回擂台之處，三弟首先登台挑戰，白明珠出戰之時，臉上滿是怒意，和三弟相搏了六、七十個回合，果然施琵琶指絕學，把三弟創傷當場。

「她自立擂台以來，從未下過這等毒手，三弟受傷甚重，口噴鮮血，摔在台上。因我和三弟已有暗通聲息，聯手對付大哥之情，不知不覺之間已有了相惜之心，一見他暈倒擂台之上，立時飛躍而上，準備把他救下台來，哪知一躍上台，白明珠立時揮拳搶攻過來，出手凌厲絕倫，著著都是足以置人於死地的招數，而且容色之間，充滿憤怒，我心中雖然甚感奇怪，但因她迫攻之勢過於急猛，連問一句話也無暇說出，只好奮起全力，和她硬拚，這次出盡全力動手，立時形成生死決鬥之局，鬥到二百多招之後，我也傷在她琵琶指下。」

于成道：「你們那夜一宵拚戰未停，體力未復，雖然敗了，也算不得十分丟臉。」

金老二不理于成之言，繼續接道：「就在中她琵琶指，暈倒台上之際，一條人影，疾躍而上，我那時正値氣血上衝之時，無法看清來人是誰，恍恍惚惚之中，覺出來人似是大哥，只覺摔倒在地上的身子，突然被他一把抱起，以後之事，因我暈迷過去，已無記憶。

「醒來之時，但覺香氣襲人，觸目錦帳繡被，原來停身在一處華麗的閨房之中，白明珠一身輕羅便衣，背倚妝台而立，大哥卻穿著一身黑色勁裝，站在我們臥榻之前，一見我醒來之後，立時搖頭示意，不要我開口講話，他卻低聲說：『你和梁兄都中了白姑娘琵琶指，除了她父母之外，別人極難解救，因此才把你們送來此處，請白姑娘療治傷勢，如今人雖清醒，但內傷尙未完全復原，必需靜養上三天時間，傷勢如不再發作，才能算全好，此地環境甚險，不便高聲說話……』」

徐元平突然插口接道：「二叔父，鬼王谷的丁氏姐妹來了！」

金老二轉頭望去，只見丁玲、丁鳳向上奔來，相距三人停身之處，只距離十四、五丈遠近，只好一歎住口。

丁鳳突然加快了腳步，一口氣奔到三人停身之處，一見徐元平和金老二對面而坐，心中甚覺奇怪，呆了一呆，望著徐元平說道：「你找到了金老怪？戮情劍匣討回來了沒有？」

徐元平一聽丁鳳竟當面口稱金老怪，心中甚是尷尬，答也不是，不答也不是，只好裝著沒有聽到，轉臉向著丁鳳，臉上故露驚訝，道：「啊，丁姑娘你也來了，快請坐……」

丁鳳的機靈確實比不上丁玲，她見徐元平如此一說，還當他未曾留心自己的話，輕輕地點了點頭，站在徐元平旁側，望著金老二，微笑道：「徐相公，這金老怪就是那夜劫取你戮情劍匣之人，不知你討了回來沒有？」

徐元平嘴唇動了兩下，本想對她說明，但又覺此事有許多不便之處，而且也不是三言兩語所能說清，只得支吾了一聲，一句話未完，突地站直身子，朝前移動了兩步，高聲道：「丁姑娘小……心……」

轉眼望去，只見丁玲雙手掩著胸腹，一步一步地緩緩而來，原來丁玲傷勢尚未十分復原，所以行走山路，依然吃力異常。

丁鳳一見丁玲搖搖欲倒地走來，忙趕前兩步，一把挽扶丁玲，小心地扶著她席地坐好。突然她瞥見金老二手臂裏紮，不由睜大一雙星目，盯著徐元平，道：「怎麼？你們動手打架了？」

徐元平正想答話，金老二忙咳嗽一聲，接道：「沒有，沒有，我這點傷勢，與他無關，姑娘你可不要亂猜……」金老二閱歷豐富，城府極深，自不肯將古墓之事洩露，所以搶攔在徐元平之前把話支開。

丁玲靜坐一旁，一雙嬌弱無力的眼神，望望徐元平，又看看金老二，又瞟一眼鐵扇銀劍于成，她乃聰明絕倫、穎慧無比之人，她默察幾人神態，心中已瞭然一大半，眨了眨眼，拖了丁鳳一把，嫣然笑道：「你不要胡扯了，徐相公怎會……」

丁玲一句話尚未說完，鐵扇銀劍于成霍然立起身子，口中重重的「啊」了一聲。

幾人聽于成啊了一聲，同時驚覺，一齊轉頭望去，但見山下左側的荒野地上，一前一後，兩個人影，如流矢般直向幾人停身處的小山奔來。

這一段距離雖是很遠，但因沒有草木遮阻，所以看得十分清楚。

只見前面一人身著玄黑衣衫，頭上儒巾的飄帶在快速的奔勢下翻空飄飛，後面緊追之人，看去身材瘦長異常。

這幾人都是目力極強之人，丁鳳首先叫道：「呀，那不是查家堡的少堡主嗎？……」

金老二也同時道：「好，想不到冷公霄也來了……」

轉瞬間，二人已到山下，查玉向山上奔行的步伐已似不穩，情形也至為狼狽，這時他似是拚著口氣地直撲上來，右手向上連招，口中高叫了一聲：「徐兄……」人已摔倒地上。

冷公霄一見查玉摔倒地上，冷哼一聲，猛的一長身形，向前一躍，疾舉右掌直向查玉身後擊去。

徐元平聽得查玉呼叫之言，人已凌空而起，疾向山下撲去。

這座孤立的山峰，雖然說不上立壁如削，但其陡斜的坡度，亦甚可怕，徐元平不顧自身危險，竟然懸空直墜而下，去勢迅如電奔，只瞧得丁鳳一閉眼睛，啊喲一聲抓住了姐姐左手。

冷公霄掌勢將要擊中摔倒在地上的查玉時，徐元平已然疾撲而到，右掌一舉，直向冷公霄天靈穴擊去。

雙方的撲擊出手，均極迅快，徐元平以懸空疾下的撲擊身法，仍然無法及時攔住冷公霄的撲擊之勢，心中一急，一掌遙擊而出。

冷公霄如若不及時避開，固然一掌可把查玉震斃手下，但徐元平這劈空一擊，亦必將把他震傷在掌下……處在此等情勢之下，冷公霄不得不先求自保，一提真氣，身子橫向一側躍去。

此人老奸巨猾、心狠手辣，人雖橫向一側躍進，左腿卻迅快一腳，猛向查玉踢去。

忽見查玉右手一按地面，倒摔在地上的身子，忽然間向旁翻滾數尺，讓開了冷公霄踢來的一腳。

這些觸目驚心的變化，不過是一剎那的工夫，冷公霄一腳未中，人已落到數尺之外，徐元平也及時穩住了向下衝去的身子，落著實地。

這時，兩人相距約一丈四、五尺遠，彼此互相瞧了一眼，同時向查玉停身之處躍撲過去。

冷公霄似是有了非把查玉震斃掌下不可之決心，一見徐元平躍撲援救，忽一揚右手，遙向查玉擊去，強猛的劈空勁氣帶起嘯風之聲。

徐元平大喝一聲，也揮手一掌擊去。兩股去勢奇猛的暗勁，在查玉身上三、四尺外撞在了一起，頓時激起一陣強風，吹得砂石橫飛。

徐元平只覺一股反彈之力襲上身來，心頭一震，身子疾沉而下，落在實地。抬頭望去，只見冷公霄凌空前行的身子，也同時被震落地上。

這一招互借劈空掌風的內力相拚，彼此都生出戒懼之心。

這當兒，鐵扇銀劍于成也自山上趕到，手橫鐵扇，注視著二人的動作。

冷公霄對徐元平既生出戒懼之心，自是不敢輕易出手，一穩馬步，氣聚丹田，運功雙掌，圓睜著一雙眼睛，盯住徐元平，一瞬也不瞬。

徐元平也知對方功力深厚，這時見他全神監視著自己，更是不敢大意，靜氣凝神，暗集功力，打算以靜制動，來對付冷公霄。

兩人對峙之間，偷眼一瞧查玉，只見他那翻滾之勢依然未住，而且他摔倒之處，地勢陡斜，查玉似是身受創傷，雖想收住往下翻滾的墜落之勢，卻是有心無力，一雙手就地亂抓，想抓撈住山草野藤，穩住自己的身子。

眼看查玉翻滾在亂石山荊上，徐元平大爲不忍，沉聲道：「于兄，快去將那位查兄救上山峰……」一語甫落，隨即收斂心神，注視著冷公霄。

于成聞言，翻腕插妥鐵扇，一長身，人已如鶴翔九天，直向查玉撲去，身形疾落，右手一抄，已將查玉抱在懷中，疾起疾落，躍回山峰。

丁鳳由腰際取出水壺讓查玉喝了兩口，然後將他扶坐石上。

這時冷公霄一見于成救走查玉，望著徐元平冷冷一笑，猛一矮身，倏的拔起三丈多高，人在凌空，陡的一陣翻旋，宛如一具大風車，衣袂袖帶，激起強勁的飄風，人竟向山下竄去。

徐元平見冷公霄突然飛身返走，不由大感意外，返身奔上山。

查玉經過一陣調息，精神已好很多，丁鳳、丁玲、于成、金老二正圍著他在問話。

這時丁鳳問道：「冷公霄爲什麼竟會對你下這等毒手呢？」

查玉仰臉望著丁鳳微微笑了笑，沒有作答。

丁玲輕輕冷哼一聲，道：「哼，冷老二自然要下毒手了，誰叫他要燒死人家的……」

幾人正說到這裡，金老二見徐元平回來，便道：「平兒，你看冷公霄是真的走了嗎？」

徐元平還未答話，丁玲已開口道：「冷公霄是出名的奸詐詭異，他哪裡會一走了事……」

金老二道：「姑娘說得極是，冷公霄絕不會甘心走避，現下我們六個人倒有一半受傷，萬一冷公霄出什麼鬼花樣，到時候又要照應傷者，又要拒敵，那可就首尾不能兼顧了，平兒，我看咱們還是早作打算的好。」

徐元平忽然想到了丁玲受那綠衣麗人的三陽氣功所傷，不自覺地回頭問道：「玲姑娘，你的傷勢還沒有完全好嗎？」

丁玲手捂前胸，輕咳了一聲，笑道：「不會好啦，只怕我這一輩子也沒有辦法好了！」

徐元平怔了一怔，道：「怎麼？難道那紫衣姑娘開的藥方不對嗎？」

丁玲道：「她是否有心暗害我，眼下還很難說，但我沒有依照她藥方所囑之言服用，已足可給她借口了……」

徐元平急道：「這就不能怪別人，你為什麼不照藥方上所囑之法服用呢？」

丁鳳默然一歎，接道：「我買藥回來之時，姐姐不知如何暈倒在地上，查少堡主和那南海紫衣女，都在我姐姐身旁坐著……」

正在閉目養息的查玉，突然睜眼，接道：「玲姑娘自己不小心從那虬松上摔了下來，如非在下出手相救，只怕那一摔不死也得重傷，二姑娘講話且不可斷章取義，含血噴……」

丁鳳道：「我又沒有說是你摔傷了我姐姐，你急什麼呢？」

查玉歎道：「玲姑娘身受重傷，仍然不肯靜心休養，致耗去心力過多，心火上衝，激發毒氣……」

丁鳳道：「你怎麼知道我姐姐耗去了心力過多呢？」

查玉道：「這是她說的……」
丁鳳一撇小嘴巴，接道：「她是誰呀？」
查玉道：「那紫衣少女說的……」
丁鳳不待話完，立時接道：「這些話我也聽到了，還要你說麼，哼！想到你那天對我姐姐的情形，剛才我就不該扶你坐下，給你水喝……」
她乃猶帶稚氣之人，想到之事，衝口就說，何況她心目之中，又把徐元平看成親切敬愛之人，恨不得把心中委屈，盡數說給他聽。
查玉被丁鳳一陣搶白，氣得臉色鐵青，說不出一句話來。
丁玲瞧了查玉兩眼，立時盈盈笑勸道：「少堡主不要和我妹妹一般見識，她年幼無知，說話不知輕重，少堡主不要放在心上才好。」
她原已生得嬌小玲瓏，重傷小癒，人又清瘦許多，輕顰淺笑之間，猶帶三分病容，不知她是有意，還是傷病中元氣不足，這番話說得委委婉婉，溫柔無比，叫人聽得油然生憐。
徐元平輕輕歎息一聲，道：「在下萬沒想到姑娘療傷過程中，竟還有許多變化，早知如此，在下定要護守到你傷勢完全復原之後再走。」
丁玲笑道：「這樣也好，早死了可免去許多煩惱。」
丁鳳道：「要不是那南海門下妖女施放沖天火炮，招來了冷公霄和『碧蘿山莊』的人，打上一場，也不致把姐姐的藥碗打碎，害得她延誤了服藥時間，也不會落得這般模樣……」
丁玲微微一笑，接道：「傻丫頭，就是能醫好我的傷勢又怎樣？」

徐元平聽了兩人之言，當下一挺胸，決然道：「這不要緊，我去『碧蘿山莊』找到紫衣少女，再問她取個藥方回來，醫好殘存體內熱毒就是。」

查玉道：「『碧蘿山莊』中人，個個武功高強，而且遍地埋伏，不啻龍潭虎穴，徐兄如若一人前去，那可是危險得很。」

金老二霍然站起身子，接道：「老朽深知冷公霄的爲人，不到完全絕望，任何事都不肯輕易放手，眼下咱們所有之人，一半身上有傷，如若冷公霄召了人來，咱們處境甚險，老朽之意，先避敵鋒要緊，你們有話，待找到了藏身之所再談不遲。」

徐元平自瞭解金老二身分之後，對他甚是尊敬，當下站起身來，問道：「查兄傷勢如何？不知是否還能走路？」

查玉道：「經這一陣調息，大概已可走得了。」說完倏的站了起來，大步向前走了幾步。

丁玲笑道：「金老前輩只知躲避冷公霄的追蹤，卻不知咱們就是到了天涯海角，都不難被他追查出來，與其那時再和他動手相搏，倒不如憑這孤山之險，挫他一陣，只要他能出來，我三叔父定也能脫出那竹石陣的圍困……」

丁鳳笑道：「只要我三叔父能夠出陣，定然會尋找我們，我姐姐已在各處要道上，留下了我們鬼王谷中指路標示，凡是我們鬼王谷中人瞧到，都會找到此地。」

丁玲聽她一開口就說出隱秘，氣得心中暗罵道：這個死丫頭，當真是傻得厲害。

徐元平神態恭敬地轉望著金老二問：「叔父，咱們還要不要走？」他一時之間，想不出是否該走，只好回頭向金老二請命。

金老二微微一笑，道：「人人都說鬼谷二嬌機靈，果是傳言不虛，竟能防患未然，看來比老夫思慮還要周到許多了。」

丁玲笑道：「金叔叔過獎了，晚輩怎能及得金叔叔的萬一。」

查玉靜站一側，表面在聽著幾人的談話，心中卻暗道：我放火燒那竹石陣時，不但冷公霄被困在陣中，索魂羽士丁炎山也在陣中，冷公霄不肯罷休，丁炎山也恨我入骨。如果兩人都找來此處，別人無事，我卻是眾矢之的。這兩個武林高人，要是都存了殺我之心，徐元平雖肯出手相救，只怕也難同時抵得住兩人，何況他最恨這等乘人之危，一旦了然真相之後，也未必肯出手相救，我必須在冷公霄、丁炎山兩人未到之前，設法離開此地。

心念一轉，轉身緩步向前走去。

徐元平只道他重傷調息之後，借行路舒展一下筋骨，也未加以理會。

但卻沒法瞞過丁玲一雙眼睛，只聽她格格嬌笑，道：「查少堡主，你現在要走了嗎？」

這一句話，問得單刀直入，查玉只好笑道：「在下身上傷勢，想非一、兩天內能養息得好，是故找處清靜所在，先把傷勢養好再說。」

徐元平驚道：「這怎能行，查兄傷勢只不過略略好轉，你一人走去，叫人如何能夠放心，快些回來！咱們守在一起，縱然冷公霄率眾趕來，也好合力禦敵。」

查玉微微一笑：「徐兄盛意，兄弟心領，但我傷勢必須要找處清靜所在，養息一下不可……」

丁玲高聲道：「少堡主請回來無妨，我三叔縱然找來，也絕不會對你有何舉動……」

查玉搖頭一笑，道：「這個……」瞥眼見幾條人影遙遙直奔過來，心知已走之不及，暗裡一歎，緩步走了回來。

丁玲瞧他一聽自己相勸之言，當真就走了回來，心中正感奇怪，轉頭望見幾條人影，遙遙奔來，立時大悟，原來他走不了啦。

查玉心中很明白，此番自己生死，大都操在徐元平的手中，但屈在己方，如若對方在未出手前，先行質問，火燒竹石陣的事情，必將引起一番口舌爭論，事實俱在，自己縱有蘇秦之才，也難抵賴得過，最好的辦法，就是不理對方質問之言。徐元平毫無江湖閱歷，又是個極重情義之人，如若自己不理對方質問，片面之言，絕難使他相信，事後雖難免不被拆穿，但眼下卻可暫保一時。

他心中打好了主意，人也走近徐元平身側，故作傷重難支的模樣，低聲對徐元平道：「徐兄，兄弟身受之傷甚重，如不及時調息，只怕將凝結成為內傷，我得先行運氣靜養上一、兩個時辰，一旦遇上強敵，也可相助徐兄一臂之力。」

徐元平點頭答道：「查兄儘管靜坐養息傷勢，如果冷公霄真的再找了來，由兄弟擋他就是。」

查玉微微一笑，道：「多謝徐兄相護之情。」閉上雙目，盤膝而坐。

抬頭望去，只見數條人影急奔而來，為首之人，果然是剛剛逃走的冷公霄。

他瞧了正在席地而坐、養息傷勢的查玉一眼，說道：「此人幾時睡熟過去了？」

徐元平冷然接道：「查兄正在運氣療傷，你如有話要說，待他療好傷勢之後再說不遲。」

一面和冷公霄說話，一面打量兩個和他同來之人，只見兩人並肩站在身後。

徐元平見左面一人年約五旬左右，揹了一支長劍，長衫、朱履，頗似一位教書先生。右面之人年紀甚輕，一身文士裝扮，儒衣方巾，膚白如雪，頗爲清俊，只是他粉白雪肌之中，如若仔細一瞧，隱隱泛現出鐵青之色。

丁玲打量了來人一陣，只覺面目陌生，從未見過，但她卻可以斷定這兩人不是千毒谷中人物，當下問道：「冷老前輩，這兩位是哪路英雄人物，怎麼我從未見過？」

冷公霄乾咳了兩聲，道：「這兩位江湖上鼎鼎大名之人，你卻沒有見過，看起來，你們鬼谷二嬌的見聞還是有限得很。」

丁玲道：「多認識幾個人，也算不得什麼高明。」

她言詞鋒利，一出口就把冷公霄頂撞得怔了一怔，冷公霄冷笑說道：「鬼丫頭少逞口舌之利，惹得老夫性起，拚著和老鬼結怨，也要出手好好的教訓你一頓！」

丁玲嫣然一笑：「冷伯父言重了，你要親自出手懲戒，此刻不覺著有些小題大作麼？」

冷公霄冷哼一聲，罵道：「沒規矩的丫頭，老夫是何等人物，豈能和你一個晚輩說笑！」

那清俊少年忽然一晃身子衝到丁玲身前，回頭對冷公霄道：「冷兄，這丫頭出言不遜，可要兄弟出手替你教訓她一頓嗎？」

此人神情之間甚是輕薄，問過冷公霄後，目光立時又轉投到丁玲臉上。

冷公霄道：「這個麼，兄弟怎敢相勞，以莊兄在江湖上的身分，和一個女孩子動手，實叫兄弟難以出口相請。」

只聽丁玲低聲罵道：「哼！一身輕浮，面無血色，人不像人，鬼不像鬼的，你還以爲自己生得很漂亮呢！」這幾句話罵得尖酸刻薄，入骨三分，那面色慘白的少年，只聽得一股怒火，直衝上來，大喝一聲，舉手向丁玲抓去。

丁玲早已有了戒備，立時嬌軀一翻，疾向旁側閃去。

丁鳳心知姐姐傷勢未癒，一見那少年出手，立時嬌叱一聲，疾撲過去，舉手一拳，當胸擊去。

那面色慘白少年一擊未中，丁鳳拳勢已近前胸，只好橫向旁側一躍，反手一記擒拿，猛向丁鳳手腕之上抓去。

丁鳳一縮手臂收回右掌，飛起一腳，踢了過去，左掌也同時劈出了一招「蕉扇逐火」，橫腰擊去。

那面色慘白少年連被丁鳳搶去先機攻了兩招，似是自覺甚失面子，氣得原已慘白的臉上，更加鐵青，一提丹田真氣，向後躍退數尺。

丁鳳看他被自己出手幾招攻勢迫得連番向後跌退，冷笑一聲罵道：「這樣沒有用的東西，也敢大言不慚！」

忽聽徐元平大喝道：「丁姑娘小心……」

丁鳳微微一怔道：「什麼？」只覺一股疾風，直襲過來，趕忙向一側躍去。

丁鳳向旁側躍進之勢，雖然已夠迅快，但那面色慘白少年似是早已料到此著，懸空一個轉身，如影隨形般疾追而上，右手一伸疾向丁鳳肩頭抓去。

徐元平大喝一聲：「住手！」猛然向前衝去，揮手一掌「飛鈸撞鐘」，直擊過去。

那面色慘白的少年，慌忙一提真氣，穩住追襲丁鳳的身子，右手運力向右虛空橫拍一掌，向左邊躍開數尺，避讓開徐元平一掌襲擊。

徐元平生性正大，剛才發掌，只不過是怕對方傷了丁鳳，所以運了八成以上力量，遙遙一掌，以解救丁鳳危險，救了丁鳳之後，立刻停手不攻。

抬頭望去，只見丁鳳滿含笑意，站在一側，毫無懼怕之色，右手拇指輕按在中指之上，望著徐元平笑而不言。

徐元平心中一動，忽然醒悟，暗道：我倒忘了她們這「彈指迷魂散」了，我如不發出一掌相救，只怕這面無血色之人，早已被她的「彈指迷魂散」迷過去了。

冷公霄一瞧丁鳳神情，立時冷冷喝道：「莊兄小心，鬼王谷這兩個丫頭最善施用迷魂藥物，莊兄別著了她們的道兒。」

那面色慘白之人瞧瞧丁鳳，微微一笑，並未發作，卻轉臉望著徐元平怒聲喝道：「你敢暗算你二大爺，我瞧你是活得不耐煩了！」

徐元平轉動俊目，冷笑說：「你敢出口傷人，我瞧你才活得不耐煩！」

鐵扇銀劍于成大喝一聲，道：「這等角色，何用相公出手，把他交給我吧。」

左手一張鐵骨摺扇，右手拔出銀劍，縱身而上。

冷公霄仰面打個哈哈，道：「于兄不做鄂、皖、豫、魯四省綠林道總瓢子，卻甘心奴顏屈膝做起他的奴隸來了，這倒是一件新鮮事兒，不知于兄月得工錢若干？」

這幾句話罵得刻薄至極，于成一張臉被他罵得通紅似火，但一時之間又想不起適當措詞反擊，氣得呆在當地。

忽聽金老二高聲喝道：「冷老二，你們千毒谷在江湖上的威名，可非泛泛之流，想不到以你冷老二的身分、地位，竟然和關外雙兇勾結一起，在中原道上惹事生非。此事只要傳言到江湖上去，對你們千毒谷的威名，可是大有損傷，只怕冷兄也無臉再見中原道上的英雄了。」

冷公霄吃了一驚，忖道：雙兇初入中原，知道此事者屈指可數，識得兩人之人，更是絕無僅有，不知他如何得知……

心中在想，口裡卻冷冷答道：「關外雙兇之事，和兄弟有何相干？金兄再要胡言亂語，兄弟可不客氣了。」

那面色慘白少年，正是關外雙兇的老二莊武。聽得金老二叫出關外雙兇綽號，不但毫無驚愕之色，反而沾沾自喜，哈哈一笑道：「想不到中原道上，竟也有知我們兄弟之名的人物。」

鐵扇銀劍于成冷哼一聲，道：「中原之地，豈是你們邊荒之人撒野所在？」

舉手一劍，直刺過去。

他身為中原鄂、皖、豫、魯四省綠林道上總瓢把子，被關外綠林人物，侵入到地面之上，而自己卻毫無所知，此乃大失臉面之事，所以出手一劍，十分辛辣，銀光閃閃，變化出三朵劍花，指襲那面色慘白少年前胸處三大要穴。

莊武一瞧對方攻出劍招，迅辣凌厲，不敢用空手和人過招，立時躍退六、七尺，探手在腰間一摸，鬆開扣把，抖出一條遍體金光閃爍的軟鞭。

鐵扇銀劍于成朗朗一笑，道：「最好你們雙兇一齊上來，讓在下見識關外武學，有何出奇之處。」

莊武冷笑一聲道：「且莫誇口，先接我一招試試再說！」

于成一抖銀劍，疾撲而上，長劍伸縮，指顧間連續攻出三招。

莊武軟鞭忽的橫掄而起，舞出一片金光，護住身子。

但聞一陣金鐵相觸之聲，于成疾攻的三劍，盡被他的金鞭掄開。

鐵扇銀劍于成，不待對方出手反擊，大喝一聲，重又疾撲而上，折扇橫削，銀劍直刺，一攻之中，縱攻橫擊，兩招並出。

莊武心頭暗生驚凜，凝神提氣，凌空而起，龍頭鞭懸空下擊，直向于成頭上點去。

于成揮劍封鞭，折扇變劍為點，反向上擊。

只聽莊武冷哼一聲，懸空一個大翻身，飄飛四、五尺，雙腳一站實地，立時猛撲過來。

鐵扇銀劍于成疾如風輪般打了一個轉身讓開龍頭軟鞭，側身進擊，又把對方迫退了三步。

莊武連受于成劍、扇合擊的絕學所制，被迫得連番倒退，心中大感惱怒，運力揮鞭，劃起強勁的嘯風之聲，先把劣勢一穩，緊接著迫攻過來，剎那間鞭影如山，金刃排山倒海般直湧而上。

鐵扇銀劍于成一見對方全力搶攻，哼哼一聲冷笑，左手鐵扇一合，隨手伸吐，專點敵人穴道，右劍盤空飛舞，矯若游龍，迎、封、架、格，化解攻來的鞭招。

這二人一個是身膺四省、威望服眾的總瓢把子，一個是揚名關外、令人喪膽的豪客，二人雖是初次交手，卻打得石飛沙揚，驚心動魄。

三十招過後，雙方還是未見勝負，猛然間，于成殺得性起，暴喝一聲，身形拔空而起，長劍一抖，一招「天降甘霖」，扇演「鶴唳長空」，劍似萬點飛花，扇如泰山壓頂，由上而下，直向莊武罩下。

莊武只覺金鞭落空，于成人已凌空飛擊，此乃于成賴以成名的武學之一，其勢快若電奔。

莊武但覺頭頂金風颯然，已知來勢猛烈，要想封架已不可能，此時但求自保，也顧不了什麼地位身分，只得一矮身就地一滾，讓到五尺以外，才躍身立起，臉色一冷，揮鞭硬撲上去。

陡然間，衣袂飄風，那五旬左右、身揹長劍之人，已躍身趕到前面，當下冷冷喝了一聲，道：「老二退下，讓我來會這位中原人物。」

于成正待迎戰莊武，猛受此人一阻，翻眼一瞧來人，嘿嘿一笑道：「好說、好說，我看還是你們雙兇一齊上的好。」

來人也不答話，轉臉向莊武點了點頭，一個滑步，閃到右方，翻腕拔出長劍，只見一道藍汪汪的劍光疾向于成刺去。

鐵扇銀劍于成右手一掄，銀劍迅吐，向來劍封去，猛覺左邊一聲破空金風，于成來不及瞧，已知是雙兇同時發動，鐵骨扇一張，一抬左腕，便硬向金鞭之上碰去。

關外雙兇惡名遠播關外，自非平庸之輩，任于成勇冠四省綠林，單戰雙兇，也自不敢大意，左擋右拒，嚴守門戶，五十招之內，還應付裕如，但時間一長，雙兇劍鞭巧妙的配合，相互呼應，便發生了作用，威力也愈來愈猛，于成漸覺吃力。

丁鳳睜著一雙秀目凝注場中，忽然轉臉朝丁玲看了一眼，道：「姐姐，你看他一個人會不會打不過人家？」

丁玲已看出于成力將不繼，爲了顧全于成在江湖上的體面，笑了笑，緩緩地說道：「不管打得過打個過，兩個打一個總是不守道義之事，況且人家是爲了我們才出手的，我們自不能抽身事外，我看，你不妨上去幫他一幫。」

丁鳳微微一笑，縱身而上，左手長袖一抛，疾向莊武面上拂去。

莊武只見眼前白影閃動，丁鳳已然撲到，不禁心頭一駭，暗道：中原人物當真是個個難纏，這女娃兒的身法竟也這般迅疾。左臂一揮，硬向拂來的衣袖上擊去。

丁鳳格格一笑，罵道：「膽子不小，我看你活得不耐煩了！」

左臂一抖，拂向莊武的衣袖突然收了回來，雪白的右腕卻疾攻而出，莊武微微一笑，左手横裡一抄，硬向丁鳳玉腕之上抓去。

忽聽冷公霄大聲喝道：「莊兄小心，那小丫頭手中有鬼……」

冷公霄話還未完，丁鳳捲曲的食中二指已一齊彈出，一股異香直襲過去，莊武聞得冷公霄示警之言，立時疾向後退，但仍是晚了一步，只覺異香拂面而來，打了一個噴嚏，摔倒地上。

丁鳳罵了一聲：「關外雙兇，聽起來倒是滿唬人的，原來是這樣膿包。」飛起一腳向莊武前胸踢出。

冷公霄對雙兇早已不滿，但卻不便眼瞧著莊武死在丁鳳手中，那中年儒士又被于成扇中夾劍迫攻得自顧不暇，無法分身相救，只得大喝一聲，遙遙劈出一記掌風。

丁鳳已將要踢中莊武前胸，突覺一股潛勁湧來，她已知冷公霄功力深厚，早已暗中戒備，覺出不對，立時疾向一側躍去。她雖在閃避對方襲擊之際，仍是不肯放棄傷敵機會，借那躍避之勢，便一腳踢在莊武左肋之上。

這一腳雖是借勢傷敵，但力道卻也不輕，只見莊武倒臥在地上的身體一連翻了兩、三個身，才穩下來。

這一來，使她閃避之勢，稍為一緩，吃冷公霄強勁劈空掌風的邊緣撞了一下，登時被撞得嬌軀在空中搖擺，落地之後，仍然向後退了三、四步遠，才穩住身子。

只聽冷公霄怒喝一聲：「好辣的丫頭！」縱身直躍過來，他身法迅快來勢有若電閃，丁鳳不過剛剛站穩雙腳，冷公霄已到身前，左臂一探，抓住丁鳳右腕。

丁玲冷眼旁觀，本想招呼妹妹閃讓，但瞥眼見她落足之處，相距徐元平甚近，心想徐元平定會出手救援，故未曾出口招呼。

哪知事情竟然大出了丁玲意外，徐元平靜站原地動也未動一下。忽聞身後響起一個冷漠而又熟悉的聲音，說道：「冷兄好大的威風，出手欺侮一個晚輩，就不怕被人恥笑嗎？」

冷公霄機警無比地一帶丁鳳右腕，把丁鳳嬌軀橫擋在自己身前，才望著來人笑道：「丁兄可追上了南海門下那紫衣女娃兒了嗎？兄弟……」

來人正是鬼王谷的索魂羽士丁炎山，只聽他冷笑一聲，接口說道：「冷兄先放了人，再和兄弟談話不遲。」

冷公霄呵呵一笑，道：「兄弟和兩個侄女鬧著玩的……」鬆了丁鳳右腕，又道：「冷伯伯比你大了一把年紀，難道還和你一般見識不成，以後再不要沒大沒小的開口罵我……」

丁鳳縱身躍到姐姐身邊，一撇小嘴巴，接道：「哼！誰和你鬧著玩了，明明是看到我三叔父，心裡怕了……」

冷公霄乾咳兩聲，接道：「江湖上有誰不知我和你三叔齊名武林，半斤八兩……」轉臉望望丁炎山，道：「丁兄，兄弟這話說錯了嗎？」

丁炎山一咧嘴，皮笑肉不笑地接道：「不錯，不錯，千毒谷、鬼王谷並重江湖，冷兄和兄弟也一向齊名。」

忽聞鐵扇銀劍于成大聲喝道：「住手……」陡然一招「天外來雲」，鐵骨摺扇猛力拍在那中年儒士藍色劍身之上。

那中年儒士同時暴喝一聲：「未必見得！」右腕一振，硬把下沉的劍勢抖了起來。

于成銀劍斜擊，緊緊攻到，銀光電奔，橫削左臂。

那中年儒士手中藍色寶劍，被于成鐵骨摺扇封到門外，一時之間，無法收回招架，只得縱身一躍，向後退去。

于成急起直追，劍扇並舉猛追過去，剎那間攻出了三扇四劍，把那中年儒士迫到孤峰一角的懸崖邊緣。

丁炎山目光一掠全場，大笑說道：「金兄也在此地……」忽然發現他衣服上血漬斑斑，不禁一皺眉頭，接道：「怎麼？金兄受了傷嗎？」

金老二揚揚斷去左臂笑道：「何止受傷，而且斷去一臂。」

丁炎山目光炯炯，橫掃了全場一眼，臉露不悅之色，大聲說：「什麼人傷了金兄，告訴兄弟，我也砍他一隻手臂下來。」

金老二道：「丁兄盛情，兄弟感激不盡，不過那傷損兄弟左臂的並非一般江湖人物。」

兩人相交，竟似極深，丁炎山仍然追著問道：「究竟是什麼人有這麼大的膽子？金兄只管說，兄弟非要找他算帳不可。」

金老二微微一笑，道：「傷我之人乃金陵楊家堡老堡主神算子楊文堯。」淡淡一笑：「除了和兩位齊名武林的一宮、二谷、三堡中老一輩人物之外，江湖上能夠傷得兄弟之人，只怕也很難找得幾個。」

這兩句恭維之言，只說得冷公霄、丁炎山大爲高興，忍不住相視一笑，齊聲說道；「楊文堯是楊家堡主腦人物之一，金兄就算是傷在他手中，也不算什麼丟臉之事……」

金老二能夠享譽江湖，縱橫大江南北、交遊遍及各大門派，及一宮、二谷、三堡中的人物，全仗一張嘴能說話，所以各正大門戶中人，及邪派高手，無不樂於和他交往。

金老二也不辯駁，微微一笑，接道：「因此兄弟並未存報仇之想。」

丁炎山只管臉上一熱，吶吶說道：「兄弟雖無必勝的把握，但也得找他理論一番。」

金老二道：「事情已成過去，大可不必再起紛爭，好在楊文堯對兄弟下手之時，還留了幾分情面，你們二谷、三堡近年相處甚洽，因此之故，又何必爲了兄弟這點恩怨，引起你們二谷、三堡中的紛爭。」

冷公霄突然冷笑一聲，大步向靜坐養息的查玉衡去，口中大聲喝道：「不論丁兄是否要和楊家堡結怨，但兄弟和查家堡這個怨，卻是結定了！」

徐元平橫跨兩步，擋在查玉前面，冷說道：「你要幹什麼？」

冷公霄左臂一伸，橫推過去，口中厲聲喝道：「站開！」

徐元平右掌一揮，疾向冷公霄左臂「曲池穴」上點去，高聲答道：「欺侮一個身受重傷之人，可算不得什麼光榮之事。」他出手奇快無比，而且認穴極準，迫得冷公霄不得不疾收左臂，向後躍退三步。

丁玲突然站了起來，大聲叫道：「冷伯伯暫請停手，我有話問你。」

冷公霄翻身一躍，退出了八九尺遠，說道：「不敢當，姑娘有什麼話，此刻請說就是。」

丁玲道：「今日你捏我妹妹手腕，可當真是鬧著玩的麼？」

冷公霄乾咳一聲，道：「冷老二這一把年紀了，還真會和你們一般見識不成？」

丁玲道：「如若我三叔父不能及時趕到，冷伯伯也肯自動放了我妹妹麼？」

冷公霄當下被丁玲逼問得怒火大發，一跺腳，大聲叫道：「江湖上盛傳鬼谷二嬌之名，冷老二還有些不信，今日我算是領教了，當真是難纏得很，丁兄再不管你這位姪女兒，冷老二可要替你管教了。」

丁炎山微微一笑，道：「冷兄不必生氣，兄弟罵她一頓就是……」回頭望著丁玲喝道：「大丫頭還不快快向冷伯伯陪禮認罪！」

丁玲盈盈一笑，躬身福了一福，道：「冷伯伯不要和晚輩一般見識。」

冷公霄被她鬧得哭笑不得，重重的咳了一聲，說道：「罷了，罷了，冷老二今天總算認識你們鬼谷二嬌了。」他回頭瞥了查玉一眼，又道：「丁兄，咱們被那南海門下紫衣女困在竹石陣中，被人放起一把火來，幾乎活活燒死，那放火之人，丁兄是否知道？」

丁炎山緩緩把目光移注靜坐養息的查玉身上，道：「冷兄說的可是查玉嗎？」

冷公霄嘿嘿一笑：「這娃兒陰險得很，兄弟此刻拚著和查家堡結下樑子，也得好好的教訓他一頓。」

丁炎山道：「冷兄說得不錯，年輕之人不知天高地厚，不受點教訓，難免任意胡為。」

話雖說得婉轉附和，但卻是空空洞洞，毫無內容，叫人聽不出他心意為何。

冷公霄暗罵一聲：好狡猾的丁老三。當下笑道：「放火燒陣之事，兄弟親耳從他口中聽得，絕對錯不了，不知丁兄對此事有何高見？」

丁炎山淡淡一笑，道：「此事但憑冷兄處決，兄弟沒有意見。」

查家堡在江湖上的威名，和千毒、鬼王谷，齊名並重，殺死查玉，勢必引起查家堡傾巢報復，此事關係極大，在此眾目睽睽之下，什麼人出手殺死查玉，鐵案如山，自不難查得出來。

冷公霄瞧了丁炎山一眼，暗暗忖道：我已出手擊傷查玉，和查家堡這個樑子已算結上，丁炎山不願插手其事，自是難以強他，但如不讓他分擔一點干係，又未免太便宜他。

心念一轉，高聲說道：「兄弟之意，除了此人以報火焚竹陣之恨，不知丁兄是否同意？」

丁炎山沉吟了一陣，笑道：「冷兄之事，兄弟不便多嘴。」

冷公霄乾咳一聲，道：「這麼說來，丁兄是同意了？」

丁炎山抬頭望著天上悠悠白雲，不置可否。

冷公霄道：「丁兄不說話，那就同意了。」隨手擊出一掌。

查玉閉目靜坐，外面看去似在運氣自療傷勢，但暗中卻在凝神靜聽，把全場中所有之言，都字字聽入耳中，一聽那破空嘯風之聲，已知這一掌擊強勁無比，正待縱身躍避，忽聽徐元平大喝道：「縱然你們間結有仇恨，也不能乘人之危……」，橫跨兩步，拍出一掌。

這一掌出得恰是時候，準確無比地迎撞在冷公霄拍出的掌風之上。

冷公霄冷哼一聲，身子搖了兩搖，徐元平卻一直向後退了三、四步，才拿住樁。

丁炎山臉色一變，大步走了過去，冷冷地看了徐元平一眼，問道：「冷兄可識得此人？」

冷公霄搖搖頭，沒有答話。原來他和徐元平對了一掌，內腑微受震盪，正在運氣調息，不便說話。

丁炎山冷笑一聲道：「兄弟倒可以幫冷兄除去此人。」回身一躍，直向徐元平欺去。

忽聽丁玲大聲叫道：「叔叔！」

丁炎山理也不理，舉手一掌當胸直擊過去。

金老二大喝一聲：「丁兄手下留情。」不顧自身傷勢，一挺身躍了起來。

徐元平和冷公霄硬拚了一招之後，內腑亦被震得氣血浮動，正在運氣調息傷勢，丁炎山已迅快絕倫地直欺過來，舉掌當胸擊到。

徐元平內腑氣血未平，不敢硬接丁炎山的掌勢，左手一拂，身子陡然向一側滑去，右手反臂立時拍出一掌。

這一掌拍得奇奧無比，逼得丁炎山疾沉丹田真氣，向前欺衝的身子，反向一側躍避過去。

雙方電光石火的交接一招，金老二和丁玲已雙雙躍落兩人之間。

金老二單臂當胸，躬身說道：「此人對兄弟有過救命之恩，丁兄請看在兄弟的份上，此刻不要和他爲難。」

丁炎山冷冷一笑道：「金兄任何事兄弟都可以答應，但此事卻是難以應允，快請閃開一步……」身子一側，掠著金老二身旁疾過，左掌「驚鴻離葦」，右腳「魁星踢斗」，一攻之勢，兩招一齊出手。

徐元平沉聲喝道：「二叔父不必爲小侄擔心……」右手駢指如戟，迎向丁炎山左腕脈門之上點去，身子微微一側，避開踢來一腳。

丁炎山微微一怔，疾收拳腳躍退，問道：「金兄幾時有了這位武功卓絕的侄兒？」

金老二心頭一凜，暗道：神州一君易天行耳目遍佈天下，心細如髮，此訊若被他聽到，勢必要派人追查徐元平的身世，斬盡殺絕，萬萬不能洩露出一點口風，當下笑道：「兄弟排行第二，江湖間人盡皆知，不管哪位朋友的門人，都常叫我一聲二叔……」

冷公霄突然冷冷接道：「這麼說來，金兄對此人的身世來歷，都十分清楚了？」

金老二道：「這個……」

冷公霄接道：「金兄既知此人身世，此刻說出又何妨？」

丁炎山道：「也許他的師承門派和我們鬼王、千毒二谷有來往，說將出來，也可免去彼此之間的誤會。」

兩人都急於知道徐元平的出身門派，你言我語，問得金老二不知如何回答。

徐元平知他一時之間難以想出適當措詞回答兩人，因為冷公霄和丁炎山都是久走江湖人物，如果想用幾句謊言，騙過他們，自非容易之事，一言失錯，反將弄巧成拙。

當下朗聲說道：「在下師承門派，豈是你們問得的嗎？」

丁炎山冷笑一聲，道：「好大的口氣，就憑你這兩句話，丁老三也得給你點顏色瞧瞧！殺了你再去找你師父，問他放縱徒弟之罪。」一面說話，一面暗運功力。

金老二見聞何等廣博，一瞧眼下形勢，已知今日之局，難以善終，丁炎山、冷公霄都已到蓄勢待發之境，不禁心頭大急，連聲說道：「兩位暫請住手……」

突聞丁炎山冷冷接道：「金兄快請閃開！」呼的一掌，當胸直擊過去。

冷公霄大聲叫道：「金兄不肯說出此人來歷，可不能怪兄弟以大欺小了！」舉手一掌直對徐元平背後擊去。

金老二冷笑一聲，道：「兩位都是武林中成名人物，一齊出手對付一個後生晚輩，如被傳言到江湖上去，那可是奇恥大辱之事。」

冷公霄大笑道：「那就連金兄也算上吧！」左掌一招「探驪取珠」，疾向金老二拍去。

徐元平獨擋兩大高手合力襲擊，忽覺精神大振，朗朗一笑，一分拳掌，前拒丁炎山、後擋冷公霄。

丁玲看他此刻竟圖分擋兩大高手全力合擊之勢，只覺心頭一冷，忖道：完了……，嬌軀微微一顫，向後退了五步。

丁鳳急急向前奔了幾步，扶著丁玲嬌軀，附在她耳際間，低聲說道：「姐姐，別擔心，你瞧他不是好好的嗎？」

丁玲定神瞧去，只見徐元平挺胸昂首地站在原地，冷公霄和丁炎山臉上都現出驚異之色，望著徐元平發呆。

金老二卻被冷公霄一招「探驪取珠」，迫得向旁側讓開了六、七尺遠。

忽見丁炎山疾向前欺進兩步，目注徐元平，問道：「你用的什麼武功，接了我一記劈空掌力，竟然……」他似是自覺這幾句話問得太過冒昧，說了一半，倏而住口不言。

徐元平目光環掃了全場一眼，冷答道：「天下之大，無奇不有，武功一道，更是精深遠博，就憑爾等，豈能解得其中奧秘。」其實，他自己也不知如何接了這兩大高手前後合力的一擊。

原來丁炎山、冷公霄各自凝聚本身功力發出劈空掌，心想徐元平必將立斃掌下，哪知兩股強猛暗勁擊中徐元平後，忽然被一股至陰至柔的暗勁化去，微生反彈之力後，立時消去。

徐元平只是身軀微微一震，兩股強猛絕倫的暗勁忽然消解於無形之中。

金老二被冷公霄一掌逼開之後，立時一提真氣，準備再衝過來，拚著身受重傷再硬接冷公霄一擊，好讓徐元平借機逃走，哪知兩人強猛的一擊，徐元平竟似若無其事一般，不禁呆了一呆，怔在當地。

這諸般變化，不過是一瞬間事，冷公霄一怔之後，立時疾撲而上，口中大聲叫道：「丁兄，這娃兒有點邪門，留他在世日後定是大患！」右手一探，一招「金豹露爪」，猛抓過去。

徐元平早已暗中留神戒備，身子突的一轉，左手斜斜拍出，五指半屈半伸，猛向冷公霄手腕上扣去。

這一招看去輕鬆平常，其實出手的部位、時間，恰當無比，身子一轉之間，閃避、反擊合一出手。

冷公霄微感心頭一震，只覺他擊來一掌，封讓全都不易，只得右臂疾向下面一沉，左手一掌，立時斜向徐元平後背「命門穴」上拍去。

高手過招，舉足揮手之間，都足致人死命，徐元平一擊落空，心中暗暗讚道：此人盛名果不虛傳，竟然識得我這十二擒龍手招招暗藏變化。不敢揮掌硬接，一挺身，弩箭離弦一般，猛然向前竄出五尺。

丁炎山大喝一聲，緊迫而上，雙掌連環劈擊出手，掌影飄飄，瞬息間連續拍出一十二掌。

這一陣急攻，真個是非同小可，不但快如電光石火，而且掌掌帶著風聲，徐元平被他這一陣急如狂風驟雨的快攻，迫得手慌腳亂，連封帶退，才算把這一輪急攻讓開。

丁炎山這一陣急攻已出全力，在他想來雖不能把徐元平立斃掌下，最低限度也要擊中他一掌、兩掌，把他重創在當場，哪知竟被徐元平把他這一輪急攻躲開。

冷公霄目睹徐元平閃讓丁炎山的靈巧身法，心中暗自驚駭，忖道：此人這等年輕，武功已經如此之高，今日如不能把他震斃掌下，再讓他苦練十年，那還得了。

心念一動，殺心愈切，當下大聲喝道：「丁兄好快的掌法，兄弟不才，也要獻醜一次！」說話之間，人已欺身而上，指顧間，打出四掌，踢出兩腿。

丁炎山全力發掌，一輪急攻過後，額上已現汗水，正在猶豫是否該再次出手，冷公霄已搶先而上，口中應了一聲：「冷兄但請出手！」藉機讓至一旁運氣調息。

徐元平對敵經驗不足，被丁炎山迅若電火的一陣快攻，迫得倒退數尺，微作喘息，還未想到是否該出手反擊，冷公霄已疾欺而到，拳腳齊出，猛烈絕倫，又把徐元平迫退了四、五步。他連番受猛攻迫退，不覺激起怒火，冷公霄一停息，立時借勢還擊，大喝一聲，劈出一掌。

冷公霄怒哼一聲，揮掌硬接一擊。

兩股掌力一撞，彼此欺進之勢，都爲之緩了一緩。

徐元平略一停頓，立時又向前衝去，左掌當胸按去，右手反腕猛向冷公霄手腕之上抓去。

冷公霄和他硬拚一掌之後，內腑震動甚劇，外形之上，雖還能保持若無其事之態，但內腑之中早已氣血浮動，不敢再硬接徐元平的掌勢，飄然向後躍退。

徐元平一擊落空，正待躍起追趕，忽聽丁炎山大喝一聲，衝了上來。

這兩大高手，各自和徐元平相搏幾招之後，心中都已明白，要想憑一人之力，把徐元平傷在掌下，實是大不可能之事，但兩人卻都有著非把徐元平震斃在掌下不可之心。

彼此心念相同，不謀而合的存了聯手合擊以除去徐元平的心意，所以冷公霄飄身一退，丁炎山立時疾撲而上。

徐元平這次已驚覺甚多，不容丁炎山再出手，搶先攻擊，雙掌一合，立時平向丁炎山前胸推去。

丁炎山生平會過無數高人，但卻未見過徐元平這等掌勢，但他已知對方武功高強，不敢存絲毫輕敵之心，趕忙一沉丹田真氣，向前疾衝的身子立時沉落實地，一招「大鵬舒翼」，橫掃過去。

徐元平推過去的雙掌忽然一分，左臂封架開丁炎山橫擊過來的掌勢，右掌原勢不變，疾向丁炎山前胸按去。

這一招變化奇奧，大出意外，而且就勢發掌，快速絕倫，當下嚇得丁炎山出了一身冷汗。但他究竟是久經大敵的人物，雖然驚出冷汗，章法仍然不亂，一吸丹田真氣，身子疾向後退三步。

徐元平心頭怒火正熾，哪還容他逃出掌下，右腳一抬，隨著丁炎山後退之勢，如影隨形般地追了上去。

丁炎山腳步尚未站穩，徐元平掌勢已到前胸。

一旁觀戰的丁玲、丁鳳，原本都爲徐元平擔心，此刻眼看徐元平反敗爲勝，丁炎山即將震傷在徐元平的掌下，叔侄至親哪能漠不關心，丁鳳驚得啊喲一聲大叫，雙手蒙住粉臉。

丁玲卻熱淚盈眶地高聲叫道：「徐相公，手下留情。」

徐元平剎那間心動念轉，殺機頓消，忽的倒躍，退出一丈多遠。

丁玲舉起衣袖，拂拭一下湧出眼眶的淚水，縱身躍落丁炎山身側，垂首問道：「三叔父沒受傷嗎？」

丁炎山這時仰首望天，渾如未聞丁玲之言。

丁鳳走了過來，低聲對徐元平道：「謝謝你啦！徐相公。」說完姗姗向叔父身邊走去。

徐元平瞧了丁鳳一眼，轉目向冷公霄望去，只見他蓄勢站在一側，靜觀場中局勢變化。

原來此人老奸巨猾，陰毒無比，見徐元平突出奇招，掌勢逼在丁炎山前胸要穴之上，心念突然一轉，暗道：這樣也好，讓這小子把丁炎山斃死掌下，引起鬼王谷的全力報復，這小子縱有通天本領，也難抵得鬼王谷傾巢之力。

當下冷眼旁觀，袖手不動，哪知徐元平竟突然收掌躍退，心中連叫可惜。

忽聽丁炎山狂笑一聲，推開圍在身側的丁玲、丁鳳，目注徐元平，厲聲喝道：「丁炎山生平不願受人之恩，也難忍人之辱，欠恩還恩，有仇報仇，他日還清欠恩之日，也就是我丁炎山清結今日蒙羞之時……」

徐元平冷笑一聲，說道：「那倒不必，我不殺你，完全是看在你兩位侄女份上，欠恩不必還報，雪仇隨時候教。」幾句話說得堂堂正正，大有豪俠之風。

丁炎山突然狂笑一聲，目望二女，冷然說道：「既然是看你們份上，那你們就替我還這欠恩吧！」

丁玲、丁鳳都聽得嬌頰泛霞，輕顰秀眉，望著丁炎山，叫道：「叔叔……」

丁炎山鐵青著臉色道：「別人既是看你們的情面，只要你們他日代償這次欠人之恩，那叔叔就只餘報仇之恨了……」此人說話沒輕沒重，只顧自已身分，竟不顧二女清白之名。

丁玲聽他越說越是難聽，急急接道：「徐相公乃俠骨義膽之人，絕無求報之心，叔叔不必……」

丁炎山突然一瞪雙目，厲聲接道：「叔叔在江湖之上，是何等身分之人，豈能白白受一個無名小子之恩？你二人之中，隨便哪個爲叔叔在江湖上聲譽而死，那也是應該之事！」

這幾句話說得二女皆面紅耳赤，垂下頭去，熱淚立時奪眶而出。

徐元平看二女嬌羞悲苦之狀，再細想丁炎山所說之言，越想越覺不是味道，正待發作，忽聽一個冷峻的聲音罵道：「好啊！自己打人不過，卻叫兩個侄女替你代還欠人之恩，哼哼！倒不如乾脆把兩個滿身鬼氣的侄女送給人家做老婆好些。」

這一番話說得陰損至極，在場之人都聽得神情尷尬，轉頭望去，只見一個身著百綻大褂，足著草履，滿頭蓬髮，手捧大紅葫蘆的怪叫化子站立峰頂，原來正是神丐宗濤。

冷公霄瞧了宗濤一眼道：「我道是誰，原來是你這老叫化子。」

神丐宗濤冷冷接道：「老叫化有什麼不好，總比你們這些鬼谷毒穴中的人物高貴多了。」

丁炎山忽的狂笑一聲，轉身疾奔而去，此舉大出眾人意外，眾人都不禁微微一怔。

冷公霄轉身一掠，飛出兩丈遠，回頭說道：「老叫化子，今日之事，丁老三絕不肯和你善罷干休，你等著鬼王谷找你算帳就是！」

宗濤哈哈大笑道：「老叫化既不怕鬼，亦不怕毒，你要是不服氣，先上來試試看如何？」

冷公霄道：「丁老三的事自有鬼王谷中人找你算帳，咱們這筆帳，暫存生息，過些時一併結算。」

但聞餘音劃空而去，眨眼間走得無影無蹤。

忽聽于成哈哈大笑之聲，響徹群山，緊接著就聽他大聲罵道：「我還道關外雙兇是什麼三頭六臂的人物，原來竟是這等膿包，就憑這點微末之技，也敢來中原道上撒野。」

群雄轉頭望去，只見于成銀劍橫胸，摺扇搭在銀劍之上，站在懸崖邊緣，目注谷底，縱聲長笑，那和他動手的中年儒士此刻卻已不見人影。

金老二心中明知那中年儒士已被他逼下懸崖，但卻故意問道：「和于兄動手的中年儒士哪裡去了？莫非被于兄打跑了嗎？」

這幾句恭維之言，說得恰當無比，只聽得于成心中大為受用，不知不覺中，對金老二生出極大好感，當下回身笑道：「其人不堪一擊，被兄弟逼得摔下懸崖去了。」

神丐宗濤目光一掠橫臥在地上的莊武，冷笑一聲，道：「于總瓢把子且莫得意，勝得兩個無名小卒，這又有什麼值得高興之處！」

于成看清來人是名震武林的神丐宗濤之後，胸中一股待發怒火立時壓了下去，但仍分辯道：「關外兩兇之名，中原江湖大概無人不知，如說是無名小卒，也未免太小瞧兄弟了。」

宗濤冷笑一聲說道：「不單你們受了騙，就是自命不凡的老毒物冷公霄也被這兩個小子騙了，老叫化昔年在關外之時，曾親眼見過二兇，如以二兇武功而論，不是老叫化長他人志氣，滅你于總瓢把子的威風，別說打不勝人家兩個，二兇中任何一人就夠于總瓢把子對付的了。」

宗濤望重江湖，說話有如斬釘截鐵一般，此等之言如出自別人之口，只怕場中之人無一能信，但在宗濤口中說來，卻是個個都覺沒錯，因他的身分名望絕不會口出謊言。

徐元平瞧了丁氏姐妹一眼，只見兩人仍然羅袖掩面，羞紅未褪，心想勸解幾句，又不知從何說起，但已口齒啓動，只好轉臉對宗濤說道：「這兩人冒頂關外二兇之名，不知是何用心？」

神丐宗濤目光橫掃全場一眼，哈哈一笑，道：「此事除了當事人和老叫化之外，大概知得其中陰謀之人，只怕再找不出第三人了。」

徐元平道：「這麼說來，老前輩是當真知其底細了？」

宗濤雙目一瞪道：「老叫化幾時說過謊言？」

徐元平暗道：他乃一代大俠，自是不會說謊，我這般問他，難怪他生氣。

他心中不免暗生愧疚，微微一笑道：「晚輩是一句無心之言，望老前輩不要放在心上。」

神丐宗濤又喝了一大口酒，笑道：「小兄弟如有興趣，就和老叫化一起去看看熱鬧吧！」

霍地轉身，疾奔而去。

徐元平大聲問道：「你這樣一走，我到哪裡找你？」

但聞遙遙傳過來宗濤的聲音說道：「老叫化自有找你的辦法……」最後一字出口，人已到數十丈外。

十四　豔絕天下

幾人一走，局面立時平靜下來，金老二低聲對徐元平道：「快去勸勸鬼谷二嬌……」說著大步走了過去，輕輕一扯于成的衣角，說道：「于兄，咱們把這人屍體一起丟到山下去吧。」于成微微一笑，道：「咱們索性做點好事，把他們兩個埋了吧！」說著話，探臂抱起屍體而去。

徐元平望著兩人去遠，緩步走到丁氏姐妹身邊，說道：「在下一句無心之言，想不到竟然引起令叔誤會……」

丁玲抬頭拂拭著頰上淚痕，說道：「此事怎能怪得你，唉，想不到自己的親叔叔，竟會這樣的對待我們。」

丁鳳聽得姐姐說話，抬頭接道：「還有那死老叫化，說話沒規沒矩，難聽極了。」

丁玲借拂拭淚痕的機會，早已瞧清了四面景物，金老二和于成都已遠到六、七丈之外，只有查玉一人，還在盤膝坐著未動，當下站起身來，奔到查玉身側，說道：「查少堡主，老毒物已經走了，你還裝給什麼人看？」

徐元平怔了一怔，道：「什麼？」

丁玲回眸笑道：「你認爲他真的受了這等慘重之傷嗎？」

徐元平想起剛才情景，心中暗道：如果他傷勢真的異常慘重，哪還能悠悠閒閒地準備獨自離去，待看到冷公霄來時，又告訴我內傷甚重，必須要調息上一、二個時辰，分明是想借我相護於他。此人這等奸詐，豈可和他相交……

轉念又想到人家相待的情誼，怒意頓消，當下淡淡一笑道：「我親自見他中了冷公霄劈空掌力，哪裡會是裝作？」

丁玲微微一笑，道：「既是真的受傷，自是不能走動，咱們也不能留在這裡等他，但徐相公又是極重情義之人，留下他又不放心，只有先點了他幾處穴道，不讓他傷勢惡化，帶著他一起走吧。」玉腕一沉，直向查玉前胸「玄機」要穴之上點去。

徐元平急聲叫道：「丁姑娘，使不得……」幾字剛剛出口，忽見查玉左臂疾搶，架開丁玲皓腕，緩緩站起身子。

丁鳳怕查玉藉機出手，縱身一躍，奔了過來，笑道：「少堡主，你的內傷好得真快呀！」

查玉不理丁氏姐妹的譏笑，目注徐元平道：「承蒙徐兄相護，在下感激不盡，異日定當補報隆情，兄弟餘傷仍需療養，就此告別。」抱拳作禮回頭就走。

徐元平知他怕自己問起事情因由，而加以責備，是故急於告別，心中反而有些不安起來，急聲叫道：「查兄傷勢既是未癒，爲什麼要急急而去？」

查玉回身笑道：「兄弟這內腑傷勢，實非三、五日能夠養息復原，故意欲轉回查家堡會養息……」

徐元平回顧了丁氏姐妹一眼，慨然道：「查兄傷勢未癒，沿途萬一再遇上冷公霄等攔截如何是好，如果查兄執意要走，兄弟送你一程。」

查玉似是甚受感動，目光凝注在徐元平臉上，正容說道：「徐兄義薄雲天，兄弟有幸能得相交，盛誼隆情，當永銘於肺腑之中。」

他微微一頓之後，又說道：「兄弟有一句話，不知是否該問。」

徐元平朗朗大笑道：「查兄有話但請說無妨，縱有辱及兄弟之處，我也不會放在心上。」

查玉瞧了丁氏姐妹一眼，突然轉身緩步向前走去。

徐元平看他神態，知他有話要說，只好隨他向前走去。

兩人走出四、五丈遠，查玉才低聲說道：「江湖之上，勾心鬥角，處處講求機詐，愈詐愈好，但徐兄待人忠厚，磊落胸懷，實使兄弟感動，我本已答應過人，不對徐兄說起此事……」

徐元平道：「武林之中，最重信諾，查兄既有承諾，那就不說算了。」

查玉道：「徐兄肝膽照人，對兄弟情義如海，此言如不相告徐兄，如鯁在喉，不吐不快！縱然有背信諾，也顧它不得了。」

徐元平一皺眉頭，道：「此事可和兄弟有關嗎？」

查玉道：「何止有關，而且關係著徐兄生死！」

徐元平當下啊了一聲，默然不語。

查玉微微一笑，道：「事說穿了倒也不算什麼，只要徐兄遇上她時能夠稍存戒心，就不致傷在她的手中了。」

徐元平道：「查兄說了半天，兄弟還不知此人是難呀？」
查玉道：「就是替丁玲療治傷勢那紫衣少女。」
徐元平微微一笑，道：「我和她無怨無仇，她爲什麼要加害於我？」
查玉道：「此事一時之間，也無法說得清楚，不過，那紫衣少女聰明絕世，才華過人，說得出口之事必然能做得到，徐兄日後相遇之時，千萬留心點。兄弟就此別過，至於徐兄護送之事，此刻不敢有勞。」說完，抱拳一揖。
徐元平道：「查兄執意不要兄弟送行，也不便勉強，查兄一路珍重！」
查玉微微一笑，道：「徐兄請多自惜。」轉身大步而去。
徐元平當下望著查玉的背影，遠到數十丈外，才輕輕歎息一聲，轉過身子。
忽聽丁玲嬌脆的聲音起自身側，道：「你歎什麼氣？查玉爲人陰險無比，你這般誠心誠意待他，日後非要吃虧不可。」
徐元平只管在想查玉之事，竟然不知丁玲、丁鳳何時到了身側，抬頭望了兩人一眼，說道：「相勞兩位幫我追尋劍匣，在下感激不盡，現下劍匣已經尋得，不敢再勞兩位。」
丁鳳急道：「怎麼？你要攆我們了？」
徐元平苦笑一下，道：「在下怎敢，不過男女授受不親，咱們如果行坐不離，常在一起，難免引起閒言碎語，有辱兩位姑娘名譽……」
他微微一頓之後，歎道：「令叔誤會，就是一例。」

丁玲望了妹妹一眼，垂首說道：「家叔自成名江湖之後，從未受過今日這般挫敗，為了自己在江湖上的身分，言語之間，難免有些失常，徐相公不要放在心上才好。」

她輕輕歎息一聲，抬起頭來，星目之中滿蘊淚水，凝注著徐元平，接道：「這也不能怪他，索魂羽士之名十年前已遍傳大江南北，武林中人都對他畏懼三分，今日在眾目睽睽之下，受此挫敗，其內心的愧恨實已難自抑制。」

徐元平突然插口接道：「縱然是心中愧恨交集，也不能這般隨口。」

丁玲道：「徐相公在江湖走動，不知武林中人的性格，他們寧可粉身碎骨也不願威名受損，武林人物大都如此，何況他是我們長輩，縱然罵上幾句，那也是極為平常之事。」

徐元平沉吟一陣，道：「看今日清形，令叔大概已和在下結了難解之仇，二位姑娘如果仍和在下一起，再遇上令叔之時，彼此都有為難之處。」

丁玲道：「徐相公但請放心，鬼谷二嬌絕不是低三下四之人，既是徐相公已經尋得戮情劍匣，我們姐妹也算完了一樁心願……」丁玲舉手拂拭一下眼中淚水，接口道：「他日遇著我們三叔之時，尚望手下留情，我們姐妹就此告辭了。」

徐元平道：「看在兩位姑娘份上，我答應饒他三次不死。」

這兩句話口氣之大，只聽得鬼谷二嬌同時一呆，半晌之後，丁鳳才緩緩問道：「你覺著一定能打得過我們三叔叔嗎？」

丁玲淡淡一笑；「打得過，現下勢均力敵，徐相公勝也勝得有限，但如再過上一年半載，三叔父就望塵莫及了。」

丁鳳道：「一年半載武功進境有限，何況三叔父正當壯年，武功也不致因衰老減退……」

丁玲截住了妹妹未完之言，說道：「徐相公非常之人，豈能以常情測度……」她微微一頓後，又道：「徐相公多自保重，鬼谷二嬌雖是出身綠林，以施用迷魂藥粉傳名江湖，人人對我們懷著三分戒心，但對你徐相公卻是一片真情真意……」

徐元平歎息一聲，接道：「兩位姑娘相待盛情，在下自會永銘心中，他日必有所報。」

丁玲道：「既未施恩，豈敢望報，只要你心中不厭恨我們，我們已心滿意足了。」說罷嫣然一笑，拉著丁鳳轉身而去。

山風吹飄著兩人衣袂，背影中流露出無限的凄涼。

徐元平望著二女逐漸遠去的背影，心中泛上一股莫名的感傷，悵惘情懷，難以自遣，恨不得叫回二女。

轉念又想到父母沉冤未雪，亡師大仇未報，此後大事正多，行止茫茫，生死難料，豈可為二女而分心。

當下深深吸一口氣，仰臉望天緩緩吐出，大步直向峰頂走去。

金老二和鐵扇銀劍于成早已回到峰頂等候，一見徐元平獨自回來，于成首先站起身子微微一笑問道：「怎麼，兩個鬼女都被你打發走了嗎？」

徐元平皺了皺眉頭，道：「你怎麼能隨便出口傷人？」

于成怔了一怔，道：「鬼谷二嬌在江湖上是出了名的毒美人，貌嬌如花，心狠手辣，傷在她姐妹兩人手下的綠林人物，已不知凡幾。」
金老二輕輕歎息一聲，接道：「鬼王谷這兩個女娃兒，雖然辣手難防，善於矯情做作，但對待平兒，卻是不似懷有心機。」
鐵扇銀劍于成哈哈大笑道：「鬼谷二嬌兩人也有真情真意，豈不是大大的笑話，金兄見多識廣，所說之事，兄弟無不佩服，但對此事卻是不敢苟同。」
金老二道：「兄弟自信這雙眼睛不花，于兄如若不信，不妨現下一試。」
于成道：「這等事也可試得的嗎？不知如何一個試法？」
徐元平急急接道：「不管鬼谷二嬌爲人如何，但她們待我不壞，豈可任意開人玩笑。」忽聽身後風聲颯然，直向幾人停身處撲到。幾人武功都極高強，聽得風聲，立時向旁側縱去。定神看去，只見一隻奇大的髦毛黑狗口中啣著一張白箋，停在離三人四、五尺左右之處。此狗雄猛昂健，甚是少見，有如一隻小虎般大小。
金老二微微一笑道：「神丐宗濤派遣他的狗送信來了。」
但見那巨犬突然一張大口，白箋隨風飄落地上。徐元平撿起白箋一瞧，只見上面草草五字，寫道：快來看熱鬧，下面署名「老叫化」。
于成轉過頭去瞧了一眼，笑道：「神丐宗濤生性冷傲，天下同道能被他瞧上眼的，寥寥無幾，想不到竟然和公子交了朋友。」
徐元平聽得一怔，道：「你說什麼？」
于成道：「徐兄不是答應在下常隨侍左右嗎？主僕之分，豈能混淆……」

徐元平道：「我幾時答應你了？」

于成臉色突然一變，異常嚴肅地說道：「于成連受公子數番救命之恩，自知無能報答，只願有生之年得以常隨左右，略爲公子一盡綿薄，公子既是不願收容，在下也無顏再在江湖之上行走，公子、金兄多請保重，在下就此告別！」翻腕拔出背上鐵扇銀劍，投棄於地，轉身大步而去。

徐元平探臂撿起地上銀劍鐵扇，高聲說道：「怎麼連兵刃也不帶走！」

于成回過身來，仰天哈哈大笑，其聲悲壯，直沖霄漢，直待笑聲停下，才冷冷說道：「在下從此棄劍，告別江湖，尋一處深山大澤，以度餘年歲月，要此兵刃何用！」

金老二突然插嘴說道：「平兒不可太過拘謹，于兄乃性情中人，說一不二，既有追隨之心，必是出自衷誠，你如太過拘泥於世俗之見，那就辜負于兄一片摯誠了。」

徐元平真情激盪，雙手捧著鐵扇銀劍，緩步走了過去，沉聲說道：「徐元平初出茅廬，而且身負血海沉冤，而仇人又是名蓋當世武林的神州一君，報仇之事，渺渺茫茫，但此仇又是非報不可，于兄相隨兄弟，有害無益……」

于成朗聲大笑道：「在下生平之中，從未對人生過敬佩之心，既生敬佩，雖爲他赴湯蹈火萬死不辭，如非公子相救，于成縱有十條命，也早已葬送在那古墓之中。」

金老二正容道：「平兒，于兄一片誠意，你如再要推辭，那就未免有些矯情了，快些答應下來吧！」

徐元平遞上手中銀劍鐵扇，說道：「于兄這般相愛，愚弟卻之不恭，但我們要平輩論交，兄弟相稱，在下才敢答應。」

于成略一沉思，道：「這個……」

金老二道：「我們武林中人，素不講求稱呼，于兄也不可太過固執。」

于成接過鐵扇銀劍，正容說道：「這麼吧！在下仍以公子相稱，以重主僕之分，至於公子如何稱呼在下，自行請便。」

金老二大笑道：「這樣最好不過，咱們各交各的，在下還是和于兄，兄弟相稱……」

忽聽汪汪幾聲狗叫，巨犬突然轉過身去，向前跑了數丈，重又停了下來。

金老二微微一皺眉頭，望著徐元平道：「眼下武林之中敢和神州一君爲敵之人，只有一個神丐宗濤，此人冷傲無比，盛名震江湖，肯這般和你相交，實是異數，這畜生已等得不耐，想必有緊要之事，咱們也該去了。」

三人一齊轉過身去，隨在那巨犬之後，向前奔去。

翻越過三座山巔，到了一處十分隱秘的幽谷，但見火光熊熊，神丐宗濤正自面壁而坐，手中拿著雞腿大嚼。

三人一直走到宗濤身前，躬身說道：「老前輩傳箋相召，不知有何示教？」

宗濤大大地啃了一口雞肉，一面大嚼，一面說道：「老叫化不是寫得清清楚楚，要你看熱鬧嗎？」

徐元平微微一笑，道：「不知要看什麼熱鬧，還望老前輩見示一二。」

宗濤嚥下口中雞肉，說道：「說來話長，包你好看就是。」抬頭看看天色，接道：「天已不早，咱們該走了。」站起身子直向正北走去。

徐元平還想追問，卻被金老二輕輕拉了一下衣角，只好默默不言。

神丐宗濤在前翻過一座山嶺之後，腳步逐漸加快，他走的盡都是荒僻小徑，很少人跡，幾人都不由自主地施展開輕身功夫。但見前面帶路的宗濤，愈走愈快，到了最後，簡直疾如劃空流矢一般，徐元平近來功力大進，還不覺出什麼，金老二重傷未復，于成功力難及，只跑得兩人汗流浹背。

徐元平回頭瞧了兩人一眼說道：「老前輩請走慢一點好嗎？」

宗濤停身，望望天色說道：「現在天色還早，我們一會兒再走。」說罷，盤膝坐在地上閉目休息。

金老二和于成趕了上來，手不停揮地擦著臉上的汗水，緩緩走動了一陣，才在原地坐下。

徐元平緩緩在宗濤對面坐下道：「老前輩究竟要帶我們看什麼熱鬧？」

神丐宗濤睜開雙目，微微一笑，道：「這熱鬧只有咱們兩個能瞧，這兩位最好別去。」

金老二忽然睜開眼來，轉頭打量了一下四週的景物，歎道：「宗老前輩可是要看神州一君易天行？」

徐元平聽得神州一君四字，立覺一股熱血衝了上來，激動之情，難以抑制，衝口叫道：「什麼？」

宗濤目睹徐元平激動神情，心中大感奇怪，一怔，道：「你這小娃兒怎麼啦！你認識神州一君麼？」

徐元平咬牙切齒的說：「晚輩和他仇深似海。」

宗濤神色忽然凝重起來，緩緩的說道：「老叫化生平不願問人秘密之事，不過，像你這等激動，卻使人有些耽心，不是老叫化長他人之氣，憑你眼下的武功，要想對付神州一君，只怕還難有勝人之望，何況此人機智卓絕，空前少見，一手掩盡天下英雄耳目……」說至此處，歎息了一聲，無限黯然的接道：「可笑的是天下英雄盡都為他所騙，以為他是位大忠大義、正義凜然之人，贈號神州一君，天下各大門派，黑白兩道，無不對他尊仰萬分，不管何等紛爭，只要易天行說一句話，無不迎刃而解，老叫化雖然早知他為人陰辣無比，但卻無法找出一點痕跡、證物，公諸世人。」

金老二微微唏噓一歎，在一旁說道：「宗老前輩也不必為此事煩惱，神州一君易天行數十年來，沽名釣譽，假仁偽善，也真可以說掩盡天下人的耳目，短時之間，要想徹底叫武林道中朋友改變對他的看法，那實在大非易事，不過……」話至此處，嘿嘿冷笑兩聲，望了徐元平一眼道：「若要人不知，除非己莫為，任他易天行如何掩飾，只要我金老二有三寸氣在，拼了這條老命，也要把他的罪行公諸於世，到時，天網恢恢，看他怎能逃出公道。」

神丐宗濤用手背一擦口角的酒漬，叫道：「好，想不到你金老二竟也是有心人，看來我老叫化子是吾道不孤了。」說著朗朗一聲大笑。

金老二微微嘆道：「金老二雖然有心為武林除此惡賊，但恨力不從心，多年來忍氣吞聲，甘心把一件血仇深藏心底，也就是在留心易天行的文過飾非的作為，一面也是等待適當時機，把他的醜行惡跡公諸天下，使他到應得的制裁，那時縱然是粉身碎骨，也就甘心瞑目了。」

鐵扇銀劍于成因當前幾人都是自己敬畏之人，雖然性烈口直，也有所顧忌，不敢插嘴，這時聽金老二說得慷慨激昂，也不禁豪氣大發，咳了一聲，說道：「當初金兄告訴在下易天行的僞善行爲，在下還覺著金兄是詆譭他人清譽，不獨不信，心裡還真想爲他力辯，可是我一知其中內情，也就氣憤塡胸，如今聽宗老前輩一說，晚輩雖然自恨武功不濟，到時如用得著我于某人之處，雖死不辭，也得替咱們道上的朋友留點光彩。」他這時十分激動，說來豪氣干雲。

神丐宗濤一仰脖子，又喝了一口酒，一豎大拇指道：「好，于兄俠膽可佩，這個血性朋友，我老叫化子是交定了……」

正說話間，那鬈毛大狗在神丐宗濤身邊低吠了聲，神丐抬頭一看，一骨碌站起身子，道：「時光不早了，咱們倒在這裡閒磕牙，耽誤了好戲，那可就冤了。」說完抄起紅漆葫蘆，說了一聲：「咱們走。」人已領先向前奔去。

幾人走了一陣，翻越過幾處樹叢，夜色中見屋脊重疊，隱著一座極大莊院。徐元平心中一動，轉眼四下探看，原來曾和鬼谷二嬌到過此處。

他正想開口，神丐宗濤突然一矮身，搖手阻止徐元平，轉臉對金老二和于成輕聲說道：「今晚雖有熱鬧可瞧，但正戲上場，還不是時候，你們暫且找處地方隱起，我與這娃兒先去瞧瞧再說。不論莊院之中發生了什麼事，兩位都不可擅入莊院去，四更之後，仍不見我們回來，兩位先到正北方十里左右，一座小土地廟中等候。」

說完話，也不待兩人回答，忽然一挺身，飛起了三丈多高，夜色中直向那座巍峨莊院之中射去，一起一落，人已到五丈開外，而且起落無聲、衣不飄風，聽不到聲息。

于成輕輕一歎道：「久聞神丐宗濤之名，今日一見果是不虛，單是這份輕功，就足以震駭武林……」

話還未完，突見站在丈餘外的徐元平，緊隨著凌空而起，半空中連打幾個轉身，也落出四、五丈遠。

但見兩條人影閃了幾閃，隱入夜色之中不見。

金老二一拉于成隱入草叢中間，低聲說道：「易天行做事謹慎無比，這莊院四周說不定早已經埋下暗樁……」一言未畢，突聞管弩驚風，兩人停身左側八、九尺處，一株高大白楊之上，飛出一支弩箭，直向那莊院之中射去。

于成抬頭看了那白楊樹一眼，只見樹高在四丈以上，枝頹葉落，乍看去絕不疑會有人在樹上守望，不禁低聲罵道：「神州一君果是狡詐得很，竟在這枝頹葉枯的白楊樹上埋下暗樁。」

金老二低聲接道：「咱們想個法子先把發現咱們的這處暗樁去了再說。」

于成道：「此樹四丈多高，如若想爬上去，不讓敵人發覺，甚是不易，只有用暗器把他打下來了。」

兩人正自計議，突見一團黃影由四丈多高的白楊樹上直摔下來。距實地尚有兩丈多高之時，橫裡疾飛過來一條人影，雙臂一伸，把掉下來的黑影接在手中，輕放在一撮深草之中，拔身躍起直向那莊院撲去。

但見來人一襲長衫，背上斜揹兵刃，一晃而失，身法之快，不輸神丐宗濤。

于成皺了皺眉頭，附在金老二耳邊問道：「金兄見多識廣，可知這來人是誰？」

金老二搖搖頭道：「此人太過迅速，夜色朦朧中我也無法看清楚他的面貌……」他略一沉吟之後，又道：「當今武林之中，能有此等身法之人，有限得很，大概總不出……」話還未完，忽聞衣袂飄風之聲傳來，趕忙停下口來。

偷眼望去，只見兩個手執單刀的勁裝大漢，疾奔那高大白楊樹下，抬頭問道：「爲什麼發出響箭，可是發現了什麼動靜麼？」

那樹上埋伏之人，已被人用見血封喉的絕毒暗器打死，所以，兩人一連問了數聲，仍不聞相應之聲。

只聽那走在後面的大漢說道：「只怕出了毛病，我爬到樹上瞧瞧去。」

那當先之人突然一拉那說話之人衣袖，轉身伏下身子，緩緩地向那莊院之中走去。

于成拔出鐵骨摺扇，低聲對金老二道：「如果讓這兩人回入莊院，只怕不妥，咱們分頭施襲把他倆點倒。」

金老二道：「不要慌，用不著咱們動手，這兩人絕難走過三丈。」

于成知他見識比自己廣博甚多，心中雖還有些不信，卻不便追問，忖道：看你推斷如何？

心念尚未息下，果見前面兩人一齊摔倒地上。

于成回過頭來，低聲說道：「金兄果是料事如神。」

金老二微微一笑，沒有答話。但見一條人影，疾如海燕掠波一般，疾躍而過，一閃而逝。

恍惚之間，只覺那人身材嬌小，似是女子，但因對方身法過快，一時難以確定。

于成呆了一呆道：「好歹毒的暗器，發時無形無聲，中人立即死去，在下在江湖道上闖蕩了幾十年，還未見過這樣歹毒的暗器……」他微微一頓之後，又道：「是啦！是查家堡的蜂尾毒針……」

金老二搖搖頭，笑道：「查家堡蜂尾毒針雖然歹毒，但尚不致中人即死、見血封喉，而且查家堡除了老堡主查子清外，難再找身負這等輕功之人。」

于成道：「剛才那施放暗器之人，可是一個女子嗎？」

金老二道：「不錯，男人身材絕不會那等嬌小。」

且說徐元平緊隨宗濤身後，到了那莊院外面，宗濤拉了徐元平一把，隱入暗處，低聲道：「神州一君易天行武功高不可測，而且手下高手甚眾，咱們可能會被人發覺，如果自覺難以再隱藏身子之時，不妨堂堂正正的現身出去，神州一君為人最重面子，只要他不親自出手，危險就小了一半。」

徐元平聽這位素來自負的武林大俠竟然這般慎重起來，心中大是驚奇，暗忖道：以宗濤這等身分的高人，竟然也這般稱讚神州一君的武功，想來那易天行的藝業定是有驚人之處了。

宗濤看他沉思不言，又接著說道：「如非生死交關，最好別和神州一君動手……」雙眉微一聳動，人已貼壁飛起，落入牆內。

徐元平一提真氣縱上牆頭，但見一片漆黑，神丐宗濤人跡已杳。他抬頭打量一下四周景物，縱身向院內躍去。

這座廣大的莊院中，除房屋櫛比，樓閣聳立外，都是高大的梧桐、榆樹，陰氣森森，不見一點燈火。

深秋的夜風，吹拂著樹上的黃葉，更增加了這荒涼莊院的陰森氣氛，徐元平默然站了良久，突然想起那夜丁鳳帶自己去的一所跨院落，那裡滿置盆花，而且房中佈置華貴無比，或許住的有人。

他暗中調勻真氣，伸手摸摸懷中戮情劍。四下打量了一陣，看準路線和落腳之處，一提真氣，施展「八步登空」的身法，迅快絕倫地直奔過去，一口氣穿過了一座四、五丈寬的庭院，飛落在屋面之上。低頭看去，各室門窗緊閉，毫無有人跡象，心中不覺大為生疑，暗道：此等情景，哪似有人住的地方，不知神丐宗濤要我來瞧的什麼熱鬧。

但轉念又想到，以宗濤在武林中的身分地位，絕不會說出謊言，微一沉思之後，抬頭辨認了一下方向，直向正東躍去。又越過一重院落，果然找到了那處滿置盆花的小跨院。這座精緻的跨院仍和過去一般雅緻，盛放的菊花，飄過來陣陣花香，但那兩扇房門，仍然緊閉著。

徐元平暗暗忖道：這院中盆花，如果無人修整，絕不會是這般整齊的，從這跡象看來，這座小跨院是經常有人來了。

徐元平雙足微一用力，人如離弦弩箭一般，落在那雅室門前。舉手一推，兩扇房門應手而開，但聞一陣脂粉幽香，迎面撲襲過來，不禁心頭一凜，暗道：這雅室分明是女子閨房，上次由丁氏姐妹相陪而入，眼下我孤身一人，如何能夠隨便進去，當下呆了一呆，愣在門外。

忽聽房中響起一陣微弱的呼吸之聲，緊接著又是一陣被褥移動的聲音。這兩種聲音，都異常低微，如非耳目靈敏之人，很難聽到。徐元平心頭一驚，不自覺地失聲問道：「什麼人？」

他失聲之後，立時驚覺，身子一閃，隱入門後暗處，心中驚道：我這聲音雖然不大，但在這靜夜中，只怕傳播甚遠，如果這靜院四周埋伏有人，定然會聽到我這一聲呼叫。一念及此，趕忙暗提真氣，蓄勢戒備。哪知過了有一盞熱茶工夫之後，仍然不見動靜，倒是室中的那輕微的鼻息之聲，時時可聞。

這時，徐元平已確知室中有人，而且依那微弱鼻息之聲判斷，可能還是一個女人，只是不知是否真正的在熟睡中。

大約過了一杯熱茶工夫，仍然不見動靜，探頭向外望去，只見繁星閃爍，夜靜似水，心中大感奇怪，暗道：如果神州一君易天行真的在這莊院有所聚會，何以這等大意，毫無防範。

忽聽一陣嚶嚶之聲，傳入耳際，似是那熟睡之人夢見了什麼歡樂或愁苦之事，喃喃囈語。

這一陣嬌婉嚶聲，使徐元平確定了這室中熟睡著的是一個女子。心中暗自忖道：這室中既然有女子熟睡，我徐元平豈能停留其中。正待舉步出室，忽聞一陣輕咳從院中飄傳過來，緊接著響起了一陣步履聲。

徐元平趕忙又縮回門後，慌忙中抬頭望去，只見屋角處錦帳低垂，一人擁被而臥。他隱隱還記得那屋角之處放有一張雕花木榻，但他為人磊落，所以入室之後，始終未向那屋角瞧過一眼，此刻，為形勢逼迫，不得不尋找藏身之處，但聞那步履之聲愈來愈近，已到室外石級之上，不禁心頭大急，慌忙中一提真氣，身子凌空而起，躍落橫樑之上。

他剛藏好身子，突見火光一亮，房門口出現了兩個大漢，一人勁裝佩劍，一人身穿長衫。

只聽那身穿長衫之人說道：「那女娃就放在此室嗎？」

那勁裝佩劍之人似是甚怕那身穿長衫之人，左手高舉著火摺子，躬身答道：「不錯不錯……而且此女容貌艷絕塵寰……」

那身穿長衫之人冷哼一聲，接道：「哪來的這多廢話，快帶我瞧瞧去。」

那勁裝大漢口中應了聲，大邁三步，人已到那雕花木榻前，左手高舉火摺子，右手掀開低垂錦帳。

徐元平隱身在橫樑之上，只需微一轉臉，立時可把那錦帳中橫臥玉人，瞧個毫髮不遺，但他覺得此事有愧於心，竟是不肯轉臉相望。

只聽那身穿長衫之人，長長吁了一口氣，讚道：「果然是沉魚落雁之容、閉月羞花之貌，天上仙子，人間尤物……」

那勁裝佩劍之人，也不自禁地歎息一聲，接道：「此等絕世容色，任是鐵打銅鑄之人，也要為之怦然心動……」

兩人這般交口稱讚，徐元平也不覺怦然心動，暗道：世界之上，當真有這等美麗的人嗎？不自覺地轉頭望去。

火光照射之下，看得甚是清晰，只見一個身著紫衣的少女，面向外側臥榻上，髮散枕畔，色凝桃花，翠眉如黛，瑤鼻櫻口，果然天香國色，秀絕塵寰，不覺瞧得一呆。

只覺此女似曾相識，但一時之間，卻又無法確定是否真的相識。

只聽那身穿長衫之人無限惋惜地道：「此女必可邀得莊主青睞，如再能從她身上獲得南海門下奇書，定會得到莊主厚賜，你們要好好的看守著她。」

徐元平心中一動，暗道：果然是她！想不到人世之間真有這容色絕麗的女子。

徐元平雖和這紫衣少女相見數次，但他始終沒有仔細地瞧過她一眼，腦際之中只留有一個模模糊糊的影影，只知她長得十分美麗，尤勝丁氏姐妹幾分，但究竟容貌如何，他卻全無印象，所以初見之下，只覺似曾相識，但卻不敢確定。這時，那勁裝佩劍之人手中的火摺子，已經燃盡，只聽他啊喲一聲，火焰一閃而熄。

原來這兩人都為那紫衣少女艷絕的容色吸引了心神，一語不發，呆呆地站在榻旁欣賞，直到火摺燃盡，燒到手上，才霍然驚覺。

黑暗之中，只聽兩聲長長歎息，隨著步履之聲，出門而去。

徐元平待兩人去遠之後，縱身躍下橫樑，緩步走到那木榻之前，正待伸手去抱那紫衣少女，心中突然一動，暗道：男女授受不親，君子不欺暗室，我與她素無交往，縱然存心光明，旨在救人，也不能不防瓜田李下之嫌。心念及此，腳步為之一頓，一時之間不知該如何是好。

徐元平正感為難之際，忽聽低垂錦帳之中傳出那紫衣女嬌婉的聲音道：「哼！男女授受不親，夜深人靜，孤男寡女，你站在我臥榻之側，瞪著眼睛瞧我幹什麼？不要臉！」

徐元平被她罵得一股怨氣直衝上來，身子搖搖欲倒地退後兩步，接道：「姑娘不要誤會，在下絕無不敬之心。」

低垂錦帳之中，又傳來那紫衣少女的聲音道：「瓜田李下，雖無不良之心，亦有非分之嫌，看你這個樣子，就不像知書識禮之人。」

此女言鋒犀利，句句字字，如刀似劍，只罵得徐元平如受眾矢攻心，一種被委屈的感覺，使他全身顫抖，心情激盪，反而愣在當地，說不出一句話來。

呆了良久，才恭恭敬敬地抱拳一揖，說道：「此等之事，甚難解說，在下存心，惟天可表，但姑娘誤會亦非不當，失禮之處，尚望大量海涵……」轉過身子，大步向外走去。

只聽那低垂錦帳之中，又傳出那紫衣少女嬌脆的聲音道：「你自命男子漢大丈夫，見危規避，也不覺著羞見天下英雄嗎？」

徐元平怔了一怔，暗道：這倒怪了，怎麼她相罵之言都是我心中想到之事，當真罵得入木三分，又叫你無言反辯。

他本走到門口，又不自主地停了下來。回頭望去，只見那紫衣少女已經擁被坐起身子，一時之間，想不出該說些什麼，沉默了半盞茶工夫，才想起幾句話來，說道：「姑娘已陷身龍潭虎穴，要及早離開此處才好，在下言盡於此，姑娘肯否聽信，悉由尊便。」說完，又轉身向外走去。

忽聽那紫衣少女冷笑一聲，說道：「站住！」

徐元平人已出了室門，聽得她喝止之言，只好又停了下來，當門一立道：「姑娘還有什麼話說？快些吩咐，在下還有要事。」紫衣少女似是突然受了甚大委屈一般，氣得哼了一聲，立時別過頭去。

徐元平見她轉過頭去，不理自己，深感走不是，不走也不是，呆了一陣，說道：「姑娘如無吩咐之言，在下就此別過了。」

只見那紫衣少女緩緩躺下身子，面裡側臥，望也不再望他一眼。

徐元平心中雖覺她生性冷傲難以相談，但又覺她處境險惡已極，必須早些離開，當下說道：「姑娘處境險惡，還是早些離開此處的好！」

那紫衣少女聽了徐元平的話，當下頭也不轉地答道：「我死了也不干你事，哼！你別多管閒事！」

徐元平歎息一聲，自言自語道：「女孩子家真是難惹……」縱身一躍，飛上屋面而去。

紫衣少女聽得衣袂飄風之聲，迅快地轉過頭來，但見暗淡的星光下，人影一閃而逝。這位才華絕世、艷若天人的少女，似是陡然受到了極大的傷害一般，熱淚滾滾，奪眶而出，但她卻能忍住不發出些微哭聲。

徐元平躍上屋面，長長吐一口氣，但覺滿腔受委屈的積忿，盡隨這一口長氣而出，心情為之一暢。

放眼望去，但見星河耿耿，四野不見人蹤，不禁暗覺奇怪，忖道：這莊院之中明明有人，為什麼自己這等暴露行跡，竟似沒有被人發覺一般，既沒人出面攔阻，也沒人暗中施襲？但這等出於意外的平靜，卻使人更覺著這陰森莊院的恐怖。

徐元平呆呆地在屋面上站了一盞熱茶工夫之久，仍然不見一點動靜，他乃毫無江湖閱歷之人，遇到此等情勢，只覺手足無措，此刻不知該如何是好。

夜風輕拂，花香襲人，徐元平舉手在頭上輕輕地拍了兩下，只覺眼前的景象，沉悶中充滿了無比的緊張，但自己卻又不知如何應付，只是這般呆呆地站在屋面之上，也不是辦法。

正自爲難之際，瞥見數丈外一條人影，疾如電奔一般，一閃而逝。他正覺難以自處當兒，見了這條人影，立時疾追上去。

他這數月來打坐調息，已把慧空大師轉授於他的真元之氣大半收爲己用，功力大爲增進，這一躍直飛二丈七尺高，懸空施展「八步登空」身法，連越過兩重屋面，落到一株梧桐樹上。手抓樹枝，微一借力，人又向前飛出一丈四、五尺遠，落在屋面之上。他心中急於追上那逝去的人影，施展全力追來，腳落屋面，抬頭望去，夜色茫茫，哪裡還有人跡。忽聽嫛的一聲，似是一件重物落在地上。

徐元平迅快地轉過頭，只見自己借力的那梧桐樹下，蜷伏著一團黑影，當下一提真氣，猛撲過去。

他這時早已被這陰森恐怖的氣氛憋得滿腔氣憤，只想早些找著一個人，追問這莊院之中的情形，所以一見那蜷伏在樹下的黑影，也不考慮，立時疾撲而下，探臂一抓，腳落實地，已把黑影抓了起來。

仔細看去，竟是一個身著勁裝、背插單刀的屍體，此人身體尚有餘溫，分明剛死不久，但全身上下找不出一點傷痕，耳目口鼻之處亦無血漬，不知怎的死去。

他忽的恍然大悟，暗道：「是啦！神州一君在這莊院之中聚會之事，既被宗濤探到，想來別人也可探到。」

徐元平暗道：剛才瞧見那條黑影，身形迅快異常，如是這莊院中埋伏之人，定然已看到我的形跡，但他竟不顧而去，自然不是莊院中的人了，看來這陰森莊院之中，今夜來的人定是不少……正在忖思之間，忽聽輕微的飄風之聲，起自身後。

徐元平機警無比地轉過身子，凝神望去，只見一個身材嬌小的黑衣少女，背插雙劍，站在八、九尺外，兩道目光怔怔地凝望著他。

四目交投，互注良久，彼此都未講一句話。

徐元平緩緩把手中屍體放下，慢慢向後退去，他自被那紫衣少女罵了一頓之後，心中對女子已存了驚懼之心，不自覺地向後退去，但又怕她突然下手施襲，所以，不敢轉過身去。

只聽那黑衣少女低沉冷漠地喝了一聲：「站住！」

徐元平只覺心頭一跳，但卻依言停下腳步。

黑衣女膽子甚大，竟然一步一步地向他逼來，直待相距徐元平三、四尺處，才停下身子，冷冷地問道：「你是這莊院中的人嗎？」

徐元平搖搖頭道：「不是。」

那黑衣少女突然微微一笑，道：「你如何能夠證明你說的話呢？」

徐元平奇道：「爲什麼要證明？我們素不相識，無怨無恨，彼此互不相干……」

那黑衣少女冷冷接道：「你如無法證明你說的話……」她輕蔑地向那屍體瞥了一眼，接道：「那就是你的下場。」

徐元平暗忖道：今夜到此之人，大概都和神州一君易天行有敵對之心，憑此一點，我也該讓她幾分，當下說道：「在下要如何才能證明我不是這莊院中的人呢？」

黑衣少女似是想不到他有這樣一問，怔了一怔，道：「這也不是什麼難事，你如真的不是守護這莊院之人，那麼你就要聽我的話即時退出，別過問這莊院之中發生的事情。」

徐元平道：「此事的確是簡單不過，可是在下要反問姑娘一句，你要我退出這莊院，不知用心何在？姑娘半夜到此，絕非無因而來，在下如無事情，也不會在深更半夜之中，跑到這荒涼的莊院中，我只能告訴姑娘，我確非此莊中守護之人，你不信，那也是無可奈何的事。」

那黑衣少女冷然一笑道：「我生平之中，從未對人說過這樣多無用的話，今宵破例對你多講幾句，你如不肯退出，對你有害無益，今夜之事，凶險異常，看你年紀輕輕，又不像走江湖之人，故而特地勸你幾句……」

徐元平微微一笑道：「姑娘盛情，在下心領，一個人生死之事，誰也難以預料。」說完，轉身急掠，人已到屋面之上。

那黑衣少女突然嬌喝一聲：「站住，你能跑得了嗎？」玉腕揚處，一縷白光，疾射而去。

徐元平雙足一點屋面，平向屋下暗影之中射去。

他突然福至心靈，想到自己如果向上一躍，對方定然緊迫不捨，要想擺脫，只有躍入暗影之中，所以在他躍上屋面之時，已瞧準落腳之處，腳不起步，疾向屋下暗影之中投去。

這一著倒是大出了那黑衣少女的意外，一線白光，疾掠屋面飛過，第二道暗器尚未發出之時，徐元平已躍下屋面。

黑衣少女四下望去，哪裡還有徐元平的影子，心中大是驚奇，暗道：此人身法好快。

徐元平隱在暗處，連頭也不敢探出一下，直待聽那黑衣少女離去時衣袂飄風之聲，才從隱身暗影之中走了出來，抬頭望著天上繁星，長長吁一口氣，正待躍上屋面，去找宗濤，突然心中一動，暗道：她剛才打我一下，不知用的什麼暗器，不如把它撿起，帶給神丐宗濤瞧瞧，他見多識廣，也許可以由暗器之上，看出此女來歷。

心念一轉，大步向對面一株榆樹下面走去，只見一枚三寸長短的銀針，端端正正地釘在樹身上。伸手把銀針拔下，放在手中仔細一瞧，只見此物似針非針，尖端扁平，尾處有兩片極薄極小的鋼葉，製造十分精巧。他初入江湖，見聞有限，瞧不出是什麼暗器，隨手放入懷中，剛想舉步，忽聽身後響起一聲輕微的冷笑道：「我只道你有飛天遁地之術，眨眼間，跑得蹤影不見，原來是藏在暗影之中了，哼！虧你還是堂堂七尺之軀，此刻不覺著丟人嗎？」這幾句話，罵得尖酸刻薄，大傷了徐元平的自尊，也激起好勝之心，霍然轉過身子。

只見八、九尺外，站著那去而復返的黑衣少女，當下冷言道：「姑娘且莫出口傷人，在下素不願和女子動手，故而相讓姑娘三分，豈是真的怕你不成。」

那黑衣少女對他反擊之言，似是甚感意外，怔了一怔，道：「你可是說我的嗎？」

徐元平答道：「此處除了你我之外，別無他人，自是說你了。」

黑衣少女似是異常忿憤，嬌軀微顫動了一下，道：「你敢罵我！」

徐元平聽她口氣愈來愈大，也激起心頭怒火，當下接口說道：「我有什麼不敢，罵你又怎樣？」

那黑衣少女目光凝注在徐元平臉上，瞧了半晌，忽然微微一笑，道：「那是因爲你不知道我是什麼人，如果知道了，你定然不敢罵我啦。」

徐元平道：「對你這般沒有禮貌之人，罵了你也不算欺侮你，哼！不是看你是一個女孩子家，剛才我就好好教訓你一頓了。」

那黑衣少女搖搖頭，歎口氣說道：「我懂事以來，從沒有人敢這般無禮對我，舉世之內敢罵我之人，你可算得第一個……」

徐元平笑道：「在下堂堂男子，和你們女孩子嘔氣，本是大不應該之事，但你這等欺凌於我，實叫人難以忍受……」忽然想到我這般和她胡扯下去，扯到幾時，才能停止，倏而住口，轉身一躍，人已飛上屋面，急奔而去。

那黑衣少女被他豪氣凌人地罵了一頓，不覺呆愣在當地，只覺此等之言，生平之中從未聽過。待她發覺徐元平藉機而去，想要追趕時，徐元平早已隱入在夜色之中不見，恨得她一跺腳，自言自語地罵道：「哼！除非這一生中，你別讓我遇上，再要遇上我，非得打落你滿口牙齒不可。」

她罵的聲音甚大，徐元平耳目靈敏，人雖到數丈之外，仍然隱隱可聞，心裡暗自想道：好吧！就讓你罵上兩句出出氣吧！好男不和女鬥，只當我沒有聽見算了。

他自思自慰地消解去胸中之氣，急掠過幾重屋脊，忽見花木蔥蘢，又到了一處雅緻的庭院所在。

院中秋菊盛開，丹桂飄香，雖已是深秋季節，但這院中花木卻一片翠綠，不禁心中大感奇怪，暗道：這些花木分明是由其他地方移植而來，莊院之中卻又這等荒涼，既無人常住於此，不知爲何卻又布設得這等雅緻……心中疑竇重重，但一時之間，卻又思解不透。

忽聽院中花叢一動，傳過來一個低沉的聲音，道：「小娃兒，快些走吧，今晚上咱們算白來了。」

徐元平聽出是神丐宗濤的聲音，當下循聲望去，又立時縱身而下。

只見宗濤斜倚花叢而坐，滿口酒氣雜在各種花香之中，陣陣飄來。

徐元平心中積存了很多事要說，哪知還未來得及開口，神丐宗濤卻又搶先說道：「老叫化只道是獨得之秘，哪知消息早已外洩，小娃兒，你胡撞瞎闖了一陣，大概遇上了很多事吧？」

宗濤說完話，取過背後紅漆葫蘆，咕咕嘟嘟又喝了一大口酒。

徐元平道：「今夜來這莊院之中高人似是不少。」

宗濤微微一笑道：「你又遇上了一個身穿黑衣、蠻不講理的姑娘是嗎？如果老叫化子猜得不錯，你定被她罵了一頓。」

徐元平道：「怎麼？老前輩都看到了？」

宗濤笑道：「老叫化子如若看到，說對了，哪裡還算本領。」

徐元平輕輕歎息一聲，道：「今夜中，晚輩連受了兩人之罵，一次被罵得啞口無言，一次被罵得怒火萬丈。」

宗濤笑道：「那黑衣女娃兒在西北江湖道上，乃出了名的蠻不講理之人，罵你幾句，不足爲奇。」

徐元平看他說得輕輕鬆鬆，似是自己被人罵上幾句，是十分應該之事，心中甚是氣憤，衝口說道：「晚輩如果不看她是女流之輩，非得好好的教訓她一頓不可。」

宗濤道：「那女娃兒最是難惹不過，你還是別惹她的好。」說著話，又喝了一大口酒。

徐元平道：「這麼說起來，老前輩定是認識她了。」

宗濤笑道：「老叫化天不怕地不怕，但卻對那女娃兒有點兒頭疼，我都招惹她不起，你更是惹她不得了……」

徐元平生性倔強，心中自慰自解地想到是相讓於她，聽得宗濤一番勸慰之言，反而激起了心中怒火，說道：「這麼說來，晚輩日後遇到她時，倒是得向她領教領教了。」

宗濤哈哈笑道：「小娃兒好大的火氣。」

徐元平看他縱聲而笑，毫無顧忌，心中甚感奇怪，忍不住說道：「老前輩這等毫無顧忌的大笑，就不怕驚動這莊院之中埋伏的人嗎？」

宗濤道：「神州一君果是狡猾無比，今宵在這荒涼的莊院中，召集他的爪牙舉行大會，不料突然取消，騙得咱們辛辛苦苦的跑了半夜。」

徐元平心中暗道：剛才我在被囚紫衣少女雅室，明明聽那身穿長衫之人說過莊主要來，還要勁裝佩劍之人好好看守那紫衣少女，這莊主定然是神州一君了，不知何故，突然變卦不來……

他毫無江湖閱歷，反覆思索，仍是推解不透，忍不住又問道：「難道咱們入這莊院之事，已被他知道不成。」

宗濤嘆道：「易天行雖未必知道咱們夜探這莊院之事，但除了咱們之外，還有別人……」

話至此處，似是想到了什麼事，突然住口，站起了身子。

徐元平看他緊張之情，也跟著站了起來，不自覺地問道：「怎麼啦？」

宗濤微微搖頭，緩緩地說道：「易天行狡猾過人，這遲遲不來也許有什麼陰謀，也許他早已到了這莊院之中，故意隱匿不出。」

徐元平被他說得心中微震，抬頭向四周打量了一陣，道：「這倒未必，守護這莊院之人，恐已有甚多傷亡，如果易天行已經到了這莊院之中，絕不會視若無睹。」

宗濤歎道：「此人生性冷酷，不能以常情衡斷。」微一停頓之後，又道：「你遇上那黑衣少女，出手素極陰辣，是以西北道上的綠林人物，個個對她心存戒懼，好在她很少在江湖之上走動，難得遇上她一次，如果她常在江湖之上走動，只怕早已鬧翻了半邊天，今宵埋伏這莊院之人，恐怕大半要傷亡在她一人手中。」

徐元平本想說一個女孩子家，出手這等陰毒，實該受些教訓，但轉念又想到，神州一君的手下絕不會有什麼好人，多殺幾個，自是無妨，口齒微一啓動，卻沒有說出來。

宗濤凝目望天，似在推敲著一件十分爲難之事。

徐元平也不驚擾於他，藉機流目四顧，打量這雅緻庭院的形勢。這是個半畝地大小的花園，除了滿植著珍貴的花木之外，還有一座人工堆成的假山，假山下，有一個丈許見方的水塘，花園不大，但精緻纖巧，極具匠心。

庭院四周房舍連綿，每一間對準這花園的一面，都開著兩扇很大的窗子，只要打開窗子，就可見庭院全景。

徐元平打量了庭院的全景，又轉臉瞧了瞧神丐宗濤。只見他倚靠樹根坐著，一雙似醒似醉的眼睛，一眨也不眨地凝神注視著身前的一株花木。

徐元平知道這位武林奇俠平日放浪不羈，如不是遇著什麼重大疑難之事，絕不會這等苦苦思索。同時也知自身已深入他人心腹之地，自己閱歷淺薄，前途是禍是福，與這江湖奇士有著極大的關係，所以也不敢驚擾他。

徐元平又覺心頭一陣煩亂，便信步順著地下的卵石小徑，向右首屋子走去。走完卵石路，跨上白石台階，便是一條環繞花園的廊榭。這走廊建造得也十分講究，沿著石階，是一道朱漆雕欄，憑欄就可俯瞰園中的池水。

那面對庭園的大窗子也是極為精緻，窗櫺的圖式分別鑲嵌著「五福盤壽」，或是「瓶生三吉」，或是「萬壽無疆」的花式。走近一看，那糊窗用的紙也是名貴的內夾絲棉的竹紙。

徐元平心中暗道：這荒山的莊院，怎的這等講究呢？

他原是極易衝動之人，心中想到這裡，好奇之心與豪氣油然而生，忖道：既來之則安之，管你是什麼龍潭虎穴，我倒要見識見識。心念一動，身子向前緊跨一步，輕伸右手，就要試推窗櫺……

就在徐元平的右手尚未觸到窗櫺之時，突然身後傳過來神丐宗濤哈哈大笑之聲。

徐元平忍不住心中的激動，正想問他為何發笑。神丐宗濤先開口說道：「小娃兒，你不覺著這座房子有點怪嗎？」

這句話問得沒頭沒腦，徐元平只得應道：「這房子造得確是獨具匠心……」

神丏宗濤接道：「老叫化子是天地為房，從來不管人家房子造得好不好，我只覺得這房子大異尋常，依老叫化子看，就怕這房子大有文章。」

徐元平聽神丏宗濤一說，不由得環顧了四周一眼，心裡想答宗濤的話，但驟然間又不知如何回答。

神丏宗濤斜瞟了徐元平一眼，見他沉吟著沒有說話，微微一聳肩，又道：「想不到他們竟這等處心積慮，事事都有安排，處處皆有伏線，小娃兒，只怕你閱歷過淺，還看不出其中奧秘。」

徐元平雖是仁厚篤實之人，但他的性格之中，卻有著一股倔強的衝動，神丏宗濤無心之間說了他一句，他便覺著有損他的自尊，鼻子裡輕哼了一聲，道：「來也是老前輩你要我來的，如今卻又說其中奧秘難測，莫非老前輩有畏怯之意嗎？」

神丏宗濤聽得仰首哈哈大笑，道：「老叫化子一生浪跡江湖，水裡火裡、刀山劍林都闖過，從沒有什麼值得我老叫化子怕的，難道到了垂暮之年，倒反而貪生怕死了嗎？」

要在平常，徐元平絕不會再說什麼，但今天深入此宅，乃是為了易天行而來，他焉肯放過這個機會，當下冷冷說道：「老前輩既是有心而來，又不畏怯，那麼這房子雖是古怪，又有何懼呢？」

神丏宗濤心中暗道：你這娃兒性子倒比我老叫化子還急，今天我要故意難難你呢。

他心裡暗暗一笑，慢吞吞地說道：「我老叫化子倒不是畏懼不畏懼，我是在想，這房子之中能有什麼花樣……」說著又看了那座假山一眼，道：「看情形，不僅是房子，就是這座假山，堆建在此，想必定也是有道理。」說罷，將一雙眼睛，盯瞧著徐元平臉上，彷彿在等他的答覆。

徐元平近來的際遇奇特，而且又陷在孤獨老人古墓之中一次，所以他的見識無形中大為增進。這時聽神丐宗濤說破，心中不由一動，忖道：對了，這老化子真不愧是老江湖，方才我雖疑心這莊院的布設，可還沒有想到這座假山。

心中豪興又起，轉臉對神丐宗濤道：「依老前輩所見，此處既是這般可疑‧而易天行也未露面，咱們何不就可疑之處，先搜探它一番呢？」

在徐元平的想像之中，宗濤定會贊同自己的意見，哪知事實不然，神丐宗濤卻滿臉凝重之色地說道：「使不得，使不得，神州一君易天行雖是未曾露面，但依老叫化子揣測，這不過是故布懸疑，如果我猜得不錯，易天行定然已按時來到此處，不但如此，而且今天來到此處之人，也定然不在少數，方才你遇見的那黑衣女郎，都曾現過身，由此可知今晚必定有熱鬧可看。你千萬不可性急，要是咱們胡打亂鬧，說不定會闖出麻煩來。別的不說，就拿你碰到的那個丫頭吧，她就夠咱們纏的了，不是我老叫化子怕事，那丫頭也真的叫人頭痛……」

神丐宗濤話還未完，但聽假山背後一聲冷笑，響起嬌脆的聲音，道：「哼，你身為武林長輩，背地裡竟然說長道短的，編排起我的不是來，真是做大不正。」

神丐宗濤聽了這幾句話，望著徐元平，把眉頭一皺。

徐元平也同時望了神丐宗濤一眼。二人交換一下眼色，誰都沒有開口，轉臉朝山側發話之處望去。

只見那山側花樹背後，緩緩走出來一個身背雙劍的黑衣少女。那黑衣少女望著神丐宗濤，慢悠悠地、彷彿是自言自語地說道：「長了這把年紀，背地裡卻放不過我們一個晚輩，說來真是令人好笑。」

徐元平訕訕地望了宗濤一眼，見宗濤兩眼望著別處，竟似充耳不聞一般，徐元平一看他神情就知他是不願和她衝突。

這黑衣少女適才之言，原是對宗濤而發，徐元平身在兩人之間，處境十分尷尬，要是換了別人，只有僵在當場，但徐元平的個性甚為奇特：他一見神丐宗濤那副忍讓之態，心中覺得以神丐宗濤在江湖享譽之盛，以他那種凌雲的豪氣，今天竟是如此容忍，他頓覺萬分委屈，心中對他深為同情。

雙眉一挑，微微冷笑道：「一個女孩子家，對武林前輩說話竟這等沒有分寸。」

黑衣少女一聽徐元平滿是責備口吻，竟也不動氣，只淡淡望了他一眼，冷冷地道：「不是你的事最好不要過問，我要不是因你是初歷江湖之人，絕不會對你如此客氣。」

徐元平道：「你雖說此事與我無干，但宗老前輩卻是在和我相談，而且我也很看不過你這種無禮的態度……」

黑衣少女未待徐元平話完，嘿嘿一陣冷笑道：「我三番兩次的對你破例忍讓，你卻不知好歹，得寸進尺，如今竟然教訓起我來，我看你是自以為靠山硬，有恃無恐，全然沒有把我放在眼裡，是嗎？」

徐元平朗朗一笑：「多謝姑娘對在下忍讓之情，但在下做事，從不倚仗他人之勢，只知當爲不當爲，你幸好是個女孩子家，如果換了是個男子漢，哼哼，那我就不是如此了。」

黑衣少女似覺不信，臉上泛起了一股似笑非笑的笑意，說道：「那你準備怎樣對待我呢？我倒願聞高見。」

徐元平說了她一陣，心中火氣似已消滅不少，這時再看那黑衣少女，人家對自己始終未呈怒容，依然帶著一分淺笑，心裡卻又覺著有點過意不去，他怔怔地沉吟了一下，歎了口氣，道：「你也是爲易天行而來，我也是爲易天行來的，如今易天行沒有找到，我又何必跟你嘔氣呢，我也不管你，你幹你自己的事去吧。」

黑衣女笑容忽斂，滿臉寒霜地冷冷說道：「你不願和我嘔氣，但我偏要和你嘔氣！」

徐元平大步向前走了兩步，道：「姑娘定要如此，在下當得奉陪！」

黑衣女柳腰一挫，倏然直欺過來，輕啓櫻唇，笑道：「怎麼？你想打架嗎？」

徐元平心中已甚惱怒，暗道：此女這等狂妄，如不教訓她一次，實難消胸中之氣。當下說道：「在下乃堂堂男子，姑娘如願動手，在下先讓三招。」

他幾句話無異火上加油，那黑衣少女登時面泛殺機，柳腰一挫，直欺過來，素手反轉揮舞，虛空拍出三掌。

三掌拍完，人已欺到了徐元平身前，說道：「我懶得和你多說話了，你要讓我三招，現在我已拍出三掌，你該動手了吧！」

徐元平腳踏丁字步，左手搭在右腕之上，道：「姑娘請！」

黑衣女一揚秀眉道：「哪來的這多酸禮。」嬌軀一側，直踏中宮而進，左掌當胸劈下。

徐元平一收小腹，倏忽間退後三尺。

黑衣少女借勢欺進，雙掌連環劈出，但見掌影飄飄，眨眼間，拍出了一十二掌。這一輪急攻，當真是疾如電閃一般，十二掌綿綿相連，一氣呵成，徐元平被逼得連連向後退出了六步，不禁心頭大爲震駭，暗道：這是什麼掌法，怎的這等迅快？

直待對方一十二掌攻完，他才站穩身子，長長吸一口氣，反臂一掌擊去。一股強勁掌風，隨掌而出，直撞過去。

黑衣女冷笑一聲，右掌向後一引，竟把徐元平強勁的掌風引向一側，左掌趁勢攻進，翻腕一招「閉門推月」，按向左肩。

徐元平只覺對方掌中，似有一股甚大吸力，把自己擊出的掌力引開，心中大驚道：此女的武功好怪。潛沉內力，著地如樁，雙足登時向地下深入半寸，一挺胸，硬把那擊出力道收回，左手施十二擒拿中一招「飛索盤龍」，掌勢一翻，反向那黑衣少女左胸脈門之上拿去。

那黑衣少女左掌去勢快如電奔，纖纖玉指一閃而至，指尖及徐元平左肩衣服之時，徐元平的左手也搭上了那黑衣女的手腕。

一接疾退，雙方同時以極快的身法，向後躍退，閃避開了對方的掌劈、擒拿，彼此互望一眼，同時又以極快的身法欺攻而上。

這次動手，徐元平已不敢再存相讓之心，彼此以快打快，爭取先機，剎那間掌指飄飄，四周風生，人影交錯，忽起忽落，但見兩人盤旋疾轉，快如風輪，十回合之後，已是難分敵我。

神丐宗濤取過背上的紅漆葫蘆，打開蓋子，一面喝酒，一面觀賞兩人搏鬥。他已和徐元平有過動手的經驗，知他武功高強，掌力雄渾，那黑衣少女雖然威震西北武林，但也難以和徐元平交手五十回合。

哪知事情大大地出了宗濤的意料之外，雙方愈打愈快，片刻工夫，已過五十回合，那黑衣少女不但毫無敗象，而且出掌愈來愈奇，攻勢也愈來愈是凌厲，招招都是罕聞罕見，詭異無比之學。而且掌指襲擊之處，又都是人所必救的要害部位，迅速、狠辣兼而有之。

徐元平劈出的掌力，也是愈來愈強，招招如鐵鎚擊岸，巨斧開山，變化奇奧中不失正大，更顯得風度磊落。

神丐宗濤不知不覺間，看得全神貫注，暗道：這兩人一個輕靈飄忽、出手詭辣難測，一個掌力雄渾、打來正正大大，但卻正中蘊奇，變化精奧，如能把兩種各走極端的武功融匯貫通，兼得其長，天下只怕難再有抗拒之人。

心念一動，立時高聲說道：「小娃兒，我說這女娃兒最是難惹！你還不信，現在該知道老叫化所言不虛了吧！」

徐元平天性高傲，聽得宗濤一番話後，立時激起怒火，大喝一聲，舉手拍出兩掌。

這兩掌看去輕飄飄地毫無勁力，但出手的時機適時無比，那黑衣少女登時被迫得向後退了三步。

宗濤微微一怔，暗自忖道：這是什麼武功？只覺似是聽人說過，但一時卻又想它不起。

黑衣女被徐元平兩掌逼退之後，似是受了甚重的內傷，全身微微顫抖了一下，張嘴噴出一口鮮血，閉上雙目。

如果徐元平藉機出手，定可把那黑衣少女立時震斃掌下，但他卻停手不攻，仰臉望天，若有所思。

那黑衣少女閉目靜站了一盞熱茶工夫，突然嬌叱一聲，重又欺身攻了上來，雙掌一揚，猛向徐元平拍去。

徐元平揮掌一接，突然悶哼一聲，一連向後退了五步，向後倒去。就在他身子將要跌倒之時，突然大喝一聲，遙遙推來一掌。

這一掌來得毫無勁道，但在擊中那黑衣少女後，突生強勁彈震之力，只聽她嬌呼一聲，身子飛起來四、五尺高，摔在地上。

激烈絕倫的搏鬥，完全停下來，重歸沉寂，寒星閃爍下，只見一男一女，相隔有一丈左右，靜靜地躺在地上，兩人似都是受了甚重的內傷，連掙扎著坐起來的氣力也沒有了。

一代武學宗師神丐宗濤也看不出這兩人如何受傷，呆了一呆，才緩步向徐元平走去。只見他緊閉著雙目，仰臥地上，神丐宗濤目力何等銳利，借繁星微弱的光亮，已瞧出徐元平臉色和平時不同，不禁心頭大駭，他江湖經驗豐富，一瞧之下，已知徐元平為一種極為歹毒的內功所傷，並非一般掌力震傷。

伸手摸去，只覺他額角冰冷，傷得似是很重。他呆呆地站著低頭沉思，但搜盡枯腸，也想不出那黑衣少女用的什麼武功，把徐元平傷得這般嚴重。

不知過去了多久時間，忽聽一陣沉重的步履之聲，由身後傳了過來，轉頭望去，只見一個身著青袍的長髯老者，緩緩地走了過來。

此人滿臉凝重之情，出足落步，著地有聲，足跡經過之處，地上腳印，深陷寸許，但兩道目光卻是怔怔地盯在那躺在地上的黑衣少女身上。

神丐宗濤是何等機警的人物，一見那人來勢，立時暗中提聚真氣戒備。

青袍老者走近宗濤五、六尺之處，突然停了下來，冷笑一聲，說道：「我道是誰，原來是你這個老叫化子……」他微微一頓之後，聲色俱厲地接道：「是什麼人打傷了我的女兒？快說！」

宗濤仰臉長笑，道：「上官兄這般疾言厲色，可是對老叫化子講話嗎？」

青袍老者道：「此地只有你我兩人，不是同你講話，難道還是和我自己講話不成！」

宗濤道：「老叫化耳朵不聾，上官兄大可不需這等高聲呼叫。」

青袍老人怒道：「臭叫化子，別人怕你，須知我上官嵩卻不怕你。」

神丐宗濤冷笑一聲，道：「你不怕老叫化子，難道老叫化子還怕你不成？」

上官嵩大喝一聲，舉手一掌劈了過來，一股強猛絕倫的暗勁劃起了嘯風之聲，直撞過來。

神丐宗濤冷哼一聲，右掌一揮，硬接一擊。

兩股掌力撞在一起，捲起一陣猛風，彼此的身子都微微動了一下。

上官嵩雙掌一收，平胸舉起，冷冷說道：「神丐之名果不虛傳，再接老夫一掌試試。」

宗濤雙掌一招，說道：「儘管施展，老叫化捨命奉陪。」

上官嵩正待推出雙掌，忽然心念一動，停下手問道：「這一擊之下，咱們兩人之中必有一個受傷……」

宗濤哈哈一笑道：「上官兄說得不錯，只是不知傷的是誰，老叫化一條窮命死了也還罷了，可是上官兄乃雄踞西北道上的霸主，總得事先留下幾句遺言，交代交代身後之事……」

上官嵩道：「宗兄少說風涼話，兄弟心中有一樁不明之事，趁未動手之前，想先弄明白。」

宗濤笑道：「老叫化心中也有一樁不明之事想要請教，但上官兄既然搶了先著，那就請先說吧。」

上官嵩冷哼一聲，說道：「憑你老叫化的武功，未必就能傷了我的女兒，兄弟想知道傷我女兒之人是誰？」

宗濤見他滿臉悲憤之情，雙目之中直似要噴出火來，全身微微顫抖，顯然他心中正有著無比的痛苦，暗自忖道：此人憤慨已極，真要動上手，只怕不死不休，二谷、三堡之中人物，盛傳以此人武功最高，為人也較正派，老叫化今宵之中如要和他硬拚一陣，豈不讓易天行坐收漁人之利……

上官嵩看他一直沉思不言，心中大感不耐，厲聲喝道：「老叫化，江湖之上盛傳你的俠名，想不到卻是這等畏首畏尾之人！」

他心情激動，言詞之間，已顯語無倫次。

宗濤回頭望了仰臥的徐元平一眼，冷冷說道：「上官嵩，你女兒的性命是命，難道別人的性命就不是命嗎？」

上官嵩望了靜躺在地上的徐元平一眼，仰天大笑，道：「縱然千百條武林高手的性命，也抵不了我女兒一條性命……」但見兩行老淚，滾滾而下。

宗濤看得心頭一凜，暗道：此人神志已亂，我豈能再和他爭強鬥氣，立時生出了相讓之心。

只聽上官嵩自言自語地說道：「倩兒，你放心的死吧！我要殺上一千個武林高手給你陪葬……」

此人言語，越說越不成話，顯然過分的悲痛，已使他神志混亂不清。

神丐宗濤暗道：我如再不想法子，舒暢一下他心中的悲憤，只怕片刻間他就要氣極而瘋。忽然心中一動，蹲下身去，摸在徐元平胸口之上，只覺心臟還在跳動，鼻息微微可聞。立時大喝道：「上官老兒，快瞧瞧你女兒是不是真的死了！」

上官嵩突然蹲下身子，側耳在那仰臥的黑衣少女胸前聽了一陣，忽然仰起臉來，長長吐一口氣。

這一口氣似是吐盡他胸中的悶氣、憤慨、驚懼，而立時恢復鎮靜，轉過頭去，望著宗濤說道：「宗兄，這是怎麼回事，那邊躺的是什麼人？」

宗濤道：「他們兩個娃兒，誰也不肯服誰，言語衝突，各不相讓，你一拳，我一腳，打了起來，打了一百多招，誰也不能勝誰，最後各以上乘內功相搏，打個兩敗俱傷。」

上官嵩探頭望了徐元平一眼，道：「什麼？就是他們兩人動手嗎？」

宗濤道：「怎麼？難道老叫化還會助拳不成？」

上官嵩搖頭冷笑道：「宗兄覺得兄弟的掌力如何？」

宗濤取過身後大葫蘆喝了一口酒，道：「不比老叫化強。」

上官嵩道：「哼！只怕也不弱於宗兄。」

宗濤哈哈一笑，道：「上官兄如不服，待救了兩個小娃兒後，咱們再找地方比劃比劃。」

上官嵩道：「宗兄有興，兄弟自然要捨命奉睹。」

宗濤笑道：「眼下先救兩個娃兒性命要緊，咱們比劃之事，以後再談。」

上官嵩微微點頭，轉過身去，潛運功力，雙手互搓了一陣，在那黑衣少女穴道上推拿起來。

宗濤微微一皺眉頭，暗道：也不知這兩個娃兒施用的什麼武功，鬥得兩敗俱傷，如何下手解救，還得大費一番心思。眼看上官嵩雙手不停在那黑衣少女身上推拿，心中突然一動，道：上官嵩解救女兒手法也無什麼特異之處，不如先用一般推宮過穴手法試試，如果能救他活轉過來更好，萬一不成，再想其他辦法。

心念一轉，暗運真力，在徐元平幾處要穴之處推拿，暗中卻留意著上官嵩的動作。哪知兩人推拿了半天，仍然毫無效用。

上官嵩長長歎一口氣，停下手來道：「宗兄，他用的什麼武功？我女兒氣雖未絕，但救她不醒。」

宗濤道：「你女兒用的什麼武功，怎麼這娃兒也救不過來……」

他話還未完，忽聽身後一聲輕笑，緊接著響起一個十分和藹的聲音，道：「兩位不必多費心機了，他們兩人都已受了極重的內傷，必須要一段長時間的療息，才能清醒過來。」

轉頭看去，只見一個長衫飄飄的中年儒士，站在丈餘外處，望著兩人微笑，宗濤霍然站起來，說道：「易天行……」

那中年儒士右腳一抬，身子忽然向前飄飛了五、六尺，宗濤叫出「易天行」三個字剛剛出口，對方已腳落實地，接道：「正是兄弟，宗兄別來無蕩。」抱拳深深一揖。

上官嵩雖然久聞神州一君之名，但卻始終沒有見過其人，只看對方剛才露了那一手絕世輕功，心中已微生驚駭，暗道：神州一君之名，果不虛傳，只那一身輕功，就足以驚世駭俗了。

宗濤輕輕吟了一聲，道：「老叫化想你早已到了。」神態冷漠，禮也未還。

易天行毫無責怪之意，微微一笑道：「宗兄一向料事如神，兄弟素來佩服。」

宗濤道：「少灌迷湯，老叫化子不吃這一套。」

易天行果然有著過人的涵養工夫，任憑宗濤如何惡言相加，仍然面不改色，轉頭對上官嵩道：「這個想必是威震西北武林道上的上官堡主了。」

上官嵩甚覺不好意思，抱拳還了一揖，道：「不敢，不敢。」

易天行微一欠身道：「兄弟久聞大名，今日幸得一會！」

上官嵩道：「易兄大名，遍播寰宇，兄弟今日能得一見，甚感榮寵。」

易天行微微一笑道：「上官兄、宗兄請把兩位受傷之人抱到室中，讓兄弟查看一下，他們被什麼武功所傷，也許兄弟能替他們略效微勞。」

上官嵩回頭望了宗濤一眼，抱起女兒，說道：「易兄如真能救得小女之命，在下定當有所報答。」

易天行道：「兄弟能否救得，眼下還很難說，必需先查過她被什麼武功所傷之後，才能決定，至於報答二字，兄弟絕不敢當。」

宗濤在兩人說話之時，心中已千迴百轉，暗忖道：神州一君之能，早已譽滿江湖，這娃兒受傷甚重，我已無能醫治，與其任他傷重而死，倒不如讓他救治一下試試。

心念一轉，伏身抱起徐元平來，一語不發，大踏兩步站在上官嵩身後。

神州一君易天行對人十分謙恭，抱拳一笑，道：「請恕兄弟走前一步，替兩位帶路。」轉過身去，大步直向左側一排房中走去。

十五　似水柔情

幾人剛到門邊，緊閉的兩扇黑漆大門忽的呀然一聲大開。

漆黑的房間中，緊隨著亮起了幾個火摺子，但見火光閃了幾閃，點燃了幾支燭火。倏忽間紅燭高燒，火光熊熊，全室中大放光明。

易天行回過頭來，抱拳肅客，上官嵩當先走入室中。

宗濤微一猶豫，隨在上官嵩身後而入。

只見四個身著白衣，年約十三、四歲的小童，分倚室中四角而立，每人身側都有一個三尺高低的木案，案上各放著一支紅燭，在那兩扇緊閉的黑漆大門開啓之時，一齊晃燃火摺子，點上火燭。

宗濤目光四掃，向後望去，只見兩個白衣童子，站在門後。

室中除了這六個白衣童子，再無別人，正中放了一張雕花木榻。

易天行轉身對宗濤笑道：「宗兄請稍候片刻，待兄弟先查過上官兄女公子的傷勢之後，再查看令徒傷勢。」

宗濤聽他誤認徐元平是自己徒弟，也不解釋，微一頓首，退到靠壁處一張木椅之上坐下。

上官嵩奔了過去，把懷中女兒放在木榻之上，回頭望著宗濤說道：「原來此人是家兄的徒弟……」

宗濤知他誤信爲真，當下冷笑一聲，接道：「老叫化子可沒福氣收這等標緻的徒弟，只能收個小叫化子。」

此言無疑否定了徐元平是自己弟子，以便解除上官嵩心中因爲誤信引起的滿腔怒火。

哪知上官嵩竟是十分相信一般，追著問道：「此子既非家兄弟子，那是何人門下？」

宗濤怒道：「這個我怎麼知道？」

上官嵩瞧瞧仰臥在床上的女兒，忍下了胸中之氣。

易天行緩步走近榻前，伸手抓過黑衣少女的玉腕，閉上雙目，右手食、中、無名三指，輕輕按在脈門之上。

大約過了一盞熱茶工夫，突然放下黑衣少女的玉腕，站起身來，臉色十分嚴肅地望著宗濤道：「宗兄，兄弟有幾句話想問問，不知可以嗎？」

宗濤道：「老叫化不聾不啞，有話儘管請問。」

易天行道：「家兄懷中少年當真不是宗兄的衣缽傳人嗎？」

宗濤道：「老叫化絕對調教不出來這等弟子，你如不信，那也是無可奈何。」

易天行道：「好說！好說！當今武林之中，有誰不知道宗兄的大名！」

上官嵩看易天行臉色凝重，不禁心中大急，問道：「易兄看她還有沒有救？」

易天行道：「據兄弟把脈所得，令嫒是被一種極高的內功所傷，但一時之間，兄弟卻難以看出是何種內功，如若宗兄能告訴兄弟他用的何種掌力，兄弟立即可想出解救之法。」

宗濤冷笑一聲，道：「如果易兄能告訴兄弟上官兄女公子是何種功力所傷，大概老叫化也能救得。」

易天行微微一聳雙眉，道：「縱然不知她為何種功力所傷，兄弟也可救得。」

上官嵩道：「那就請易兄大展妙手，如能救得小女之命，上官嵩有生之年，不忘大恩！」

易天行微笑道：「上官兄這等說法，叫兄弟如何敢當，但兄弟既然答應下來，自是要盡我心力，縱然耗去一些真氣，也不讓上官兄蒙受喪女之痛。」右手一伸，把那黑衣少女抓了起來，又道：「兄弟在為令嫒療傷之時，最忌有人打擾，這得煩請上官兄替兄弟護法了。」

也不待上官嵩答話，縱身躍上木榻，盤膝而坐，扶正那黑衣少女的身子，左掌扶住她的左肩，右掌抵在她背後「命門穴」上，潛運內力，逼使全身真氣直向她的「命門穴」中攻去。

神丐宗濤冷眼旁觀，心中暗暗忖道：上官嵩愛女心切，如果易天行真能救活他的女兒，定將為其所用；我老叫化勢將陷入孤立之境。

轉頭看去，只見當門站著一個身材修偉，身著錦衣，長髯垂胸的大漢。錦衣大漢身後，並肩站著兩人，一個長身駝背，一個五短身材。

宗濤瞧得怔了一怔，暗道：怎麼這幾個人也找到這裡來了，看來今晚上倒是有一場熱鬧好看了。

原來這三人正是「碧蘿山莊」莊主和駝、矮二叟。

神州一君緩緩啓開雙目，瞧了瞧站在門外的錦衣大漢和駝、矮二叟一眼，微一頓首，重又閉上雙目，繼續替那黑衣少女療治傷勢。

室中鴉雀無聲，但充滿了沉默的緊張，每人的面色都異常嚴肅。那六個白衣小童更是個個圓睜雙目，只有替那黑衣少女療治傷勢的神州一君易天行，雖閉著雙目，卻帶著微微笑意。

上官嵩靜站一側，兩隻眼睛，卻牢牢地盯在神州一君易天行臉上，一見易天行面含笑意，竟也不自主地心裡怦怦直跳，心裡充滿了一種欣悅的緊張。

室內又沉靜了一盞熱茶工夫，易天行的鬢間髮角隱隱現出涔涔汗意，不一會兒，鼻頭上也見汗珠。

上官嵩知他是用一種深湛的內力在為愛女療傷，儘管平素與神州一君從無交往，沒有情誼，但這時也不由得十分感激。

又過了片刻，黑衣女翻動了一下，兩手一舒，鼻息漸漸沉重。

易天行兩道如電目光，凝注在她微現紅潤的臉上，又以手掌一探鼻息，然後一提衣襟，舉袖擦去額上鼻間的汗水，又慢慢閉上雙目，長長舒了一口氣，點點頭道：「上官兄，恭喜令嫒傷勢已無大礙，只要讓她慢慢調息一陣，然後再服用兄弟親自配製的藥丸，就……」

上官嵩望著易天行，臉上滿是感激之色，他感動得未待易天行話完，就道：「易兄為小女耗去如許內力，使小女得獲重生，兄弟真是感激，易兄盛情，上官嵩定當有報答之日……」

易天行未容上官嵩話完，忙接口說道：「上官兄言重了，叫兄弟如何承當得起。不要說她是你上官兄的千金，就是陌路之人，救人於危，扶助婦孺，也是我輩應為之事。」說著頓了一頓又道：「我易天行，行道江湖處處為人，哪兒心存善報呢……」

環視全室一眼，一陣朗朗長笑，神情之中，似極為得意。

神丐宗濤聽了易天行的一番言語，睜開一雙醉眼，斜睨了一下，一歪嘴，鼻子裡冷冷哼了一聲。

神州一君目光也微微瞥了宗濤一眼，緩緩站起身子，背負雙手，在室中蹬了幾步，狀極輕鬆。

床上一陣輕響，幾人聞聲望去，只見黑衣女微微一探手臂斜支床上，似欲支撐身子。

上官嵩趕緊伸手扶去，柔聲道：「倩兒，可覺得怎麼樣了？」

黑衣女微張秀目，四周張望了一下，又望了室中諸人一眼，驚異地問道：「爹，咱們這是在什麼地方呢？」說著又看了一下自己臥身的床鋪，道：「咦，我怎麼會睡到這兒來了呢？」

上官嵩一手扶挽著愛女身子，一手輕輕摸著她的手腕，說道：「倩兒，你身受重傷，全虧易老前輩為你悉心治療，你現在心裡覺著怎樣，試試運運氣看，還有什麼痛楚沒有？」

上官婉倩朝著上官嵩淺淺一笑，依言平坐床上，運功調息了一陣後道：「還好，沒有什麼不對。」

上官嵩見愛女氣血內運無礙，心中自是高興，扶上官婉倩下了床，笑道：「倩兒，你趕快去謝謝易老前輩。」

神州一君跨前一步，雙手挽住上官婉倩，面泛慈愛地道：「好了好了，快不要聽你爹的話，我與你爹神交已久，哪裡還用得著這等俗套，現在你覺著還難過嗎？」說著伸手輕柔地撫弄著她的秀髮。

上官婉倩點點頭答道：「現在很好，已不難過了。」

易天行噢了一聲，道：「你現在血脈已暢行無礙，只要再以自己內力暗中輔導，不要大勞動，短時就可復原了，來，讓我來挽你慢慢走動走動。」說話聲音。極是慈愛祥和。

上官嵩在一旁聽得也是大為感動，當下接道：「多蒙易兄費神了。」

易天行謙道：「上官兄，現在治療要緊，哪裡還能這等客套呢，如若你看得起兄弟，千萬不必如此。」一邊說話，一邊已將上官婉倩挽扶下床。

上官婉倩這時四肢依然乏力，一下床腿便一軟，上官嵩忙上前一步，挽扶住她左腕，與易天行兩人，一左一右，扶著她慢慢走動。

約有一盞熱茶工夫，她已行動自如，但已走得香汗淋淋。

易天行轉臉對上官嵩道：「上官兄，令嬡全身血氣已通，現在也不宜太過勞動，還是讓她躺臥片刻，然後再吃兄弟調製的藥丸。」

上官嵩因易天行救治愛女，心中自是感激，當下連聲諾諾地道：「在下一切聽命，全仗易兄大力了。」

易天行微笑應道：「好說，好說。」一邊卻向神丐宗濤走去。

神丐宗濤正抱著徐元平蹲在那裡，見易天行走來，也不打話。

易天行走近宗濤身邊，輕聲說：「宗兄請將令高足平放地上，讓兄弟仔細查看一下。」

神丐宗濤冷冷地道：「你可是真的替他療傷？」

易天行呵呵笑道：「宗兄，你何以口出此言，難道療傷還有假的不成？我易天行難道有什麼負人之處嗎？」

神丐宗濤一翻兩眼，截住他未完之話，說道：「好了，好了，我老叫化子就厭惡別人在我耳邊喋喋不休，你既知療傷要緊，請別耽誤時間。」

老叫化子聲嚴色厲地搶白了神州一君易天行一頓，上官嵩在旁心中甚覺不平，暗道：你這老叫化子，真是不知好歹。

易天行雖被宗濤一陣搶白，但他竟毫不動氣，依然心平氣和，一面蹲下身子為徐元平診查傷勢，一面微笑地道：「宗兄這等年紀了，還是這麼大的火氣！」

就在這時，忽然飄來一陣蘭桂芳香，接著又響起一陣環珮之聲。緊接著又是一陣「滴答滴答」的聲響。

這芳香、聲響來得大為奇突，眾人不約而同朝門外望去。

但見羅衫飄曳，走進來一個面貌如花、風姿卓絕的紫衣少女。紫衣少女身後，跟隨著一個髮白如霜，手持竹杖的老嫗。

那站在門口的錦衣大漢和駝、矮二叟，一見紫衣少女，恭恭敬敬地側身相讓，紫衣少女對他們微微倩笑。

那幾個手執短劍的白衣童子一見錦衣大漢和駝、矮二叟側身一旁，讓開道路，似請那紫衣少女和那白髮老嫗進內一般，不由得互相交換了個眼色，同時移動腳步，似想上前阻攔。

錦衣大漢早將這四個白衣童子的舉動看在眼裡，正待欺前，忽見那四個白衣童子頭一低，竟又各自退讓兩步。

原來這四個白衣童子正想上前喝阻，但一見來人竟是個年輕少女，強硬之態便退去一半，等到看清紫衣少女的面貌時，心頭只感到一陣莫名繚亂，不自主地後退兩步。

那紫衣少女卻正朝著室內倩倩一笑，這一笑宛似春花綻蕊，秋月吐輝，真是嬌而不邪，艷而不妖。這四個白衣童子，雖只是十三、四歲的童子，也不禁看得一呆。

紫衣少女款款地走進室內，亭亭地扶柱而立，那手持竹杖的老媼，緊緊隨在身後。

神州一君易天行、神丐宗濤，以及上官嵩一見紫衣少女突然來到，心頭都不免一震，但誰都沒有表現出什麼動靜，上官嵩依然照料著愛女，易天行仍舊俯身為徐元平療治傷勢，宗濤睜大兩隻眼睛眈眈地盯注神州一君。

紫衣少女進來之後，也不說話，只靜靜地望著易天行在替徐元平療傷。

室內雖然有著這許多人，但卻一片靜寂，沒有一點聲響，彷彿一間空房似的。

約莫過了有一頓飯之久，徐元平一聲長吁，重重地哼了一聲。

易天行朝著神丐宗濤道：「令徒血脈已通，請宗兄也相助一臂之力，使他早些血歸經道。」

宗濤對易天行的話，不理不睬，看了他一眼，見他按撫徐元平右手脈門在運行功力，自己也往地下一坐，略一調息，氣聚丹田，功貫雙臂按住徐元平左手脈門。

室內又沉靜一盞茶工夫，易天行收回雙手，徐元平大喝一聲，張嘴吐出一口瘀血。

易天行道：「宗兄，你可把他扶起，慢慢活動活動。少時我再讓他們服點丸藥。」

宗濤白了易天行一眼，依言扶起徐元平，在室中慢慢行走。

易天行探手入懷，取出一只小巧的古瓷小瓶，望著瓶笑了笑，倒出兩粒深朱色的藥丸，托在左手心上，又把小瓶藏入懷中。

紫衣少女看著易天行的一舉一動，黛眉輕輕一鎖，微咬櫻唇，現出淺淺的兩個梨渦，臉上綻出一絲淡淡、冷冷的笑意。

徐元平被神丐宗濤扶著在室內走了一圈，血氣運行已很流暢，乃伸臂挺胸舒了一口氣，慢慢睜開雙眼，但覺眼前紫光一現，瞥見紫衣少女正嬌怯怯地傍柱而立，亭亭地站在那裡，心中不由一震。

易天行這時右手兩指拈了一顆丹丸，走到上官嵩面前，道：「上官兄，這藥丸乃兄弟精心配製，極具奇效，請照應令嬡服下。」上官嵩接過丹丸，伸臂扶起上官婉倩。

易天行把藥丸交給上官嵩，轉身又迎向神丐宗濤和徐元平走去。

上官嵩扶起上官婉倩，笑道：「來，快把這藥丸服下……」

那紫衣少女一見上官婉倩乖乖地張開櫻口去接丸藥，不由得伸出玉腕，同時急促地「嗨」了一聲。

就在紫衣少女「嗨」聲未完，上官婉倩張口吃藥之際，突然室內響起一陣衣袂之聲。接著又是「撲通」一聲。

原來神丐宗濤一面扶徐元平慢步，一面卻暗中注意著易天行的一舉一動，看見他把藥丸交給上官嵩就想喝止，但他也知易天行不是易與之輩，也不敢貿然從事，及見上官婉倩張口吃藥，轉眼就要被她接吞口中之際，正是間不容髮，一鬆徐元平，雙腳一點，施展出迅快無比的輕功，但聽一聲風動，人已到了床前，喝道：「慢點！」右掌疾吐，一探手便由上官嵩手中把藥丸奪了過來。同時口中說道：「上官兄防他藥中有詐！」

神丐宗濤這動作快速至極，哪知神州一君易天行的動作更快，就在神丐宗濤躍身奪藥丸之時，易天行也已發動，當宗濤把藥丸取到手中，尚未把牢，只覺右手一震，藥丸已被易天行奪了過去。

易天行奪過藥丸，身子一側，斜縱讓開五步，慢吞吞地說道：「宗兄也太不相信兄弟了，易天行一片好心，宗兄卻如此疑神疑鬼，既是不信也就算了，兄弟又怎能勉強別人，硬要吃兄弟的藥丸呢。」他一邊自言自語說著話，人卻以迅快的步法向室外走去。

神丐宗濤發覺藥丸爲易天行奪去，恨恨地哼了一聲，猛聽得「撲通」一聲，趕忙側臉一看，原來徐元平因失去了挽扶之力，腿下一軟，已摔坐地上。忙一晃肩，人已躍到徐元平眼前。

紫衣少女一見徐元平摔倒地上，驚得轉過臉去，輕輕地「啊呀」了一聲。

上官嵩適才因事起突然，猝不及防，這時才清醒過來，跨前一步，怒問道：「宗兄猝然出手相阻，不知是何用心？」

宗濤笑道：「易天行假仁假義，老叫化子猜準他藥裡必有名堂。」

上官嵩泛起一絲惱意，道：「宗兄何以知道藥內有詐，兄弟卻是不信。」

宗濤道：「只可惜老叫化疏忽了一著，真是玩了半輩子的蛇，到老還是被蛇咬了！要不然把那藥丸一試便知，上官兄也就不會懷疑兄弟之言了。」

那紫衣少女突然在旁插嘴道：「真的，那種藥還是不吃得好。」她說得輕盈悠慢，彷彿在自言自語一般。

上官嵩原想跟宗濤辯論下去，一聽紫衣少女之言，側臉一看，只見她滿臉聖潔，閃耀著一種從未見過的光彩，一團狐疑，頓時平消下去，不再言語。

神丐宗濤低頭望了徐元平一眼，探手取下紅漆葫蘆，仰起脖子，一陣咕嘟咕嘟，狠狠地喝了兩口酒，又把眼睛瞪著門外，道：「要不是爲了你這娃兒，老叫化真要叫他走不了！」說著一翻眼睛，接道：「走得了和尙跑不了廟，咱們暫且把這筆帳記下，讓老叫化子和你慢慢算吧。」說著又低頭替徐元平推拿起來。

紫衣少女看著宗濤喝酒，又自言自語地嘟嚕了幾句，似乎覺著很好玩，後來聽到說什麼走得了和尙跑不了廟，更覺著這句從來沒聽見過的話很是滑稽，不由「噗哧」一聲笑了出來，只笑得她羅袖掩唇，頭上珠飾、肩上流蘇，巍顛顛地直抖。

神丐宗濤一看她的笑態，覺得意態可人，心裡一樂，也呵呵大笑起來。

擱下神丐宗濤照料徐元平養息之事，再說鬼谷二嬌，丁玲、丁鳳二人。

那天在土坡之上，徐元平氣走丁炎山後，丁玲、丁鳳二人曾對徐元平略略暗表心跡。此刻姐妹二人，手牽著手，走在蜿蜒的荒徑上，陣陣的山風，吹得二人衣袂飄飄，心中有一種說不出的惆悵。

兩個人緊緊牽著手，默默地走了很長很長的一段路程，誰也沒有說一句話。

走了很久，丁鳳茫然地問道：「姐姐，咱們這樣走著，到底是到哪裡去呢？」

丁玲幽幽地搖了搖頭，歎了口氣，道：「唉！我也不知道要到哪裡去，反正雲天迢迢，走到哪兒算哪兒……」

丁鳳仰著小臉道：「我們總得有個去處才是，老是這樣走下去也不是辦法！」

丁玲笑了笑，道：「世事本多變幻，什麼事是人力能把握得牢的呢？我們這樣無拘無束地任意走去，不也是很好玩嗎？」

丁鳳望著姐姐，看她臉上沒有一絲表情，心中奇道：我姐姐素來精明能幹，處事老練，今天怎麼竟這等恍恍惚惚的呢……她心裡在想著問題，看著前面無盡無涯的雲天，腳下卻被丁玲拖著緩緩地跟著信步走去……

丁鳳隨著丁玲又走了一段路，緩緩收回遠視的目光，道：「哦，我明白了。」秀目睨著丁玲，道：「難怪姐姐心裡不好受，其實我心裡也是很難過的……」眼前又幻化出徐元平的身影，她不由得臉上泛起淺淺的羞紅。

丁玲幽幽地接道：「妹妹，你也念著徐相公嗎？」

丁鳳點點頭道：「像他那種人，自然是叫人懷念的。」

丁玲冷漠的臉上，綻開了一絲笑意道：「你覺得徐相公和查家堡的查玉……」

丁鳳未待姐姐話完，鼻子裡輕輕哼了一聲，滿臉不屑地道：「查玉怎能和徐相公比呢，徐相公為人心腸好，做事光明正大，人家真是有豪俠古風，哼，查玉到底出身不同，為人奸詐百出，一身陰陽怪氣，不知為什麼徐相公會和他相交？」

丁玲道：「徐相公是君子胸懷，而江湖閱歷又很淺，自然不知存心防備他人。」

丁鳳沉吟了片刻，道：「對了，我就怕將來徐相公會吃他的虧，就像先前在那土山上，查玉裝模做樣的裝著受了重傷，卻讓徐相公來代他抵擋別人，你看他心機是多深多壞。」

丁玲見妹妹這時一臉恨恨不平的神態，不由笑道：「這麼看起來，你是很恨查玉的了？」

丁鳳一撇嘴，道：「哼，終有一天我要給他點小苦頭吃吃。」

丁玲聽了笑笑，沒有答她的話，凝著神，似在想什麼事。

丁鳳拉了拉丁玲衣袖，道：「姐姐，你又在想什麼？身子還沒有復原，可不要太勞心了。」

丁玲轉臉笑道：「我在想徐相公功力精進的這等快速，真是聞所未聞之事，如果那冷家老鬼抓你時，三叔不來，我想徐相公是會不容他得手的，要是能給那老鬼一點苦吃那該多好……」說時，心中似很高興。

丁鳳答道：「冷家老鬼實在可惡，他一見三叔來，馬上就借風轉舵，反說是跟我們鬧著玩的了，此人真個是老奸巨猾。」

丁玲點點頭道：「妹妹只知他怕三叔，才不和我們爲難，其實他是討好三叔，想借三叔之力把徐相公除掉，如果他此計得逞，那他又準備暗算三叔和我們了，此人真比豺狼還凶殘。」

丁鳳道：「唉，怎麼徐相公全是碰到這些人呢？姐姐你看他會不會吃虧？」言下充滿關切之情。

丁玲笑道：「妹妹，你不要急，不要說他身邊有個金老二，就是沒有金老二，以他的功力來說，放眼當今江湖，恐怕沒有幾個人能難為了他，你不看連三叔和冷老鬼都沒法奈何他嗎？」

丁鳳沒有說話，臉上現露出一片欣慰之色。

丁玲又道：「徐相公乃非常之人，連神丐宗濤那位望重武林的怪俠，都那般看待於他，我看他定能為武林做出一番非常事來。」

鬼谷二嬌，雖然出身綠林人家，而且年紀輕輕，早已以狠辣機靈之名傳播江湖，不過女孩兒到底還是情感豐富，何況這二位姑娘，又是性情中人。

在她們周圍之人，不是粗曠的綠林豪客，便是奸詐刁滑的江湖人物，所以一見徐元平之後，便覺著是清風明月，人中龍鳳的人物，心中就存了極為美好的印象。以及後來追尋戮情劍匣，途中徐元平假扮車伕，同往洛陽古都，之後又因丁玲受三陽之氣所傷，徐元平為她追尋紫衣少女，冒險闖竹石陣……

在這一段長長的期間，這諸般事情，都更使她二人對徐元平的印象與感情日益增加，所以二人對此番一別，不知何時再能重見，有著說不出的惆悵，一路行來，不知不覺中談的都是徐元平。

二人在這一種悵然若失的情緣中，不知走了多遠，回頭一看，一片遼闊蜿蜒的草原荒徑已經走完。

舉目一看，前面正是一片疏疏的樹林，因為時值深秋，那片樹林的枝葉，已顯得非常疏落，只有楓、柏兩種樹，還留著一點秋葉，在秋風裡飄動著。

二人反正已無一定的去處，便穿越這片樹林，就在這樹林的盡頭，從樹隙裡望出去，前面是一片亙綿的小山崗，那小山崗之下，正有一個長長的人影在那裡走動。

丁鳳輕輕扯了丁玲一下衣角，噘噘嘴，說道：「姐姐，你看，前面也有人在行走，想必是快要近鎮店了。」

丁玲聞言向前望去，只見那人身穿長衫，背插長劍，走得雖然不快但卻也不慢。

丁玲爲人最爲心細，一看那人背影，便怔怔地凝神瞧了半晌，自言自語地說道：「奇怪，這等荒涼的地方，也有人走，想必是武林中人了。」

丁鳳玩心較重，忙地插嘴道：「那咱們要不要跟上去看看？」

丁玲沉吟了片刻，搖搖頭，說道：「不要了，我的身體還未復元，你還要照應我，最好咱們不要多事……」

丁鳳一呶嘴道：「我不過是說要不要看一看，也沒有說要多事。」

說著一扭頭朝著丁玲笑道：「以前姐姐還不是愛趕熱鬧，愛淘氣，怎麼自從見了徐相公之後，人就變了呢……」

丁玲聽得心裡暗罵道：鬼丫頭也越來越調皮了。但女孩兒家儘管是只有姐妹二人，心裡的心事，也不願讓人知道，當下假裝著臉色一沉，道：「二丫頭……」

丁鳳伸了伸舌頭，笑道：「你身體不好，我不惹你生氣，我的好姐姐你可寬恕我了吧？」

這幾句話說得丁玲也笑了起來。

丁玲又盯著前面那人瞧了一陣，對丁鳳道：「二丫頭，前面那個人的背影，我在哪裡見過……」

丁鳳呀的一聲，道：「好呀！那麼我們還是跟上去瞧瞧。」

丁玲沒有作聲，但卻點了點頭，當下二人便加快速度，穿過樹林，往斜裡趕迎過去。

前面那身著長衫、背插長劍之人，似想不到這等荒涼之處，會被別人盯上，所以走得十分從容。不大工夫，丁玲、丁鳳二人已走出樹林，看看那人已經順著一道小山崗，往裡走去。

丁鳳道：「姐姐，咱們不管認識不認識那個人，依我看，還是暫不要跟對方照面，我們可以繞過小山，從他側面先看看再說。」

丁玲笑道：「想不到你這些日子倒長進不少，也知道用點心思了。」

姐妹二人邊說邊笑的矮著身子，朝前頭趕去。

趕了約兩盞熱茶工夫，丁玲心裡一盤算，大約已經趕上了，這時又怕丁鳳說話，只好一隻手指指嘴，又搖搖手，暗示丁鳳要她不要出聲，另一隻手則朝一塊突出地面七、八尺高的山石指了指。

姐妹二人從小到大，都是在一起，自然會懂對方的心意，丁鳳一看丁玲的舉動，就知已經趕上了，姐姐的意思是要躲到那大石背後，偷窺來人究竟是誰。

二人輕巧地趕前幾步，隱到大石後面。丁玲因爲趕了一陣，略感吃力，倚在大石上輕輕地喘著氣，一面示意叫丁鳳看看來人。

丁鳳探頭看了一下，朝著丁玲搖搖頭，表示不認識。丁玲吁了口氣，剛一伸頭，便又立即縮了回來。

丁鳳忍不住就到她耳邊低聲問道：「姐姐可認識此人？」

丁玲點點頭。

丁鳳又問道：「是誰？」

丁玲就又在丁鳳耳邊，低低地道：「又是個老怪物，是金陵楊家堡的老堡主楊文堯。」

丁鳳一聽是楊文堯，一聳香肩，伸了伸舌頭。

丁玲也怕和楊文堯碰到面，心裡想著他不知過去了沒有，所以又探頭一望。

這一望不由得使她心頭一凜，原來楊文堯正立在道旁，一張臉繃得緊緊的，滿是凝重之色，捏著鼻子仰著頭嗅一陣，又俯下嗅一陣。

丁玲心裡暗叫了一聲：糟了。忙得低頭在自己身上嗅了嗅，又在丁鳳身上嗅了嗅，接著一雙聳眉淺淺鎖起。

丁鳳不知姐姐弄得什麼把戲，問道：「你幹什麼？」

丁玲輕輕唉了一聲，道：「老鬼發覺我們了！」

丁鳳也覺著心頭一驚，道：「那怎麼辦？要不要緊？」

丁玲這時倒反而顯得比方才平靜，道：「事既然來了，想躲也是避不了的，再說咱們鬼谷二嬌又何嘗真的怕過誰來。」

她們二人說話，自是十分輕微，這時，忽然聽得楊文堯乾咳了一聲，道：「是哪家的千金小姐，還是哪位夫人太太……」

丁玲眼珠一轉望著丁鳳瞪了一眼，未等他話完，就裝得煞有介事般地驚道：「唉呀！是誰這麼冒失，嚇了人家一跳？」

楊文堯朗朗地笑道：「既是有人，爲何要藏頭縮尾的，難道見不得人嗎？」

丁鳳已知姐姐是要假裝不曾發覺是他，朝著丁玲抿嘴一笑，裝著略現怒意地答道：「誰說我們是藏頭縮尾之人？我們怕過誰來著，你是什麼人說話卻這般沒禮貌。」邊說邊朝外走去。

楊文堯抬頭上下打量著，道：「你這位姑娘爲何會來到這荒涼之處？」

丁鳳冷哼了一下，道：「你問我，我還要問你呢，難道這地方只有你能到不成？」

楊文堯也嘿嘿一笑，道：「小小年紀，竟這般嘴強。」說話間，一雙眼睛始終骨碌碌地打量著丁鳳。

這時丁玲知道不能讓妹妹再僵下去，便喚了一聲，道：「二丫頭，你是跟誰在鬧呀，在外邊可不准你胡來。」人也從大石背後走出。

楊文堯人稱神算子，不但是說他精於土木建築、機關消息之學，而且也說明此人是工於心計，是個老奸巨猾之人；他只聽丁玲說話，還未看到她人，心中已然有數，乾咳了一聲，呵呵一笑。

丁玲一出來，向著楊文堯略略看了一下，便回頭白了丁鳳一眼，假意責道：「二丫頭，你真該死，這乃是金陵楊家堡的楊老堡主，你對長輩怎可沒大沒小的，我看你越活越糊塗了。」

丁鳳一噘嘴，滿腹委屈似地說道：「他也沒有說，我怎麼知道他是楊老堡主呢？」

丁玲拖著丁鳳，走下山崗，逼著丁鳳，道：「方才你胡說八道，快向楊老堡主賠個不是，不然叫人知道了，還說咱們丁家沒有管教呢。」

楊文堯兩眼盯注在二人臉上，手捋著長髯，乾笑道：「好了好了，二小姐既不認識老夫，怎好怪她呢。」說著又前後左右看了一眼，道：「怎麼，你們二位怎會跑到這地方來呢？」

丁玲道：「家嚴要我帶著妹妹出來閱歷閱歷，免得老待在家將來不懂事，見不得人。」說著望著丁鳳笑了笑。

楊文堯心裡暗道：好刁滑的丫頭，人言鬼谷二嬌難纏，果真不假，當下又一本正經地道：「令尊、令叔都好嗎？我們老弟兄不少時候沒見了。」

丁玲一看他臉色，知他是心懼自己父叔，故意用話來套自己，心裡暗笑，嘴上答道：「多承老堡主記掛，家嚴托福安好，三叔伴著我們剛離此不久，你要早來兩個時辰，還見著了呢。」

楊文堯聽得心裡一震，表面卻若無其事般說道：「噢，噢，可惜，可惜，要是早來一步多好……」

丁玲搶著問道：「老堡主一人怎會來到此地，難道金陵風光還不如此處嗎？」

楊文堯暗罵了一聲：好厲害。乾咳了兩下，道：「老夫應一位朋友之約而來，路過此地，不意遇見你們兩位，可真巧得很。」

丁玲、丁鳳互望了一眼，抿嘴淺淺地笑了笑。

這一笑，卻笑得楊文堯不大受用，不知這兩個丫頭暗中搞什麼花樣，當下心裡一盤算，忖道：八十歲老娘還會倒繃了孩兒，不怕你們兩個精靈古怪，我總跟你倆拚拚看。

這時他一見二人在笑，也隨著嘿嘿笑了兩聲。

原來楊文堯在孤獨之墓中，傷了金老二，遇見徐元平，心裡對這個年輕人實在極爲害怕，對他那深厚的功力，真有點莫測高深，不用說徐元平旁邊有一個刁滑機警的金老怪，還有一個名震四省綠林的鐵扇銀劍于成，就是對徐元平一個人，自己也沒有打勝人家的把握。

楊文堯雖然心懸著古墓中的奇珍異寶，尤其是聽金老二說那玉蟬、金蝶也在墓中，心中更是如飲醇酒，但是無奈自己處處受制於徐元平，不但被逼得一同退出古墓，而且連戮情劍匣還被逼得雙手奉還人家，這實是平生一大恥辱；他心裡既貪戀那墓中寶物，所以在歸還戮情劍匣之時，已暗中做了手腳，留得青山在，不怕沒柴燒，這古墓除了我楊文堯，別人任誰也無能進出自如，就是有人得了戮情劍匣，但那圖紋一些重要之處，已被自己毀壞，持劍匣之人，還是無法出入古墓。

楊文堯想到這裡，心裡覺得差堪告慰。

幾人出得古墓來，楊文堯心想，跟著你們三人走，無疑是陪著老虎，回頭看見三人正在打量四周形勢，眺望景色，心中一喜，暗道：此時不走，更待何時。施出全身修爲，拔腿便跑。想不到走到這土崗邊，卻嗅得一股女人的體香，心裡覺得十分奇怪，便停身下來查看，卻不料碰上了鬼谷二嬌。

楊文堯知道這兩個人是出名的難纏，但他心裡卻另有自己的打算，所以忍著氣，跟她們周旋，這時被她們一笑，自己十分尷尬，心裡一想：好吧，我就乾脆跟你們周旋到底吧。

他以爲自己的形跡，已被別人發現。當下一臉正經道：「唉，你們三叔也真是，放下兩個閨女，自己倒走了，就真的放心，不是老夫托大，大膽叫一聲賢侄女，雖說你們精明能幹，總不如有人帶領著好，如果兩位信得過老夫，咱們不妨結個伴，反正你們旨在增長見識閱歷，這一點江湖經驗，老夫自信可以做個識途老馬，怎麼樣？二位賢侄如女……」

丁玲心裡一轉，含笑道：「好是好，這一來豈不是給老堡主多添累贅了嗎？」

楊文堯笑道：「好說，好說，路上有個伴，彼此都有照應，走吧，咱們趕路吧。」

丁鳳一看姐姐竟這等爽爽快快答應了楊文堯，心裡一陣不高興，暗忖道：你真是聰明一世，糊塗一時了，楊家堡在江湖上雖然頗有地位，但與我們鬼王谷也扯不上什麼了不起的交情，而且外間傳說楊文堯此人外面老實，內藏奸詐，也不是什麼好人，怎麼你也不考慮考慮，就一口答應下來了。

但這時木已成舟，自己想反對已是不行，只好扶著丁玲，隨在楊文堯身後走去。

三人走了一陣，誰也沒有說話，心裡各想各的事。沒有多久，天色便暗了下來，幸好此時走出山谷，茫茫暮色之中，前面一片星火，正是一個鎮甸。三人進了鎮甸，自有楊文堯招呼，定了兩間一牆相隔的房間。

晚上，丁鳳忍不住悄悄問道：「姐姐，咱們擺脫都還擺脫不掉，怎麼你倒一口答應下來，我可真弄不懂你葫蘆裡賣什麼藥了？」

丁玲笑著說道：「你是怕他嗎？」

丁鳳輕輕哼道：「我才不怕他呢，他難道還敢把我們吃了不成？」頓了頓又道：「不過，咱們又何必跟他一道，豈不是自找麻煩嗎？」

丁玲道：「妹妹，你近來可真的長了不少見識，但你不明白我的用心，我問你，這老鬼既想對付我們，不要說我身體還未曾好，就是好好的人，咱們也是走脫不了的。你說是不是？」

丁鳳道：「是啦，你跟他走，又打算怎麼辦呢？」

丁玲無可奈何地道：「既然咱們走脫不了，倒不如乾乾脆脆的依順著他：他要賣老，咱們就處處讓他賣賣老，他反而不好爲難咱們。再說這一路也許並不太平，冷老怪在山上對咱們那種態度，我們就不能不小心，跟著他，這第一陣他總得替我們擋一擋。」

丁鳳點點頭，道：「還是姐姐你能幹，我就沒有想到，不過咱們還得另有打算才行，總不能就這樣跟下去。」

丁玲也點頭道：「這一點我也想過了，看他明天對我們怎麼樣，如果情形不對，那我們就只有處處留下暗記，我相信這條路上目前少不了咱們谷裡的人，只要有一個發現我們留下的記號，那還怕他們找不到嗎？」

那楊文堯一個人躺在床上，心裡也極是紊亂，也在想著心事。

他心裡暗想：目前天下武林，除了幾個正大門派之外，就得數一宮、二谷、三堡了，雖然外間說起來，是把這一宮、二谷、三堡連在一起，但事實是各行其事，毫無關連。現下武林正是多事之秋，如若各自爲政單獨行動，終必陷於孤立的地位，楊家堡雖經自己一手佈置，但那不過只能自保，要想向外發展，還嫌孤掌難鳴。

這一次在古墓之中，便是教訓。

楊文堯想到此處，情不自主地說了一聲：「對，我必須抓住一家可靠的幫手……」

他遍算當今江湖上能做自己可信的幫手，除了一宮、二谷、三堡之外，實在找不出來了，而一宮、二谷、三堡之中，再仔細分析彼此利害關係，任何一處也不足以維繫長久。

楊文堯轉過頭向隔牆望了一眼，心裡想著，要利用除非就應在這兩個丫頭身上。只要自己能把她們騙回楊家堡，到那做了自己的兒媳婦，攀上這門兒女親家，那就不怕鬼王谷不出力。

想到這裡，楊文堯心中一團高興，幾乎要笑了出來。

但鬼谷二嬌也是出名難纏的人物，如何才能達到自己心願，楊文堯便恍恍惚惚地想了一個通宵。

次日早晨，楊文堯早就托店家雇了一輛大篷雙馬車，他笑著臉對丁氏姐妹道：「我看大小姐臉色不好，想必是一路上受了風寒之苦，是不是要息養兩天再走？」

丁玲是何等聰明，一聽他的話，就知他說話的用意，不過是想聽聽自己的口氣，心裡笑了一笑，道：「我們姐妹也不是第一遭出外走動，這區區一點風霜，自信還熬受得下，請老堡主不必放在心頭之上。」

楊文堯笑道：「既是如此，那就好了，你們兩人先上車，然後告訴我，你們想到哪裡，我總帶你們跑跑就是。」

丁鳳道：「難道老堡主就全肯爲著我們長途奔波嗎？」

她這話問得突如其來，實在出了楊文堯的意料之外，一時間，竟使楊文堯無從回答。

丁玲首先上了車，道：「我們麻煩楊老堡主，只能說承楊老堡主順道便中照應，絕不能要楊老堡主放下要事，陪伴我們，老堡主你老人家這份盛情，不但我們姐妹承領了，回家之日，我必上陳尊長，也要叫老人家知道老堡主對我們這番情誼。」

這幾句話說得雖是十分清淡，但楊文堯聽在心裡，卻不免暗讚丁玲厲害。

當下乾笑了一聲，道：「這個但請姑娘放心，我活了這把年紀，總會安排的，我自有道理。」說著也翻身上了前面車台。

長鞭盤空一旋，叭的一響，車子兩邊晃動，輪起處，揚起一陣沙塵，向前馳去。

丁玲倚車窗而坐，一手支頤，一手扶著窗沿，靜靜地養息。

晨曦晚風，大地一片蒼莽。

古道上正有一位年約二十三、四歲，身著藍綢長衫的青年在匆匆地趕路，朝陽由樹隙中照射到他的臉上，神采更覺英發。

他一陣奔行，經曉風輕柔地吹拂，精神大爲爽快，再看當前的景色，朝陽下，山如染黛，樹同點朱，一片燦爛瑰麗。

他不由得挺了挺身軀，面迎朝陽，長長地舒了口氣，口中自言自語地說道：「冷老二，冷老二，我查玉這次跟你們千毒谷樑子是結定了，如若不給你們一點厲害瞧瞧，也無法消我少堡主的心頭怒火……」望著天上耀眼的陽光，發出一聲長嘯。

這一聲長嘯，彷彿發洩了心中不少憤怒，也激起了他的雄心豪氣，當下一聲長笑，又舉步向前走去。

走了一陣，但見前面橫排著一行高達三丈的樹行，這些樹乃是蒼柏、烏柏間雜而植，迤邐地伸展向遠方。

查玉一看這樹行，就知已到官道大路，腳下又加緊了兩步。就在他將要跨越官道之際，陡然「叭」的一聲，鞭絲劃空，接著一陣得得蹄聲，疾走而來。

查玉爲人，城府最深，一聽鞭響蹄聲，立即躍退兩步，一矮身，隱在一排棘叢之後，眼睛卻向官道上凝神望去。

眨眼間，塵土揚起，一輛雙馬長程篷車，已得得馳來。

查玉定睛一看，車台上坐著兩人，一手執鞭繩，分明是趕車的車伕，與車伕並排而坐的卻是一位銀髯老者，但是因爲被車伕遮擋，無法看清那老者的面目。再看篷車，簾幔低垂，什麼也看不出。

查玉心裡暗道：「事不關己何必勞心，我查玉也是太愛管這些閒事了，人家走人家的路，與我查玉何干？」他想到此處，心裡倒舒暢了不少，正想站身走出，突然眼前一花，凝神一望，但見那篷車的窗格下飄著一隻黑色鑲黃花邊的衣袖，查玉心裡一動，覺得這衣袖非常眼熟，彷彿在哪裡見過。

他本是極工心計之人，既然心生疑竇，自是不肯放過，待那馬車走過去五、六丈時，一長身躍出棘叢，隨後跟去。

查玉一面盯牢黃塵滾滾的馬車，一面暗中思索著那馬車窗下的衣袖。想了一陣，他舉手拍拍自己前額，哦了一聲，忖道：難道這車裡會是她們姐妹不成嗎？

他心念一轉，暗中默默推測道：如若是鬼谷二嬌，那麼車台上那銀髯老者又是何人？如若不是丁氏姐妹，那麼那只衣袖，明明是丁玲穿用之物，一時間，不由得疑雲重重。

查玉雖然陰險，但與鬼谷二嬌和徐元平，同過幾次患難，歷經幾次凶險，無形中便產生出一種奇異的意識，這原是人性中神奇的一面，何況查玉此次遠來中原，許多事正要從他們二谷人物中著手尋查，所以對鬼谷二嬌，更多了一層關係。

這時突見這衣袖，心中雖多疑問，但還是決定追隨馬車而去，一查究竟。

這時雖然估定車內之人，十有八九是鬼谷二嬌，但是對車前坐的那位銀髯老者，卻沒有摸清，自己縱然有心追蹤下去，也是以不顯露真相為宜。

他心念一動，隨手在懷中取出一塊黃蠟，在臉上一擦，臉色便蒼老不少，微微一笑，放眼一望，順著那馬車跟去。

查玉始終跟那馬車保持有三、四丈的距離，走了兩個多時辰，太陽已將正中，正走進一處山村，路邊有幾家小店，查玉心想：到了此處，你們總要打尖歇腳吧，到時是不是鬼谷二嬌就當可分曉了。

他心裡正在想著，前面馬車也已收韁慢了下來。

查玉趕忙往路邊一隱，雙目凝神注意著那銀髯老者，那車頭「嘟」的一聲，車子便停在一家客店的門口，那老者一個躍身，便已落在地面，一轉臉，查玉看得心頭一跳。

他真不敢相信自己的眼睛，但再定神望去，卻一點也沒有差錯，他心中奇道：金陵楊家堡是幾時與鬼王谷攀上了交情？

他心裡雖這樣在想，眼睛卻不敢稍瞬。

他指望楊文堯下車之後，必定要把車內之人招呼下來，哪知事實不然，楊文堯下車之後，匆匆忙忙走進那小店，要了兩壺水，買了幾個大餅，包了滷菜等食物，就又匆匆地爬上車，掉頭跟車伕說了兩句話，那車伕一揮長鞭，車子就又向前馳去。

這時查玉腹中已覺甚是饑餓，一見楊文堯連腳也未歇，匆匆又走，自己也只得買了一點充饑之物，隨後趕去，心中甚覺氣惱。

直走到夕陽西沉，進到一座村莊，那馬車才停下投店。

查玉心裡笑了笑，暗道：我既然跟定了你，諒你也逃脫不了。

但這時卻也不便跟進那家客棧去，便在斜對面一家飯館先歇了歇，胡亂吃了點東西，這才折到對面，要了一個房間住下。他做事極是謹慎，進房之後，也不出來走動，躺在床上，心裡在猜想鬼谷二嬌與楊文堯之事。

想了半天，也沒有十分把握，歎了口氣，自解自嘲地道：「少時待我查看一番，自不難知道你們耍什麼把戲。」

查玉熄了燈，虛掩窗戶，躺在床上，好不容易挨到三更，側耳一聽，左右前後的旅客，都已入了睡，四周的人家也都靜了下來，真是萬籟俱寂。他緊了緊衣帶靴襪，輕輕地推開窗戶，伸頭張望了一下，雙手一帶窗沿，人已像狸貓似地翻上屋頂。

他定睛打量，這客棧倒也不小，前後一共有四進，連帶迴廊的廂房，房間可也不少，而這時是一片漆黑，要想找楊文堯和鬼谷二嬌住在何處，還是不大容易。

查玉伏身屋上，四下張望了一陣，見毫無動靜，一皺眉頭，雙腳在瓦面輕輕一點，身子已凌空而起，但見他身子一弓，一式「神龍升天」，人已落到第三進的屋脊之上。

他暗中運足目力，門窗都關得嚴嚴的，也不知鬼谷二嬌和楊家堡的楊文堯住在何處。轉眼間，已過去半個時辰，查玉不由得心中納悶，隨手揭下一片青瓦，正準備向天井內投擲，想借此把他們引逗出來，但腦際立即掠過另一個念頭，暗暗罵了自己一聲：「糊塗！」這次跟蹤鬼谷二嬌和楊文堯，主要的在一查楊文堯的用意何在，如若把他們逗引出來，這不但是和楊文堯當面衝突，而且於事無益；想到這裡，又把那片青瓦放回原處。

他又繞到了一間廂房上面，正在舉步之際，忽聽得下面「吱呀」一聲，像是床板的聲響，查玉精靈過人，當下閃身一躍，到了屋簷前，雙腳往簷口一鉤，兩手一鬆，身子倏的往下疾沉，人已倒垂簷下，丹田微一用力，身子筆直地往簷廊內側一貼，頭貼近窗子，只聽屋裡一個極細極弱的聲音，說道：「姐姐，咱們跟他一天了，到底……」一陣風過，吹得小院裡的花樹沙沙作響，底下的話未能聽清。查玉心中一喜，因為儘管這聲音再細再弱，他也分辨得出是丁鳳的聲音。

風聲過後，就聽得丁玲說道：「我想一定會有人知道車內是我們的。」

又聽丁鳳道：「別人怎麼知道呢？」

丁玲道：「告訴你吧二丫頭，我今天一天都將衣袖放在外面，我想只要咱們鬼王谷的屬下看到，必定會知道是我們兩人，他們自會留意的，只要……」底下的話又被一陣風響所掩。

查玉聽得心裡笑道：鬼王谷的人沒有看到，倒被我查家堡的看到了。

這時他心裡忽的一動，暗忖道：是了，看起來這姐妹二人並不甘願跟楊文堯走。要是出於自願，又何必暗中作記號，想通知鬼王谷的人呢？

但繼而一想，鬼谷二嬌也不是平庸的人物，又怎會被楊文堯帶著走呢？

這兩種想法一時間困擾住了查玉，使他不知該如何處理，他吸了口氣，冷靜地一想，覺著無論如何，鬼谷二嬌跟自己總比自己跟楊文堯有感情，現下二嬌被楊文堯看守著，不管如何自己總得設法相救才是。

正想到這裡，陡然眼前亮光一閃，他暗叫了一聲：「糟！」忙地一挺腰，一個「倒捲翠簾」，人已靈捷無比地翻上屋面，一伏身，身子平貼瓦面，他以爲自己的行跡已被別人發現。伏了片刻工夫，仍未見動靜，膽氣一壯，悄悄仰頭四下一望，忽見右首房間內，閃爍著一點暗淡的燭火，在窗櫺上映現著一個長長的人影。

查玉深呼了一口氣，一展身，迅速地落到有光的房上，身軀往下一墜，一個「雲龍入海」，人已倒掛簷下，臉貼窗紙，用舌尖一點，就孔往裡一瞧，不由嚇了一跳。

原來房內暗淡的燭光下，桌上放著一副筆架，楊文堯正赤光著身子，低頭站在桌子旁邊。

查玉一看這情形，心中大感奇怪。心想這又不是伏暑天氣，這老怪物怎還要赤裸著身子？閃電手查玉何等精靈，這時看著他這怪模怪樣，心裡想笑，卻不敢笑出聲來，當下強忍住一口氣，朝裡望去。

只見楊文堯端視著他自己左大腿，看了一陣，又用筆在紙上畫了幾筆，然後又看一陣，又再畫幾筆。

任憑查玉人再精明，一時之間，也無法瞭解楊文堯在做什麼。

仔細一看，只見楊文堯左腿之上，一塊肉已成了醬紫色，查玉乍看之下，只道他是受傷淤血，但繼而一看，又隱約見那肉膚之上，有著一絲一絲如白線一般的痕跡，楊文堯正照著那細線的痕跡在朝紙上描繪。

查玉看得心頭一動，暗道：這老鬼一生，鬼花樣極多，這又不知搞得什麼把戲？

原來這是楊文堯在古墓中被徐元平逼得將劉情劍匣交還他時，已暗中把劍匣朝左大腿上用力一按，同時運功把左腿肌肉的經脈封閉，那劍匣的紋跡，便清晰地嵌留肉上。

這時，楊文堯按圖描繪，查玉雖然看在眼裡，卻不知到底是什麼用處，不過他深知楊文堯通曉土木之學，想必又是一種什麼構築的秘圖。

查玉看了老半天，也沒有眉目，知道再看下去也是無益，何況楊文堯功力不弱，這時不過是專心在描圖，沒有注意其他，如若時間一長，被他發現，豈不是自找麻煩。

想到這裡，雙腳用力，腰身一扭，人已翻上屋面，抬頭一看，天色已不早，四周看了一眼，兩個起落，返回房中。

他躺在床上，暗中思量，忖道：要憑自己一人之力，絕難對付楊文堯，現在既知鬼谷二嬌是被楊文堯挾走，諒他也無法隱避起來，只要自己召來查家堡的人手，暗中盯牢，不怕他們飛上天去。

第二天一早，楊文堯就趕車啓程，查玉也趕忙在店裡佈下查家堡留訊傳息的特別標誌，限令見到記號之人，順著所留示的方向，緊追自己。

他佈置妥當，這才緩緩出了鎮甸，拿定了距離，尾隨著前面揚塵的馬車而去。

到了黃昏時分，又進入一座大鎮，查玉又跟隨楊文堯之後，住了客店，又在客店大門，和自己的門窗上，做了暗記。

約莫二更過後，窗外響起了「篤、篤……篤」二短一長的扣窗聲，查玉心中一喜，知道自己留的記號，已有路過此處查家堡屬下的人看到，立即披衣下床，手持燈台，晃了三晃，又劃了一個圈，然後推開窗戶，端坐桌旁。

室內衣袂閃動，已有兩個黑衣勁裝大漢，越窗而入，一見查玉，垂手而立，小聲問道：「小的在前面看到咱們堡中的記號，知道是少堡主有事召喚，特地快馬趕來此間，落腳之處，離此不遠，不知少堡主有何差遣？」

查玉朝二人瞧了一眼，道：「我有一事，要交付你二人，不知你們有無膽氣？」

二人連忙躬身答道：「只要少堡主有命，縱然是赴湯蹈火，小的也絕不敢躲懶不去。」

查玉壓低聲音，道：「我是盯了金陵楊家堡的楊文堯來此，我覺得其中定還有別的文章，這根線絕不能把它放掉，但我另有要事，必須親去，故而無法兩頭兼顧，現在我請二位前來，要你們尾隨那輛雙馬大車，看它到什麼地方，你們只管跟下去，但沿途不要忘記暗留標誌，待我辦完另外一件要事之後，再循你們走的路線，不過兩、三天，自會追上你們。」

那二人中一個年齡較大的人道：「小的暗中跟蹤，相信不致會出什麼事，不過，萬一有什麼，那咱們要不要跟他……」

查玉搖頭，道：「只要你們多加小心，諒來不致同他發生衝突。」說著一揮手道：「這次辛苦你們，現在先回去休息，明天也不必來見我，咱們分頭行事。」

查家堡戒規苛嚴，屬下之人，自不敢多言，見少堡主揮手，趕忙應了兩聲「是」，躬身退轉，正待越窗離去，猛又聽查玉喝道：「慢。」立即又回身待命。

查玉又道：「還有兩件事，一併交代與你們，第一，不得露出痕跡，以免打草驚蛇。第二，沿途注意可疑之處，尤其注意二谷之人，有無任何可疑之處。」說到這裡臉色一沉，道：「此事關係太大，如若叫人走脫了，哼，哼，那你們可要小心。」說罷點了點頭，道：「好，你們去吧，一路多加小心。」

查玉和衣倒在床上，暗中想道：要從楊文堯手裡把鬼谷二嬌解救出來，自己不用說沒有這等力量，就是有，一時也用不著和楊家堡多結怨恨，如要救她們，除非是找到鬼王谷的人，由他們自己出面。如此一來，不但不得罪楊文堯，而且還交結上鬼王谷。

他心中如意算盤一打，很自然就想到索魂羽士丁炎山，但百忙中要找丁炎山，那實在毫無可循之途。

查玉躺在床上，想來想去只覺得丁炎山遠離鬼王谷，無非也是為了南海門下奇書，既然如此，必定在「碧蘿山莊」附近逗留，要找人，只有這一條路比較可靠，想到這裡，不由得自言自語地說道：「對，明天先折回去找找他。」

第二天一清早，查玉便折向「碧蘿山莊」方向奔去。

中午時分，覺得腹內饑火中燒，甚是難忍，便在一處鎮甸吃用些酒食。

正舉箸進食之時，猛聽得一陣陰冷笑聲接著說道：「我只道你上了天，想不到在這裡卻被我碰上，咱們這筆帳倒要好好的算一算呢……」說著一陣衣袂飄風之聲，人已欺近桌前。

查玉心頭一寒，抬頭一看，來人正是苦苦追逼自己的千毒谷冷公霄。

冷公霄掠身欺進，查玉連筷子也沒來得及丟，挫腰挺腿，踏翻桌椅，人卻向後躍升五尺。

查玉藉著這一躍之勢，「嗤」的一聲，張口吐出嘴中的酒菜。

冷公霄哈哈一笑，道：「今天要叫你走脫了，冷老二算是白活了一輩子……」，人隨話動，躍身探臂疾向查玉扣到。

查玉為人心眼最多，知道這次無法擺脫這老怪物，就在閃身避讓之時，心念轉動，已經有了主意，當下厲聲喝道：「冷老二，你當真以為少堡主怕你不成？」

冷公霄不防查玉會突然發出這種英雄豪氣，被他喝得怔了一怔。

查玉一指冷公霄，道：「冷老二，你也是江湖上有頭有臉的人物，就是要找你家少堡主打架，這地方也不是你我用武之處，待我賠了店家銀兩，找處靜僻之處，我領教你幾招絕學，你說可好？」

冷公霄吃他一唬，乾咳了一聲，道：「好，諒你也走不了。」

查玉抛下一錠白銀，道：「店家，這賠你的傢俱。」說著轉臉對冷公霄冷冷一笑，道：

「冷老二，前面離此不遠有處山坪，查家少堡主前頭帶路，在那裡等你就是。」

冷笑聲中，人已奪門，凌空躍去。

查玉自幼成名江湖，贏得「閃電手」的美譽，輕功自然了得，這時一長身，疾如流星飛矢，直向前奔去。

冷公霄在武林中也是出色的人物，輕身功夫，也有獨到的造詣，雙腳一點，隨著查玉的身形，緊追而去。

查玉一邊奔跑，一邊心裡暗暗打算，目前只有兩條路可走：一是想辦法擺脫開這老怪物，再一便是想個什麼主意，利用這個老鬼對付楊文堯，讓他們互相牽制，這一著不僅可以保得鬼谷二嬌，而且說不定是隔山看虎鬥，自己坐收漁利也未可知。

心念至此，不由暗中一笑，決定依計行事，腳下一提勁，轉身躍上右首的山坡。

查玉四下一望，周圍是一片亂石荊棘，離開大路也甚遠，絕不致有人會跑來此處，他長長地吸了一口氣，倏的轉身停立下來。

冷公霄知道查玉為人詭謀最多，見他倏然停身不走，一時間，不知他弄得什麼玄虛，倒也不敢大意，身軀歪歪斜斜地閃動了兩下，已躍到查玉身側五、六尺處。

查玉早已成竹在胸，微笑道：「冷老前輩，你何苦這樣逼我呢？」

冷公霄嘿嘿一陣冷笑，道：「難道你自己還不明白嗎？」

查玉一整臉色：「查家堡、千毒谷地分南北，各有所據，可算得無怨無仇，井水河水，互不相犯，如今你卻依仗長輩技強，一直想置我於死地，我不明白你是何用心？」

冷公霄乾咳一聲，道：「你倒說得似很有理，你就忘了你那一把火，那時間你怎麼不說查家堡、千毒谷無怨無仇，互不相犯了？」

查玉笑道：「老前輩原來是爲了那件事。但那事又怎怪得了我呢，有道是上陣不認親父子，在那等局面之下，我放火，不過是先求自保，並未存心……」

冷公霄伸手喝止，道：「查玉，你少在我老人家面前逞口舌之能，今日任你舌翻蓮花，冷老二也不信你這一套鬼話。」

查玉搖頭歎道：「你要決意不信，那也是無可奈何之事，既是如此，你要如何，我查玉也不是貪生怕死之人，一切悉聽尊便，我無不奉陪……」接著又歎息一聲道：「不過你智多謀定的冷老前輩，做事竟也如此盲目任性，倒真叫我查玉覺得好笑。」說罷仰頭哈哈一陣朗笑。

冷公霄爲人最是奸猾，這時卻也被他這一笑，笑得莫名所以，沉聲喝道：「你少信口胡說，我冷老二做事，難道還要你來派我不是的麼？」

查玉見他心意搖動，便道：「不是我敢派你不是，不過老前輩竟忘了千里來此的目的，把正事放在一邊不做，卻苦苦與晚輩作對，這豈不是捨本逐末嗎？」

冷公霄聽得臉色微微一變，隨即又平靜下來，道：「橋歸橋，路歸路，今天我對付你查玉，乃是以洩火燒竹石陣之恨，與千里來此並不相衝突，又算得什麼捨本逐末呢？今天我冷老二索性成全你到底，你有什麼話，只管痛痛快快的說好了，總要使你心服口服。」

查玉瞟了他一眼，當下冷冷一笑，說道：「久仰老前輩做事縝密，但此次依我看，你是智者千慮，依然帶有一失之錯，我請問你一聲，你可知來到此處的有些什麼人？」

冷公霄呵呵一笑，道：「這事還要老夫說嗎？」

查玉一臉凝重之色，說道：「不是我說老前輩不知道，而我敢斷定老前輩是當局者迷，少不得疏漏之處。」

冷公霄長長的「哦」了一聲，翻了翻毫無表情的冷漠雙眼，道：「我冷老二當局者迷，你就當局者清，我有疏漏之處，你就沒有疏漏之處，哼，冷老二豈是這等易於受你矇騙之人？」

查玉這時已看透冷公霄的內心，所以神定氣閒地道：「不敢，不敢，晚輩哪能比得上老前輩，不過事情往往有許多難逢的機緣，就像晚輩這次……」他說到此處，倏然住口不言。

冷公霄也是出名的精靈古怪，但他見查玉三番兩次說起此事，便認為絕不是空穴來風，是被他發現了什麼秘密之事。

冷老二不但精靈奸猾，而且生性也極多疑，此時被查玉轉彎抹角，東拉西扯地一逗引，心裡真的疑雲重重，當下臉色一緩和，放輕了聲音，道：「英雄出少年，你們年輕人自然來得精明。」頓了頓又道：「除了我們幾處來人之外，難道你又發現了什麼可疑之人了麼？」

查玉見他口氣一軟，便知他已經入港，當下也便裝模作樣地道：「此次天下武林中人，為了南海門之事，雲集左右一帶；但此事絕非任何一門、一派可以獨自勝任得了，必須群策群力，全力以赴，才能期望成功。所以晚輩奉命來此之時，家父就再三叮囑，切不可自以為是，更不可貪功好勝，一定要聯絡一、兩處足以互信互托的門派，共同策劃，還要晚輩聽從幾位父執長輩的攜帶，切不可盲目從事……」

他這番話說得煞有介事，弄得冷公霄一時之間也分不出是真是假，只好乾笑一聲，道：

「令尊卓見，確實高人一等……」

查玉也沒有理他的話，繼續又說道：「晚輩前次一些誤會，得罪了老前輩，心裡很覺不安，但時間緊迫也不容細加解說，不過現在晚輩發現一件別人不知之事，特地前來找老前輩，以便共同商量，也好表明晚輩心跡……」

冷公霄聽得心裡一跳，忙問道：「你發現了什麼事？」

查玉歎了一聲，道：「我雖爲此事折返，本是存心想與老前輩商議，但老前輩卻這等容不得我。我若說了，你也不肯見信的。」說著又歎了一口氣。

冷公霄是何等厲害，一看查玉此時又不肯實言相告，知他是欲擒故縱，等待自己上鉤，心中雖恨查玉的刁難，但也是無可奈何之事，只得裝著若無其事地說道：「查家堡、千毒谷，素來是極爲和睦，況且令尊之情，對咱們老弟兄不錯。就憑這份義氣，也該彼此照應。你這等說法，豈不是見外了嗎？」

查玉微微一笑。

冷公霄乾咳一聲，接道：「你到底發現了什麼事，如今四下無人，不妨咱們商量商量。」

查玉四下望了一眼，壓低聲音，道：「依老前輩所知，這兒最近來了些什麼人？」

冷公霄望著查玉，道：「除了你我兩家之外，還有鬼王谷的兩個丫頭，丁老三、金老二、鐵扇銀劍于成、混海神龍秦安奇。」

又仰頭沉思了一下：「還有那討厭的老叫化子……」

查玉道：「老前輩沒有再碰到別人了嗎？」

冷公霄道：「那矮、駝二叟，咱們自不能把他們算列在內。」

查玉陰陰地笑道：「還有一個是老前輩沒有料想得到的……」

冷公霄點頭哦了一聲，道：「你莫非說的是那個姓徐的嗎？」

查玉搖搖頭，道：「不是，不是。」說著神秘地笑了笑，道：「老前輩，當今武林，二谷、三堡之中，依你看，有幾家不曾參與此事的？」

他此言一出，問得冷公霄怔怔地半晌說不出話來。

查玉道：「我再問一句，老前輩覺得楊家堡、鬼王谷平素如何？」

冷公霄心頭一動，遂道：「金陵楊家堡楊文堯，平素仗著堡內機關密佈，自以爲有天塹之險可據，所以很少與人來往。據老夫所知，楊家堡與鬼王谷，縱然是沒有深交，卻也沒聽說有什麼恩怨之事。」

查玉笑道：「這就是了，我雖年輕淺薄，但對江湖上幾大門戶之間的事，也曾聞聽老人家說過，就想不出楊家堡與鬼王谷有什麼交情可攀的。」

冷公霄急急地道：「難道楊文堯也來了嗎？」

查玉點了點頭。

冷公霄又追著問道：「莫非你看到這老鬼是和丁老三在一起嗎？」

查玉道：「如若是跟丁炎山在一起，我也不會這等驚異了。」

說到此處，倏而住口，卻神秘的一陣怪笑。

冷公霄向前一步，拖住查玉追問：「難道鬼王谷已傾巢而出了嗎？」

查玉看冷公霄那一臉緊張之色，心裡罵道：看你這急樣子。

這時查玉知冷公霄已被自己逗得疑神疑鬼，不禁十分得意，但他乃深沉之人，臉上還是不形於色地道：「鬼王谷是否會傾巢而出，我不得而知，不過卻親眼見鬼谷二嬌跟著楊文堯。」

冷公霄聽得臉色一變，道：「你說什麼？楊文堯會跟鬼谷二嬌在一起，你可看得真切？」

查玉笑道：「老前輩盡可放心，我查玉敢說眼下還沒有看走過人，絕對錯不了的。」

說著隨將如何遇見馬車，如何因見而生疑，如何追蹤，如何深夜搜探等，都一一說出來，但卻將自己留訊召查家堡之人的一節，隱瞞起來。

冷公霄翻著兩隻眼睛，在查玉臉上瞧了一陣，突然問道：「查玉，你此話說得可真，可不准在老夫面前玩什麼鬼把戲。」

查玉心裡一跳，神色卻平靜地答道：「此等大事如何能說得了謊。」

冷公霄嘿嘿笑道：「你既發覺了此事，爲何不跟下去，爲何跑回來，怎麼又知道我會在這附近呢？」

查玉被他問得倒抽了一口冷氣，表面上哈哈一陣大笑，藉機遮蓋自己的窘態，心裡一轉動，答道：「那輛雙馬大車，比不得一根繡花針，還怕找不到嗎？至於我爲什麼會折回來，怎麼會知道老前輩會在附近，難道這還要說穿了不成嗎……」說罷又是一陣大笑。

查玉對冷公霄的話，不作正面答覆，卻空空洞洞的支吾了一陣，冷公霄也是久歷江湖之人，自不便打破砂鍋問到底，也只得隨著笑了一笑。

停了片刻，冷公霄問道：「依你看，楊文堯這次在搞什麼把戲，由他們的形跡上來看，是到哪裡去？」

查玉沉吟了一陣，說道：「楊文堯存什麼心，我可不敢瞎猜亂測。不過聽鬼谷二嬌口氣，似是不大樂意。」頓了一頓，又道：「依我猜測，他的去向彷彿是返金陵的成份多。」

冷公霄怪裡怪氣的「哦」了一聲，突然又臉色一沉，道：「查玉，以前咱們之事，可以放在一邊，暫且不談，既是你我兩家的情誼來找我冷老二，也可表明你的一片衷心，現在咱們也不宜坐失時機。就請你領路，咱們追上去暗中看個究竟，一路之上，咱們可得共進共退，你可不准暗中要花樣……」說到這裡，冷公霄猛的疾伸右手，一把扣住查玉脈門，哼哼兩聲冷笑道：「我冷老二做事，喜歡爽爽快快，咱把話說明了，如果你存心不老實，想打什麼歪主意，到時可不要抱怨，你是聰明人，這中間的利害得失，你自己忖度忖度。」說著把手一鬆。

查玉知道他是在要挾自己，這時也只得硬起頭皮，一口答應下來，暗中打算，在見到楊文堯之時，再設法弄點花樣，讓這兩個老鬼衝突起來，自己那時再謀求脫身之法，該非難事。

他心念轉動，當下朗朗答道：「此番我查玉與老前輩同去，是利是害，乃是我查家堡與千毒谷二家之事，斷無虛妄不實之理，這點老前輩盡可放心，再說老前輩明察秋毫，也不容我玩什麼花樣，難道老前輩還不信嗎？」

冷公霄被他一捧，心裡甚是受用，冷冷一笑，道：「你能知道就好。」說著轉臉朝著查玉一望，道：「走吧，咱們幹正經的去吧！」

查玉點點頭，轉身向前奔去。

冷公霄也不打話，隨後拔腳跟去。

十六　步步陷阱

二人一路走來，卻各懷心事。

查玉一路在想，見了楊文堯之時，用什麼話來離間兩個老鬼，自己如何趁機救走鬼谷二嬌……

冷公霄心中也在想著主意。他知道金陵楊家堡楊文堯，如無重大之事，是絕不輕易現身江湖的，而這楊文堯外表看似和善，其實奸刁狠毒，是個出名難纏的人物，這時他既挾走鬼谷二嬌，自然有他的用途，自己插手阻攔，無疑是跟楊文堯過不去，翻臉成仇，意料中事，對付一個楊文堯，原本難不住冷公霄，只是楊家堡是否還有高手隨行，那就不敢說了。

況且旁邊還有個查玉，而查玉的陰狠並不亞於楊文堯。這時查玉雖說得很好，到了緊要關頭，他變起臉來，既得罪了楊文堯，查玉再一暗中搗鬼，自己無論如何也敵不過四手，何況還有兩個丁家的丫頭。

冷公霄處事到底經驗豐足，所以一路之上，人不知鬼不曉的，已暗留下了千毒谷的標記，召請人手，前來接應。

查玉雖然不知他暗中在召援手，但他乃是聰慧透頂的人物，已看出冷公霄對自己似極具戒心，自己也就暗中提高警惕。

這一天晚上，二人落店之後，夜半時分，查玉在朦朧入夢之際，猛聽得窗紙上「篤、篤、篤」三聲輕細的扣彈之聲。

查玉心中一動，但又覺這並不是查家堡的招呼暗記，但既然有人找上門來，也不能不理。當下輕輕下床，低聲喝道：「是哪方朋友，這段時光，還來下顧兄弟？」

外面一個冷漠的聲音說道：「無事不登三寶殿，老夫來找你，自然是有話問你……」

聲音未完，窗子「呀」的一響，一陣颯然風動，房裡已站立一個身穿黑色道袍，瘦骨嶙峋，背插長劍，右手握一柄拂塵，瘦長的人。

查玉一聽此人說話的聲音，心裡就一怔，再定眼一瞧，見來人正是鬼王谷的丁炎山，內心說不出是驚是喜。

他喜的是，丁炎山和鬼谷二嬌，雖因神丐宗濤兩句冷言冷語，鬧得不痛快，但丁氏姐妹，到底是他的親侄女，如今被人挾走，他焉有袖手不管的道理？既是要管，無形中雙方便站在一起。如若冷公霄對自己不利，說不得也要出面斡旋一番，如此一想，心便寬敞得多。

驚的是，這幾個老鬼，都是出名的怪物，一個個冷僻異常，翻臉便不認人，自己夾在這幾個老鬼中間，說話、行動都極是爲難……

查玉心念未完，丁炎山已一甩拂塵，冷冷說道：「幾天沒有見到你，怎麼倒跟冷老二混在一起了？」

查玉雙眉輕輕地一挑，臉上現出十分爲難的神情，說道：「此事尚請老前輩原諒，恕晚輩一時不能相告。」

丁炎山抖了抖拂塵道：「難道真的不打算告訴我嗎？」

這時查玉心中早已有了主意，他要慢慢引他上鉤，當下歉然一笑，道：「非是晚輩不肯直言相告，實在晚輩別有苦衷……」

丁炎山奇道：「這又不是什麼不可告人之事，你又有何苦衷呢？」

查玉歎道：「以鬼王谷與我們查家堡平日的情誼來說，自是不應瞞著老前輩，何況前時在那山崗，老前輩不爲冷老二言詞所惑，對查玉的一番情份，我查玉是沒齒難忘，對老前輩實在不應有欺瞞之事。」說到此處，蹙眉沉吟道：「只是此次，晚輩受制於人，身不由己……」

丁炎山眼睛一翻，道：「老夫又不是三歲孩童，難道還會受你的哄騙不成嗎？」

查玉正色道：「晚輩怎敢欺騙老前輩。」

丁炎山道：「你查玉也非泛泛之輩，冷老二縱然厲害，你也不致於這等懼怕於他，你說受制於人，身不由己，豈不是騙人麼？」

查玉道：「老前輩只知其一，不知其二，爲了表明我的心跡，但求老前輩應允我一件事，我便將此事詳細相告。」

丁炎山道：「好，只要老夫力所能及，我一定答應，你且說說看。」

查玉道：「這也並非什麼難事，只要老前輩答應，如果我將此事告訴老前輩，他日不論在什麼利害交關的情形之下，老前輩不要將此事告訴冷老二就行了。」

丁炎山摸了摸鬍子道：「老夫行事，最重信諾，你既以老夫為可信之人，老夫自不能不講道義，再將你的話轉告他人，這個你大可放心……」

查玉移近一步，面色莊重地道：「既是如此，晚輩就說了。」頓了頓，接道：「老前輩可知我為何自願受制於冷老二嗎？」

丁炎山眨了眨眼道：「你是自願受制於他？這又是為何呢？」

查玉道：「說穿了，我全是為了你們鬼王谷……」

丁炎山望著查玉，長長的哦了一聲。

查玉道：「鬼王谷與查家堡平素情感不惡，晚輩又感於老前輩相待之情，鬼王谷有事，晚輩自是應盡力以赴……」

丁炎山道：「我鬼王谷又有什麼事？你越說我越不明白了。」

查玉道：「我大膽問一句，鬼王谷與金陵楊家堡相處如何？」

丁炎山道：「兩家並無什麼往來，但也沒有什麼過不去。」

查玉道：「那麼老前輩可曉得令侄女被楊文堯挾走嗎？」

丁炎山竟毫不驚奇地道：「老夫問你與冷公霄之事，誰問楊文堯之事了？」

他這話聽得查玉心裡一寒，只得答道：「這事乃是由楊文堯而起，晚輩因楊文堯挾走二位姑娘，因感於鬼王谷與查家堡的友誼，所以決心暗中相護，並設法查察楊文堯的用心何在，一方面也想候機相救，可是又怕自己力單勢孤，才折返回去，想尋找老前輩，不料……」

丁炎山冷笑道：「不料卻遇到了冷老二可是麼？」

查玉道：「正是，晚輩在情急之下，只得與他說明，希他能義伸援手，但他卻以利害相威脅，要挾於我……」

丁炎山道：「他如何要挾於你？」

查玉道：「他以楊文堯之事，以及南海門下奇書諸種利害相挾，所以晚輩處處受制，不便對老前輩直言。」

丁炎山望著查玉瞧了半天，嘿嘿笑了一陣，道：「查玉，你只道老夫不知楊文堯之事嗎？」

查玉心中一震，怔了半晌，不知如何答覆是好，丁炎山笑道：「實對你說了罷，楊文堯挾走兩個丫頭，老夫早就知道，你可知道楊文堯現在何處嗎？」

查玉這時卻不敢隱瞞，道：「晚輩已有人暗中盯了下去。」

丁炎山哼了一聲，道：「你也太看輕了楊文堯了，他人稱神算子，什麼事能瞞得了這個精靈鬼，你以爲你派出去的人就能有用了嗎……」

他一言未完，窗外一聲冷笑，道：「丁老三，深更半夜你還亂吹些什麼？」

丁炎山、查玉一聽這聲音，都嚇了一跳，還沒有來得及答話，冷公霄已飛閃入內。

查玉一見冷公霄進來，便朝丁炎山靠近了一步。

丁炎山知道查玉的心意，便搶先開口說道：「舍侄女被楊文堯挾走之事，蒙冷兄義伸援手，丁老三甚是感激。」

冷公霄朝查玉望了一眼，道：「查玉，丁兄來此，你怎麼不招呼老夫一下，難道你對我還有隱瞞之事嗎？」說著，朝查玉身前欺進一步。

丁炎山因受徐元平掌勢震傷，在二十天之內，無法跟人動手，見冷公霄對查玉氣焰凶凶，心中大感爲難，擔心冷公霄出手施襲查玉，到時自己是救還是不救？救是無法出手，不救又覺愧對查玉對自己一片信託之意。

他沉忖了一陣，道：「冷兄千萬不要誤會，現在咱們三家既然在一起，實不能先互操干戈，讓別人安安穩穩的走脫。據兄弟所知，查家堡追蹤楊文堯之人已被他擊傷，他已兼程趕返金陵，咱們也不要爭什麼意氣，應當合力同心，趕到金陵，看看那老怪物到底搞什麼把戲。」

查玉藉機接口說道：「晚輩一見楊文堯挾走兩位姑娘，心裡實是憂急。幸而遇到冷老前輩，我把事一說，冷老前輩慨然答應，如今此事已非我們一家之事。既然今天千毒谷、鬼王谷、查家堡人碰在一起，而且我們三家素來相互尊敬，此番自是更應集合咱們三家力量來對付楊家堡，既有二位老前輩在此，一切全憑二位做主，晚輩唯馬首是瞻。」

冷公霄望著丁炎山，乾咳一聲道：「此番前去金陵楊家堡，全是爲了令侄女，我冷老二也不過是爲了與幾位老弟兄的一番情誼，才寧願與楊家堡反目爲敵，以顧全咱們這份交情。至於如何進楊家堡，還是丁兄拿主張。」

丁炎山沉思片刻，一回味冷公霄的話，知他是把這份交情賣在鬼王谷，想拿話套牢自己，心裡暗道：你這老奸巨猾的老鬼，不說自己另有存心，倒拿帽子朝我頭上扣，哼哼，我還不買你這份帳呢！

當下笑道：「楊文堯此次趕來此地，與咱們幾處都脫不了關係，他挾走兩個丫頭，也就是對咱們安下魚餌，冷兄也不要抬舉兄弟，這進楊家堡之事，依兄弟看，還是冷兄多費心。」

冷公霄嘿嘿笑道：「楊文堯精於土木建築之學，楊家堡乃是他倚為天險之地，那裡面的佈置，縱不能說是銅牆鐵壁，也絕不是可以聽由咱們隨意進進出出的地方……」

丁炎山接道：「冷兄不會不知道，我丁老三對這些機關消息，也是一無所知，還真不如冷兄高明。」

冷公霄轉臉對查玉道：「可惜令尊不在，若有他在此，那楊家堡也不算得什麼龍潭虎穴了。」

丁炎山聽冷公霄提起查子清，便想起竹石陣之事，道：「查老堡主的那份能耐誰人不知，想必少堡主也已深窺堂奧了，此行我看你要多用點心思。」

查玉知他們是不願正面得罪楊文堯，故意相互推諉，暗道：只要你們到了楊家堡，還怕你們不淌混水？當下很爽快地答道：「不敢、不敢，晚輩能懂得多少？但此去楊家堡，晚輩願為兩位老前輩領路。」

一夜無話，第二天，三人一早便向金陵奔去。

不一日，抵達金陵，三人又一番商量，這才向鍾山北麓楊家堡而去。

這楊家堡坐落金陵城外、鍾山北麓，三人出得城來，道旁樹木，雖是葉落枝疏，但是因為林木甚是茂密，蔥蔥鬱鬱的依然一望無際，氣勢甚是不小。

三人走了一陣，眼前驟然一明，只見迎面一片楓林，丹楓如火，再襯著藍天、青山，顏色更是嬌艷。

進入楓林，走了一陣，忽聽查玉道：「不對，這楓林裡有花樣。」丁炎山、冷公霄倏然停止，見查玉正在四下打量，二人知查玉通曉一點五行八卦的道理，也不打擾於他。

查玉看了一陣，正在沉思之際，陡然由林中傳出一聲：「幾位可是來訪楊家堡的嗎？」幾人聞聲停步，放眼搜望，只見楓林之中，卓然站立著一個身著古銅色長衫，五十左右，身材魁梧之人。

冷公霄乾咳一聲，應道：「不錯。」

那人向前移了兩步，冷漠地問道：「可有入堡的符令？」

冷公霄道：「沒有。」

那人又道：「可有老堡主的信來？」

冷公霄道：「沒有。」

那人又道：「那麼幾位憑什麼深入我楊家堡？」

這人說話的語氣，冷漠刺耳，驕狂之色，令人極爲難忍，何況丁炎山、冷公霄、查玉三人，乃是一堡、二谷之主，平素在江湖行走，也是極爲受人尊敬，哪裡有人對他們這等聲色。所以一聽之下，任三人是如何刁猾之人，也自忍按不下。

冷公霄嘿嘿兩聲冷笑，厲聲應道：「這楊家堡既不是皇宮大內，也沒有御旨之禁，老夫跑遍南北一十三省，還從來沒有聽說過，什麼草莽山澤也能阻得住我們幾人的出入……」

那人哈哈一陣朗笑，道：「既是跑遍南北一十三省，難道連金陵楊家堡都不知道嗎？哼哼，此處雖不是皇宮大內，雖未經御旨立禁，卻也不是你們任意來去得了的所在，不信你試試……」

冷公霄暴喝一聲，道：「鼠輩，你休要賣狂，就是楊文堯見了老夫也得陪上三分笑臉，你是什麼人，敢這等猖狂……」言未完，身形暴起，躍起直追過去。

丁炎山心裡陣陣冷笑：你方才還不願與楊家堡衝突，這時卻也沉不住氣了，看來你這老鬼也真狂得可以。他這時因內傷未復原，而且他為人更是陰沉，所以站在原地，一動不動，袖手觀看。

冷公霄一躍過去，疾吐右掌，直向那人擊去，那人身手果真不凡，見冷公霄一掌擊來，繞著楓樹內身一轉，已經輕輕避去。那人閃避冷公霄一掌之後，卻未曾還擊。

轉瞬之間，冷公霄已擊出三掌，踢出四腳，那人一聲「得罪」，身形疾轉，繞著楓樹，跨步游走。

這楓樹原是按八卦奇門種植，冷公霄跟著那人，急步追趕，不到一盞熱茶工夫，便覺著自己與那人隔著一層雲霧，一時之間，就是無法追得到。

查玉一看冷公霄在楓林之中，步法漸亂，就知他已深陷樹陣；他仔細打量一陣，略略看出一點門徑，正待躍前接應，驀地傳來一陣響箭，斜掠樹梢，劃空飛過。

響箭聲歇，又傳來一聲喝叫：「堡主有令，貴客遠來，不得怠慢……」話音甫歇，由林內飛躍過來兩個藍衣少年。

丁炎山、查玉見奔過來兩個藍衣少年，雖有言傳堡主之令，不得怠慢，但也猜不透究竟是何存心，兩人互望了一眼，同向林中深處奔去。

那身著古銅長衫之人，一聽藍衣少年之言，立時收步停身。

兩個藍衣少年來到兩人面前，左首少年右手一抖，展開一面黃色三角小旗，道：「奉堡主之令，命我二人前來引接貴客，鄭大叔可請退回。」說著雙手一舉小旗。

那身著古銅色長衫之人，朝小旗抱拳一揖，轉身退去。

冷公霄正待移動，那手執黃旗少年已迅將小旗捲收入袖，躬身面陪笑臉，道：「方才鄭大叔不知是丁谷主、冷谷主和查少堡主，故有得罪之處。尚望看在敝堡主份上，多多海涵。」

丁炎山、冷公霄、查玉一聽這少年竟知道自己身分，不禁大感詫異。

三人怔楞之間，那少年又道：「敝堡主已在堡門恭迎三位大駕，小的前面帶路了。」說著就要轉身走去。

丁炎山拂塵一拂，道：「我們來得如此匆忙，老堡主如何就得訊了呢？」他江湖經驗老到，心中對楊文堯竟然知道自己三人來楊家堡之事，雖是大為驚駭，但話說得依然不卑不亢，極有分寸。

那藍衣少年道：「堡主返回金陵，就知三位要來楊家堡，所以三位的起居之處，早就安置妥當。」

三人一聽楊文堯早有準備，心中都不由一震，久知楊文堯心工計謀，武林中人對他譽為神算子，自非虛名；而楊家堡更被江湖中人視為怪堡魔府，等閒之輩，絕不敢冒昧來此。

這時聽少年一說，也不知楊文堯在暗中存了何心，佈下了什麼陷阱，所以三人略一猶豫。但是這三人都是極負盛名之人，三人面對面，誰也不甘自認心有怯意，略一猶豫，立時便又恢復平靜。

查玉最是刁猾，反正自己業已抱定身入虎穴之心，何不索性擺出大方的氣派。轉臉側讓一步，對丁炎山、冷公霄道：「兩位前輩請前行一步。」他這句話聽來似極有禮貌，但骨子裡卻十分陰險。

丁炎山、冷公霄被查玉拿話一扣，只得對藍衣少年道：「既是如此，就請二位帶路。」

那藍衣少年躬身說道：「堡主有命，說敝堡處處設有埋伏，要小的上陳三位，入堡之時，千萬看準小的所走路線，以防不測。」這幾句話說得雖然甚是恭敬，但內中實含輕視之意。

查玉冷笑一聲道：「你只管前行帶路，既然來了，難道還不知道你們楊家堡的威名嗎？」

那藍衣少年也不生氣，只微微一笑，道：「這是老堡主好意特叫小的轉陳三位，毫無別的用心。」說罷探手取出一支沖天流星的信號，用火一引，「刺啦啦」一響，帶著一條火花，直沖雲霄，向堡內方向飛去。

三人抬頭看那沖天流星，破空飛去，尾端火花，歷久不散，宛似長天霞虹，心中不由暗讚楊家堡做物之精妙。

那藍衣少年肅立片刻，這時方道：「三位旅途勞頓，請入堡內奉茶，小的前頭帶路了。」說完話，又躬身一禮，轉身向前走去。

冷公霄、丁炎山、查玉三人也不搭話，魚貫隨著那藍衣少年走去，另一藍衣少年，則跟在查玉之後。楊家堡在江湖中，被武林中人視爲怪堡魔府，極少有人來過此間，這時冷公霄三人，心中尚不知此來如何了斷，所以一路行來，對所經之處的一切花木布設、道路的分佈，都暗中細心留意。

這片楓林雖不太廣，但卻因此林乃是楊文堯祖父苦心經營，所以行走其間，便如驟入萬里蠻荒，眼花繚亂，不辨方位。

三人方才走進楓林，只是亂衝亂撞，這時隨在藍衣少年身後，只見他每走三棵樹，斜岔一棵，丁炎山三人心知是樹陣的行走之法，只得亦步亦趨，默記心頭。

不過一盞熱茶工夫，已走出楓樹林，林外就設有兩座哨堡，三人偷眼一望，也不見有人，但那藍衣少年卻倏然停步，展開三角小黃旗，在半空左右一旋，然後才舉步前行。

又走了約摸一里路的光景，陡然一陣花香襲人，放眼搜望，前面是黃金白銀紅脂般的一片花海。

眨眼已進入花海之中，這黃金白銀花朵，乃是奇種的金銀桂，那紅脂般的花朵，則是鐵梗海棠。三人一見這片花海，心中暗道：難道這花團錦簇，也是你楊家堡的機關不成？

這片花海少說也有一里方圓，走完花海，眼前奇景突現。原來沿著花海邊緣一排圍列十二道木柵。

十二道木柵高約二丈，形式、材料，完全一模一樣，木柵上端，橫釘著枝樹綴成的五個大字：金陵楊家堡。

三人瞧了瞧這十二道木柵，心中一陣納悶，不知這一模一樣的木木柵到底有何作用，到底該從哪一道木柵進去？

正在納悶之際，那領路的少年轉身笑道：「這十二道木柵，乃是依十二地支所造，看似一樣，其實方位大不相同，真是差之毫釐，失之千里，每條路的佈置也各不相同，只有兩條可達內堡，如若是不知實情之人，冒失探堡，必然凶多吉少……」，說罷領著三人返身重入花海，東閃西竄地走了幾步，猛的長身一躍，朗聲喝道：「三位腳下留神，請隨小的入堡。」

丁炎山三人被藍衣少年再度領入花海，走得頭暈眼花，這時被那少年突然一喝，竟都不由自主地隨那少年一起長身躍入一道木柵之內。

三人腳落實地，再四下辨認自己是從哪一道木柵入內，眼前卻是籐蘿迷障，哪裡還能辨認得出來。

丁炎山、冷公霄、查玉三人互望了一眼，心中都不由暗道一聲慚愧，自己行走江湖，不知見過多少陣仗，卻想不到今天竟被這個藍衣少年所惑。

那原隨在查玉之後的藍衣少年，這時借一躍之勢，已經躍到前面，跟前一個藍衣少年並肩站立，二人回頭看了看三人，也不言語，舉步向前走去。

丁炎山三人這時已然深入楊家堡，自然不可能半途折回，所以也跨步隨後跟去。

走了一陣，只見前面疏落的樹梢頂上，一柱刁斗，高插半空。

刁斗之上，一面繡著「楊家堡」三個大字的長旗，隨風飄展。樹隙中，已可看到碧瓦紅柱的屋宇。

那藍衣少年緩步而行，用手一指，道：「前面便是咱們楊家堡了。」

又走了約三、四里的光景，才到護堡外門，那藍衣少年略展三角小旗，便順利過去。走完一條青石板鋪的道路，才算正式進了楊家堡，那藍衣少年向各門各卡之人，點頭示意，來到一座拱月門之前，那少年回身對三人道：「堡主現在後面，請三位小候。」

三人心裡暗道：「楊文堯呀，楊文堯，你既知道我們來了，卻又拿出這等大的架子，真是可惡之極。」

那少年一按門上機紐，不一會兒工夫，重門開啓，走出了四個藍衣少年，每人按著一柄黑蛇劍鞘的長劍，幾人說了一陣，那藍衣少年轉身，回道：「老堡主現在花軒迎候幾位。」一說完對那四個少年微一示禮，便向前走去。

穿過一條甬道，到了一處鏤空花牆外邊，向裡低聲說道：「鬼王谷、千毒谷和查家堡的丁谷主、冷谷主、查少堡主來了。」說完話，恭恭敬敬地退步後轉，逕自退了出去。

這時一陣脂粉香氣，迎面送來，由花牆的圓門後面，姍姍地走出四個十七、八歲的嬌美女婢，來到三人跟前，福了一福道：「堡主就來迎接……」

嬌聲未息，裡面一陣長笑，走出來楊家堡的主人，神算子楊文堯。

楊文堯一見三人，抱拳笑道：「難得，難得，你們三位竟能聯袂同來，真使荒堡增輝不少……」

丁炎山三人都微笑應付，暗中卻在留意四下環境。

楊文堯笑道：「三位不遠千里而來，路上定是辛苦，快請入花軒小歇。」說著抱拳肅客。

幾人進入花軒，這花軒三面臨水，一面依竹，這時水面尙有些許殘荷，水面漂浮粒粒湖菱，三數隻白鵝悠悠地漫游池中。

楊文堯奉茶之後，說道：「二谷、三堡武林齊名，不知我這楊家堡在三位眼中，還成材否？」他言詞之中，甚是自得。

冷公霄道：「楊兄胸羅萬有，貴堡的布設，可算得冠絕古今，二谷三堡雖然齊名，但哪能與楊家堡相比？」

楊文堯道：「好說，好說。」

丁炎山淡淡笑道：「咱們鬼王谷不過是綠林草莽，哪能與楊家堡楊兄這風雅林園並論。」

楊文堯乾笑一聲，道：「丁兄過獎了，當今之世，誰不知鬼王谷的大名，據兄弟所聞，鬼王谷的布設堪稱奇絕無比，據說進得鬼王谷，絕無法看得到一間房屋，這等空前未見的佈置，我小小的楊家堡如何敢與之相比……」

丁炎山心中雖甚受用，但臉上卻無一點表情，道：「那不過是仗著一點地利，也算不得什麼，還是楊家堡才是楊兄的真才實學。」

楊文堯笑了笑，又道：「千毒、鬼王二谷名震遐邇，鬼王谷以奇詭勝，而冷兄的千毒谷卻竟能將天下宇內的奇毒蟲蛇，搜羅無遺，集千毒於一谷，令人聞名而悚，也可說前無既有，後無來者了。」

冷公霄正想說話，楊文堯未待他開口，又把臉轉向查玉，道：「查家堡在武林之中，也是威名赫赫，尤其令尊學究天人，胸羅古今，真是當今第一人……」

查玉還沒有來得及謙讓，楊文堯又道：「我楊家堡，雖然依仗著一點點微末小技，加以佈置，但與查老堡主那種五行奇門的詭譎變幻，令人難測的大手筆相比，那可就是小巫見大巫了，今天三位卻如此自謙，硬朝兄弟臉上貼金，倒真令兄弟慚愧。」

丁炎山、冷公霄、查玉齊聲道：「楊老堡主也太過謙虛了，外間傳說不過以訛傳訛，虛得浪名罷了，哪能比得上楊家堡的風光，適才我們已是領教過了，實是鬼斧神工，令人拜服。」

楊文堯呵呵大笑，道：「兄弟對你們貴處，早已心慕甚久，只是疏懶成性，很少在外走動，不過有生之年，我楊文堯總想到幾位那裡瞻仰一番，那才算不虛此生……」說罷又是一陣大笑。

冷公霄低頭默默想道：咱們來你這楊家堡，又豈是來和你談這等無關緊要之事？他心裡雖是這般想法，自己卻不願意出頭。轉臉對丁炎山瞧了一眼，說道：「咱們二谷、三堡，如今丁兄的鬼王谷，真是鼎盛昌隆，尤其他那一雙賢侄女，人稱鬼谷二嬌……」

冷公霄口中稱讚鬼谷二嬌，實際他乃是借這冠冕堂皇的話，來挑逗丁炎山，使他記起丁玲、丁鳳被楊文堯挾來楊家堡之事。

他這一著果然生效，丁炎山聽了臉上一陣冷酷之色，道：「楊堡主，我……」

楊文堯一見冷公霄暗中挑撥丁炎山，丁炎山這一開口，必然說不出什麼好話，所以，他連忙起身離座道：「對了，你們三位同時光臨敝堡，也可算得江湖盛會，現在正是江南秋深，小池裡還留得半池殘荷，對此情景，豈可無酒。」說到此處，捋鬚呼道：「來人……」

坐在軒外花廊上的四個嬌婢，聞聲走來，楊文堯道：「你們傳話出去，要他們挑選四十盆名菊，送到內軒來，再叫人開兩缸百年封陳的紹興酒來。」說著又回過頭來對丁炎山等道：「三位來得正是時候，金陵秋蟹正肥，我要他們挑上好的送來，咱們持蟹把酒賞菊，忙中且偷半日閒……」說完，哈哈大笑。

不一會兒，花、酒、蟹齊齊送到，四個嬌婢在一旁伺候。

楊文堯舉杯道：「今日之會，甚是難得，咱們不醉不休……」

幾人酒過三巡，冷公霄心中道：「這楊文堯倒真的不是易與之人，他見一提鬼谷二嬌，立即把話引開。他這時卻一味勸酒，準是沒安什麼好心，你怕提，咱就非提不可，不然，又何必這等辛苦來到你楊家堡呢？」

他心念一動，乾咳了一聲，說道：「楊兄真不愧是江南人物，看你此處這等佈置，實在風雅得很，在平時一家人閒坐此處，那種人間天倫樂趣，真是神仙不如，怪不得楊兄很少在江湖間走動。」

他說到「天倫樂趣」之時，聲音說得特別響亮，眼睛也瞟著丁炎山。

楊文堯哪有聽不懂的道理，心中暗暗罵道：好一個老奸巨猾的冷老二，你怎的如此跟我過不去，好，這筆帳，咱們往後慢慢的再算吧。他瞧了冷公霄一眼，忙接著道：「冷兄說得有點過分了，兄弟哪裡配稱什麼風雅，什麼神仙，只不過近年已無在江湖稱雄爭利之心，株守舊地，落個安靜二字罷了。」

丁炎山看了他一眼，楊文堯不等他開口，舉杯道：「兄弟有句放肆的話，我這裡先飲乾了這杯酒，聊以謝罪，然後再說。」說罷仰頭一飲而盡。

冷公霄、丁炎山、查玉看他說得煞有其事，也欠身道：「老堡主不必客氣，有話請說。」

楊文堯神秘地笑了笑，道：「這幾年來，我覺得人生苦短，所以懂得及時行樂的妙處，現下聘養有幾個伶俐姣好的歌伎，暇時便以此自娛。今日三位可算得楊家堡的嘉賓，待我把她們召來，演唱片刻，以助酒興如何？」

他雖這般說法，也沒有等幾人回話，便附耳與那嬌婢說了幾句，那嬌婢含笑而去。

那嬌婢去後不久，隔湖對岸竹林裡隱隱傳過來一片絲竹細音。

楊文堯緩步走到臨水的雲頭石欄旁邊，一捲衣袖，施勁一按，兩個石欄應手沉陷下去，軒中地下，響起了一陣軋軋之聲。

冷公霄、丁炎山、查玉聞聲一驚，臉色一整，也都躍身到楊文堯立身之處。

一片響動之中，由軒下地底之中，徐徐伸展出朱欄翠板，向對岸軋軋送去。

約莫一盞熱茶工夫，那軋軋之聲倏然停歇，那一排排的朱欄翠板，竟曲曲彎彎地架搭起了一道九曲畫橋。

楊文堯轉臉對三人洋洋得意的一笑。

丁炎山等心中正在驚歎之際，陡覺眼前一花，對面翠竹林中，已浮出幾朵彩雲，冉冉向畫橋移來，幾人再定眼一看，那朵朵彩雲正是身著彩衣錦帶的妙齡少女，但見她們步如淩波，嬝嬝歌舞而來。

丁炎山、冷公霄、查玉雖然走南到北，跑過不少地方，幾時見過這等如幻如夢的畫境，都不禁看呆在當地。

這群彩衣少女微綻櫻口，順著曲曲畫橋，倩歌而來，到了畫橋中心之時，一齊舞動彩袖，裙帶飄曳，再襯以翠竹林中，遣送過來的細樂之聲，看的人真如身入仙境一般。

楊文堯瞧了三人一眼，捋鬚笑道：「兄弟這點東西，幾位不嫌粗陋吧？」他這兩句話，丁炎山三人，竟如同未聞一般。

楊文堯見三人這等神色，不由得哈哈大笑，笑得三人同時驚覺。丁炎山轉臉訕訕一笑，道：「楊兄可是跟我們說話？」

楊文堯笑道：「這種俚歌俗曲，不知還悅耳否？」

丁炎山道：「楊兄這等場面，真是已窮聲色之極了……」

冷公霄道：「此曲只應天上有，人間哪得幾回聞……」

二人話還未完，楊文堯伸手向水源遠處一指，道：「三位請看。」

三人放眼朝前一看，只見一位仙子，身穿嫩紅緞裳羅裙，緞裳上鑲繡著滾金花邊，踏著綠綠碧波而來。

丁炎山三人凝神細瞧，這凌波而來的少女，並非仗著「凌空虛渡」的輕身功夫，原來她腳下踏著一片有桌面大小的金色荷瓣，這時竟冉冉上升，把那少女直托到畫橋邊沿。

曲橋上的十二個少女，如眾星拱月般地將那少女奉迎到橋上，圍在中間，那十二個少女繞著她四周，如蝴蝶穿花似地倩歌曼舞起來。

丁炎山、冷公霄都是不喜女色的豪傑之客，這時看了，也不禁怡然動容。

丁炎山點頭讚道：「這姑娘可算得上是廣寒仙子下凡了。」

楊文堯笑道：「她的色藝原是名動秦淮，不知多少走馬王孫想一親芳澤。」說到這裡，呵呵朗笑，接道：「不過卻被兄弟量珠聘得，這也是兄弟足以自豪之事……」

冷公霄看了一陣，不由悚然一驚，暗道：這楊文堯敢情是要用這等淫佚的聲色，來困禁我等不成？」他原是最多猜疑之人，心念一動，立時警覺，趕快將眼光收回，暗暗打算了片刻，用手拍了拍丁炎山道：「丁老三，你覺著這位姑娘怎麼樣？」

丁炎山不知他問此話是何用心，不覺臉上微微一熱，訕訕地答道：「論姿色可算得上瑤台仙子，實是我丁老三生平罕見……」

冷公霄忽然臉色一沉，道：「丁兄此話說錯了。」

丁炎山奇道：「兄弟又怎麼說錯了呢？」

冷公霄展顏笑道：「你那兩位令侄女才是人間仙品，她哪裡能與鬼谷二嬌相比呢？」

楊文堯一聽冷公霄又提出鬼谷二嬌，連忙支吾道：「既承蒙三位相誇，待兄弟叫她來把杯敬幾盅如何？」

說著話，舉手一招，那身著玫瑰紅彩裳的少女，應手舉步登橋，蓮步細碎，姍姍而來，片刻間，已入花軒，直到幾人席前，半屈柳腰，嬌聲說道：「堡主相召小婢，不知有何吩咐？」

楊文堯捋鬍微笑，道：「眼下幾位，都是武林上久負盛名的高手，老夫知己之交，你要好好的勸他們多吃幾杯，不要慢待嘉賓。」那玫瑰紅彩裳少女，羅袖微拂，嬝嬝站起身子，嬌聲說道：「婢子遵命。」緩步直向查玉走去。

幾人之中，查玉年紀最輕，人又生得玉樹臨風一般，那彩裳少女自被楊文堯量珠接到楊家堡之後，一直如關在金絲籠中的鳥兒一般，平日難得和其他男人見面。

要知楊文堯平日立規甚嚴，這些歌姬居住之處，雖是三尺之童，在未得堡主允准，也不能擅入一步，今日陡然見得這樣一個俊美少年，不自覺地芳心怦然震動，所以一舉步，就向查玉走了過去。

但見她舉起纖纖玉手，挽起桌上酒壺，替查玉斟滿了酒杯，說道：「公子如不嫌棄小婢，先請飲盡此杯。」

查玉雖然正值二十左右的風流之年，但他自負甚高，平常的女人，根本不放在他的眼下，此女遠看雖然美艷絕倫，但近前之後，仔細一瞧，立時可見那艷麗如畫的玉人，大部是借重脂粉化妝。

查玉眼高於頂，審美之念，才貌並重，此人雖嬌如春花，但卻缺少高貴氣質，看來俗不可耐，當下正襟危坐地端起桌上酒杯，冷冷說道：「不敢，不敢。」舉杯就唇，一飲而盡。

那彩裳少女似是尚未看出查玉冷漠神情，嫣然一笑，道：「多謝公子賞臉。」

查玉目不轉動地冷然答道：「好說，好說！」

那彩裳少女嬌媚一笑，道：「公子請稍待片刻，小婢再來奉酒。」姍移蓮步，直向索魂羽士丁炎山走了過去，玉手挽壺，又替丁炎山斟了一杯，說道：「這位爺請盡此杯！」

丁炎山微微一笑，目注楊文堯說道：「楊兄好大的排場，丁老三生平之中，就沒有享過這等艷福，今日頗有受寵若驚之感。」

說完，哈哈大笑不止，笑聲直沖霄漢，震得花軒上珠簾爲之搖動。那綵裳少女雙耳被丁炎山大笑之聲震得嗡嗡作響，如聞雷鳴，片刻間，花容失色，直是抖顫不停。

楊文堯若有所悟，冷笑一聲，道：「兄弟這花軒建築不牢，丁兄要是笑塌這處花軒，只怕咱們都不方便。」話中隱含著警告之意。

丁炎山收住笑聲，回頭望著那綵裳少女說道：「這等如花似玉的姑娘，給我斟上一杯，別說是酒，就是毒藥，丁老三也得把它喝入肚裡。」舉杯就唇，一口喝完。

楊文堯待丁炎山放下酒杯，一捋銀髯笑道：「丁兄豪氣干雲，真是英雄本色，只是兄弟這楊家堡只有待客的酒，卻沒有害人的毒藥，這個丁兄只管放心。」說著一陣哈哈朗笑。

丁炎山笑道：「丁老三嘴饞貪杯，倒教楊兄見笑了……」他嘴上這樣說，心裡卻罵道：你少在丁老三面前耍花樣，管你是美酒，還是毒藥，我總不吃你這一套。

丁炎山的爲人，特別的陰沉，所以在那玫瑰紅綵裳少女敬酒之時，他便藉故放聲大笑，他這等縱聲大笑，並不是當真地迷於這少女的艷美，而是他想借這笑聲，能使丁玲、丁鳳姐妹二人，知道自己已來到楊家堡，同時他很懷疑自己與徐元平力拚之後，內傷究竟有無妨礙，這才暗運功力，縱聲大笑。

那杯酒，雖然是接過來一飲而盡，但他乃老謀深算之人，平素也知道楊文堯不是好與之輩，哪裡就敢貿然地把酒嚥下去。暗聚內家真力，把酒逼凝在一邊。

那玫瑰紅綵裳少女，斟完丁炎山的酒之後，又輕移蓮步，走到冷公霄面前，淺淺一笑，手提玉壺，滿滿斟了一盅，含笑說道：「這位爺乃是我們堡主的貴客，請乾此杯……」

冷公霄的爲人更是奸猾，他用目光瞟了丁炎山和查玉一眼，才抬眼望著那綵裳少女，乾咳一聲道：「我冷老二素來是點酒不沾，多謝姑娘美意了……」說罷勉強又乾笑了兩聲。

那玫瑰紅綵裳少女放下玉壺，雙手捧起玉杯，低眉含顰地道：「爺今是客，務請乾了此杯……」

冷公霄還是一臉冷漠，淡然說道：「我生平從不吃酒，姑娘不必費心了。」

那少女手捧著玉杯，臉上泛上一層紅霞，轉臉向楊文堯瞧去。

楊文堯卻正凝神望著九曲畫橋之上，對她這舉動竟似未聞一般。那少女又轉臉勸了冷公霄一番，冷公霄依然不飲，弄得那少女僵立席前。

過了片刻工夫，楊文堯才緩緩轉過身來，朝冷公霄和那少女望了一眼，道：「怎麼，冷兄竟不吃這盛酒嗎？」

那少女捧著玉杯，訕訕地道：「這位爺說生平不吃酒，所以不曾賞臉。」

楊文堯道：「你就不會婉言勸敬嗎？」

那少女低著頭，低聲地答道：「小婢已勸請過幾次了……」

楊文堯望了冷公霄一眼，冷冷地道：「那麼你過來吧……」

那少女依言放下酒杯，珊珊地移步向楊文堯走去。

楊文堯朗朗笑了一聲，道：「你當真勸了嗎？」

那綵裳少女又輕移了一步，楚楚地倚立在楊文堯席前，緩緩點頭道：「小婢已勸……」

楊文堯未待她說完，冷哼一聲，道：「沒用的東西……」

那少女抬起令人憐惜的眼光，還想解說，楊文堯右掌已出，輕輕在她背上一拍，但聽「哇」的一聲，那少女噴出一口鮮血。綵裳飛閃，宛如落霞沉山一般，飛墜水塘之內。

楊文堯驟然出掌，擊斃玫瑰紅綵裳少女，此舉大出三人意料之外，任丁炎山三人江湖閱歷如何深廣，也不禁看得臉色陡變，心中驚駭不已。

楊文堯又輕擊了一下手掌，向橋上喚道：「玉荷過來。」

那叫玉荷的少女，無可奈何地拖移蓮步，走了過去，但冷公霄依然未喝。

待那少女轉向楊文堯回話時，楊文堯已一翻掌，「啪」的一聲，正擊中她的頭骨，只見秀髮撥亂，人已跌入水池。

楊文堯擊斃玉荷之後，高聲喊道：「玉菊過來，向冷谷主敬酒。」

橋上走過來一個身穿菊黃綵衣，年約十五、六歲的小姑娘，她來到軒中，已是淚掛香腮，走到冷公霄跟前，手捧酒杯，一言不發，睜著一雙淚光濡濡的大眼，雙手輕抖地望著冷公霄，眼中充滿驚怖、哀淒的神色。

冷公霄也望了她一眼，心中陡然一寒，甚是不忍，唉了一聲，接過酒杯，一飲而盡。

楊文堯仰起臉來，哈哈一笑，道：「冷兄生平酒不沾唇，這等破例賞臉，實叫兄弟感到榮幸。」

冷公霄道：「江湖之上，都說我們千毒谷中人心狠手辣，今日一見楊兄連斃兩位歌姬的手段，直叫兄弟汗顏，冷老二這二毒之名，算是白被人叫了。」

楊文堯微微一笑，道：「好說，好說，冷兄可算賞兄弟的臉……」

冷公霄臉色一變，霍然起身，怒道：「冷老二殺人放火，無惡不作，足以誇耀同儕者，就是生平之中不近女色，不負信諾。」

楊文堯對冷公霄發怒之情，視若無睹，微笑依然，舉手一招，說道：「玉菊，你過來！」

那菊黃綵衣少女，一見楊文堯舉手相招，早已嚇得面無人色，勉力舉步走到楊文堯身前之時，全身已顫抖的站立不穩。

楊文堯探手從懷中摸出一顆龍眼大小的明珠，交給那身著菊黃綵衣少女手中，笑道：「老夫素來賞罰嚴明，違命必死，有功立賞。你能勸得冷二谷主飲下一杯藥酒，實是大不容易之事，這顆明珠賞賜予你，以獎勸酒之功。」

那菊黃綵衣少女接過明珠，愁顏頓展，躬身拜伏地上，嬌聲說道：「多謝堡主恩賜。」

楊文堯揮手笑道：「現在已用你們不著，快給我退下去吧！」

那菊黃綵衣少女如得大赦一般，盈盈站起嬌軀，轉身奔上那九曲畫橋。

楊文堯站起身來，緩步走近石欄，伸手一拂，登時一陣軋軋之聲，那九曲橋緩緩向對面移去，隱入那翠竹林中不見。

冷公霄、丁炎山、查玉等正看得神凝目呆之際，楊文堯突然轉過身來，望著三人微微一笑：「三位適才飲下之酒，乃兄弟費盡苦心調製而成的藥酒，無色、無味，但卻劇毒無比。」

冷公霄冷笑一聲，站了起來，說道：「楊兄雖然費盡了心機，可惜白白送了兩個歌姬的性命……」說著話，雙肩一晃，突然凌空而起，落到那石欄旁邊，一張口，但見一道酒泉，衝口而出，直向荷花池中射去。

丁炎山暗中一提真氣，取過一個酒杯，一張口，把逼在胸中的藥酒，重又吐在酒杯之中，剛好滿滿一杯，暗中舒一口氣，忖道：我把咽入胸中之酒，全都逼了出來，酒中雖有劇毒，卻也難以傷得我了，登時心中一暢。

只有查玉暗暗叫苦，忖道：這兩個老奸巨猾之人，早已知道楊文堯酒中下了毒藥，但卻不肯暗中示意於我，如今他們都把藥酒逼出，只有我一人嚥入腹中……

冷公霄暗中提聚真氣，目注楊文堯，微聲一笑道：「楊兄智者千慮，卻有一失，你這花軒中雖有重重機關埋伏，而且又以掌斃歌姬的殘酷手段，迫我們飲下藥酒，卻未想到丁老三、冷老二，都暗中做了準備，兄弟自信把飲入腹中的藥酒，全部逼了出來，丁老三比兄弟更是精明，原酒奉還了楊兄一個滿杯，想來他腹中藥酒，也已逼出得點滴不剩，楊兄一番苦心，也許只毒害了一個查玉，這筆帳目有查子清找你討還，和我們這鬼王、千毒二谷無關……」

他微微一頓後，接道：「這且不去說他，單以眼下情勢而論，楊兄也是算有遺策，這花軒不過數丈方圓，四個人，有三個和楊兄誓不兩立，兄弟也許不是楊兄敵手，但如加上了丁老三和查玉，情勢又不同了，楊兄估量估量，可有以一勝三的把握嗎？」

楊文堯並不立時答話，先打量一下花軒中的敵我形勢，只見丁炎山、查玉、冷公霄各守一處方位，已成了合圍之勢，當下捋髯大笑，道：「別說三位已飲了我楊文堯秘製的絕毒藥酒，縱然三位未曾飲過藥酒，兄弟還能擋得住三位聯手之力，三位如若不信，但請出手就是。」

丁炎山陡然向前欺進兩步，逼到楊文堯身外三尺之處，冷冷說：「楊兄豪氣，實叫兄弟佩服，丁老三最是不知死活，願先和楊兄力拚十招試試，不過……」倏而住口不言。

楊文堯道：「丁兄有興，莫說十招，就是一千招一萬招，兄弟也要奉陪，不過什麼？先請把話說明，生死之事，也不急在一時。」

丁炎山道：「我那兩位侄女，被楊兄擄來楊家堡，不知現在何處？」他剛才那一陣放聲狂笑，暗中試氣，已知身體復原，膽氣壯了很多。

楊文堯道：「丁兄問話實在高明，兩位賢侄女現在敝堡後宅，我已責令內人小心看顧，丁兄只管放心。」

丁炎山拂塵一甩，道：「楊兄以堂堂堡主之尊，擄迫兩個晚輩到你楊家堡來，不知用心何在？」

楊文堯道：「兩位賢侄女在兄弟堡中一事，千真萬確，擄迫兩字，實愧不敢當，如若丁兄認為別有用心，這就叫兄弟難以答覆了。」

丁炎山怒道：「不論是擄迫還是哄騙，這等作為未免太過欺人。」拂塵一抖，劈頭打擊。

楊文堯袍袖一拂，劈出一股潛力，架開拂塵，笑道：「丁兄如果真要動手，最好抽出背上兵刃。」

丁炎山道：「那倒不必！」拂塵一揮，橫腰掃去。

楊文堯大聲喝道：「丁兄遠來是客，兄弟禮讓三招。」身子一轉，橫向旁側躍去。

冷公霄呼的劈出一掌，道：「比武動手，講究真功實學，楊兄最好少耍花招。」

楊文堯身懸半空，猛揮右掌，硬接了冷公霄一記掌風，身子借勢飄起，懸空一轉，已出花軒，但聞花軒四周一陣隆隆巨響，陡然由軒沿四周，疾落下一面金網。

原來楊文堯閃避丁炎山拂塵襲擊之時，已把機關發動，算準了時間，藉著和丁炎山、冷公霄動手的機會，躍出花軒。

但見他身懸半空，猛一轉身，落在一片荷葉之上，捋髯笑道：「三位請在花軒中住幾日吧！兄弟那花軒，外面看來雖不起眼，但裡面埋伏機關甚多，三位如能安安分分，在軒中休息幾日，兄弟自會派人按時送上酒菜，絕不會虧待嘉賓，如若妄圖破那金網，觸動了什麼機關，可別怪兄弟事先沒有說明。」

但見那花軒和楊文堯距離漸遠，瞬息已到數丈開外。

不知何時，那花軒已自行由岸邊向荷池之中移動。

冷公霄伸手一觸那落下的金網，但覺柔中帶硬，也不知何物做成。

這三人都是久歷江湖之人，身陷危險，反而都變得十分沉著。六隻眼睛，一齊盯在楊文堯身上。

楊文堯說完之後，縱身而起，躍登上岸，轉眼間隱入花叢之中不見。

冷公霄緩緩退到席位旁邊坐下，笑道：「楊文堯把咱們困到這花軒之中，不知用心何在？要說他真敢存心加害咱們，諒他憑仗楊家堡這點基業，還不敢樹立二谷再加一個查家堡這等強敵。」

丁炎山繞軒走了一周，說道：「神算子楊文堯之名，倒非虛傳，這花軒已移到荷池之中，丁老三還是看不出一點門道。」

查玉心中暗暗忖道：他們兩人都把腹中藥酒逼了出來，縱然在此軒中困上幾日，也不致有什麼危險，我卻不能陪他們守在此地，靜等藥酒發作而死，怎生想個法子，逃出此軒才好。

按下三人被困荷池花軒之中，再說偃師郊外，那荒涼的莊院之中，一所精緻的廂房裡，高燒著四支紅燭，照得滿室通明。

神州一君易天行靜靜地站在一角，臉上微帶笑意，看著那紫衣少女。

忽見她放下掩口羅袖，整了整頭上珠飾，星目流轉，打量了室中的景物，突然綻唇微微一笑。

這一笑和適才那等羅袖掩口的大笑，截然不同，只見她嬌艷絕倫的粉面之上，隨著那笑容，幻化出千嬌百媚，只看得室中所有之人，個個目凝神呆。

正當室中所有之人都為她那動人魂魄的笑容引得如醉如癡之時，忽聽徐元平「哇」的一聲，吐出一口鮮血。

那紫衣少女星目微轉，望了徐元平一眼，臉上笑容突斂，緩步直對徐元平走了過去，冷笑一聲，道：「你怎不神氣啦？」

徐元平舉起衣袖，拂拭一下嘴角間的血漬，雙手撐在地上，掙扎著站了起來，目光緩緩轉動，掃掠全室一周，抱拳對神丐宗濤一禮說道：「晚輩多承施救，此情此恩，留待日後補報。」搖搖擺擺，直向室外走去。

他這等倔強的性格，使全場高手，都為之怦然動容，齊齊把目光投注在他的身上。

要知眼下之人，無一不是身負上乘武功的高手，都已看出了他沉重的傷勢，如果不及時調息，只怕凶多吉少。

神丐宗濤一張嘴，欲言又止，順手取過背上的大紅葫蘆，咕咕嘟嘟，連喝了三大口酒。

那紫衣少女移動蓮步，嬌軀向後退了二尺，讓開一條去路。

上官婉倩扶著父親的肩膀，繞到父親身前，冷冷說道：「站住！你要到哪裡去？」

徐元平聽得喝問之言，不自禁地轉頭望去。

他全身餘力，都用來支持身體走路，這猛一轉頭，身子重心頓失，腳下站立不穩，疾向一側倒去。

但見神州一君右腳一抬，突然向前欺進三尺，伸手把他倒摔的身子扶住。

徐元平目光仍投注在上官婉倩身上，喘一口氣，說道：「我到哪裡去？你能管得著嗎？」

上官婉倩道：「哼，誰要管你了……」她微一停頓後，又說道：「但咱們打架之事，還沒有分出勝敗，你跑了，我到哪裡找你？」

徐元平微一沉吟，豪壯地說道：「我要死了，咱們是不用再比啦！如果我還活著，自然會找你打個勝敗出來。」

上官婉倩說道：「好吧！你的傷要是好了，可以到甘南上官堡去找我，只要得不到你的死訊，我會永遠……」忽然覺著話中有了語病，倏然住口。

徐元平舉起手來，伸出三個指頭，道：「三年吧！如果三年還沒有去，那我就是死了！」

上官婉倩忽的歎息一聲，黯然說道：「你如真的死了，我這一生之中，只怕再難找到像你這樣的敵手了。唉，那實在可惜得很。」

她自藝滿離師之後，縱橫西北武林道上，從未遇到一次敵手，今宵和徐元平一番苦戰，雖然打得兩敗俱傷，想他如一旦真的死了，茫茫人間，哪裡還能找到像他這般武功之人，妙齡少女童心未脫，如何能控制得住心中感慨之事，幾句感歎之言，倒是由衷而發。

上官嵩雖知女兒武功得自一位蓋代奇人傳授，功力、手法，均較自己高出很多，但此刻情勢不同，只怕她這幾句狂傲之言，引起麻煩，趕忙接口說道：「你胡說八道些什麼？今夜若不是易老前輩仗義施救，你還能活得了嗎？」

易天行道：「上官兄言重了，如果不是令嬡身具上乘內功，兄弟縱然伸手，只怕也無能救得。」

徐元平聽得易天行說話之聲，突然轉過身來，掙脫被扶手臂，直向門口衝去，扶住門框回過頭來，說道：「易天行，我傷勢如果能夠療治復原，第一個要殺的人，你知道是誰嗎？」

易天行輕輕地一拂胸前長髯，淡淡地笑道：「看來小兄弟的仇人似是很多，要殺哪個，實叫人難以想到。」

徐元平雙目圓睜，大聲說道：「是你！」

易天行微微一笑，答非所問地說道：「你傷勢十分嚴重，不管要殺哪個，都是以後的事，眼下首要之事，還是好好的養息內傷。」

那紫衣少女忽然緩步走了過來，星目流盼，儀態萬千，側臉望著徐元平柔聲說道：「舉世間沒有人能醫治好你的傷勢了，你將失去所有的武功，像一個普通之人一樣……」

這幾句話說得十分婉轉柔和，嬌甜動人。但聽在徐元平耳中，卻是字字如刀劍，全身微微顫抖了兩下，沉聲問道：「你說的可是真話嗎？」

紫衣少女輕輕眨動一下動人的眼睛，微微歎息一聲，臉上泛現出淒涼惋惜的笑意，說道：「我爲什麼要騙你？你已經傷得這樣重了。」

她臉上的表情十分奇異，甜笑起來如花盛開，千嬌百媚，似乎她臉上每一根汗毛，都在微笑。

此刻，這淒涼的笑意，卻又使她臉上每一個細小的地方，都泛現出無比的淒涼、憂慮，只要目光一觸及她那憂傷神情的人，登時便會心頭大慟，黯然神傷。

室中所有之人，都受到強烈的感染，隨著變得憂鬱起來，只覺她說的話，字字句句，都極真誠。

徐元平心頭一震，暗道：完了！我辛辛苦苦冒著生命之險，找到少林寺去，幸得皇天見憐，遇著慧空大師，三日傳燈，口授我《達摩易筋經》，那老人卻因此精血枯乾而死，我卻得受真傳，武功大進，只望洗雪父母沉冤之後，再替那老人完成他未完的心願，想不到今日一受傷，武功盡失……想到傷心悲苦之處，只覺生意頓消，一股怨憤之氣，由胸中直衝上來，用盡餘力仰天大喝一聲，噴出一口紫血。

紫衣少女星目眨了兩眨，臉上憂怨神色，忽然一變，道：「有救啦！」

徐元平噴出一口紫血之後，心中忽覺輕鬆不少，怔了一怔道：「你說什麼？」

紫衣少女道：「你若不吐出那口淤血，凝滯於命門、玄機要穴之處，結成內傷，縱然華陀重生，也沒法醫得好你……」

徐元平怒道：「你鬼話連篇的胡說些什麼？」轉身大步向前走去。

紫衣少女呆了一呆，罵道：「哼！不知好歹。」

遙遙傳來徐元平的答應之聲，道：「好男不和女鬥，我徐元平堂堂男子，豈能和你一般見識。」

那擋在門口的錦衣大漢，目睹徐元平去遠之後，突然大步走入室中，輕聲對那紫衣少女說：「師妹千金之軀，連日忍受折磨，也該早些休息了……」

他回頭望著那白髮老嫗，恭恭敬敬地說道：「梅娘請護送小姐回山莊休息，此地之事由我和歐、胡二兄辦理，人手已足夠了。」

此人身軀高大，相貌威武，說起話來聲若洪鐘，加上那一身錦衣有似朝服玉袍，儼然王公巨卿身分，看上去氣度十分高貴。

那白髮老嫗，自入室中之後，臉色一直冷冰冰的，毫無表情，直似這世界上任何事，都和她毫無關係一般，站在地上，動也沒有動過一下。聽得那錦衣大漢講完話，雙目緩緩轉動，掃掠了場中群豪一眼，老氣橫秋，慢吞吞地說道：「這些人都是中原道上甚負盛名的人物，你們三個，自信能對付得了嗎？」

那錦衣大漢躬身答道：「梅娘望安，晚輩雖然久離師門，但武功並未放下……」，言下神色駭然，似是勾動起以往傷心之事。

那白髮老嫗微微一聳眉頭，似是對那錦衣大漢之言，不很放心，口唇啓動，正要說話，忽聽室外飄傳來一個粗豪的聲音道：「歐駝子、胡矮子，你們跑到這荒涼所在幹啥嗎？我師妹在這裡麼？」

餘音未絕，室中突然多了一個滿頭亂髮，身著大紅長衫，滿臉虬髯，背插寶劍，右腋下夾著鐵拐的怪人。

那紫衣少女看清來人之後，忽然微微一笑，道：「二師兄，你來這裡幹什麼？」

來人哈哈大笑，道：「你一個人跑入中原，二師兄如何能夠放心，特地趕來護駕……」忽然目光一轉，瞧到那錦衣大漢，登時斂去臉上笑容，右腋一招，向後退了兩步。

原來他只剩下一腿，右腋下的鐵拐，當作右腿施用。

只見他神色莊嚴，屈下單膝，恭恭敬敬地對那錦衣大漢施了一禮，道：「大師兄別來無恙，咱們師兄弟二十年沒見了吧！小弟疏於問候，尚望大師兄海量包涵。」

那錦衣大漢肅然問道：「師父身體可好？」

那紅衣單腿大漢答道：「師父近年喜愛清靜，獨居五毒園中，不見外人，小弟也有三年之久，未拜見他老人家的慈顏了。」

那錦衣大漢輕輕歎息一聲，道：「你起來。」

紅衣單腿大漢依言站起身來，退到一側，筆直靜立，一語不發，和初入室來那等豪放嘻笑神情，前後判若兩人。

那紫衣少女瞧了錦衣大漢一眼，說道：「二師兄你平時嘻嘻哈哈，最愛說話啦，怎麼現在裝起啞吧來了？」

那紅衣單腿大漢微微一笑，但卻不答那紫衣少女問話。

錦衣大漢微一上步，說道：「師妹連日來受苦不少，還是請早回碧蘿山莊去休息吧！」

紫衣少女一顰秀眉，滿臉不悅之色，說道：「大師兄，你爲什麼老是要我回去？」

那錦衣大漢正容道：「眼下強敵都是中原武林道上出類拔萃的人物，一旦動起手來，勢必凶險絕倫，師妹千金之軀，豈可留在這裡，萬一師兄等照顧不到，被人傷了師妹，小兄如何擔待得起？」

紫衣少女道：「我這幾日連番被人擒捉，如若人家早已把我殺了，那將又該如何？」

這幾句話，只問得那錦衣大漢啞口無言，怔了半晌，才歎一口氣答道：「小兄等保護不周，實難自恕，幸得托天之福，師妹毫髮未傷，以後自當嚴密相防，免再驚擾到師妹，還請師妹顧及玉體，早回碧蘿山莊，也免使小兄心懸兩地，精神分散。」

那紫衣少女道：「你們如何能看得住呢？我要走，就隨時可走。」

她似是自覺這幾句話說得太重，頓了一頓，接道：「走就走吧！其實我們遇上敵人，也是一樣！」緩緩轉過身，直向門外走去。

易天行臉上始終展現著笑意，但神丐宗濤和上官嵩卻已聽得怒形於色。

宗濤最是難以忍氣，當下冷笑一聲道：「老叫化久聞南海門下武功，詭異絕倫，今宵能夠見識見識，那可是夢寐難求之事。」

易天行回頭望了上官嵩一眼，笑道：「萬流同源，落葉歸根，武功一道，雖然博雜萬端，但仔細考究起來，不外練力、養氣、取巧三訣，昔年中原武林同道大會南嶽，各派各門，都派遺高手與會，原本希望那場大會之上謀求解決中原武林紛爭，不想竟爲南海奇叟所擾……」

說至此處，突然舉手一揮，那六個懷抱短劍的白衣童子，突然齊齊縱身而起，別看幾人年紀不大，但是身法卻是快速驚人，但見白影閃動，一齊躍落門口，各自揮動手中短劍，幻起一片森森劍幕，攔住了那紫衣少女去路。

神丐宗濤又看得心頭大大吃了一驚，忖道：易天行果是不凡，單看這六個童子的身法，無一不可列名武林中一流高手。

那錦衣大漢和白髮老嫗也似被這六個童子的快捷身法所駭，同時一皺眉頭。

易天行繼續說道：「那老人當著我南七北六一十三省武林高手，大談中原武學，而且拿出一本黃絹封裝的冊子，自詡爲南海門下奇書，那場大會經他一擾，落得個不歡而散，可是那老人卻因而揚名江湖，南海門和南海奇書同爲武林中爭相傳誦之言，傳言愈多，愈是神奇，眼下南海門一脈武功，已成了我中原武林同道人人企求的神技了……」

那久久未出一言的紅衣獨腿大漢，聽到此處，突然接口大聲說道：「南海門中武功，縱包古今，橫博天下各門派，自然是當代武學中最爲奇奧之學，還能假冒不成？」

神州一君易天行仍然心平氣和，微微一笑，接道：「其實中原武學博大精奇，絕非南海門武功能及得萬一，少林派中七十二種絕藝，任何一種，都足以消耗一個人一生精力，尤其《達摩易筋經》可算得正大武學中登峰造極的大成，一個人只要能夠得上一篇半章，就終身受用不盡。如講偏激詭異，南海門武功也不足和甘南斷腸居恨天一嫗相比……」

宗濤取過身後紅漆葫蘆，咕咕嘟嘟喝了兩口酒，舉起手，抹抹嘴巴。

易天行淡淡一笑，道：「宗兄想是不信兄弟之言了？」

宗濤本想駁他，但轉而一想，眼下情勢不同，南海門久負盛譽，而且目前已成了敵對之勢，雙方劍拔弩張，一觸即發，如若再和易天行自相殘殺一陣，授人以可乘之機，似非上策，想了想又忍下去，借勢取過葫蘆，喝了幾大口酒。

但經易天行這一追問，哪裡還忍得住，冷笑一聲，說道：「老叫化在江湖上跑了大半輩子，就沒有聽說過恨天一嫗之名，易兄說話，最好有點分寸……」

易天行仍然滿臉笑意，心平氣和地接道：「那恨天一嫗從不在江湖上走動，別說宗兄不知其人，就是當今武林之中，也沒有幾人知得。」

宗濤冷然說道：「這麼說來，只有你易天行一人知道了。」

易天行笑道：「這倒不是，眼下之人中，就有兩人知道。」

宗濤奇道：「哪兩個人？」

易天行目光轉投到上官嵩父女身上，笑道：「上官兄且莫隱瞞，免得兄弟和宗兄鬧出口角，那斷腸居就在貴堡附近，上官兄想必知道恨天一嫗了？」

上官嵩一皺眉頭，道：「這個……這個……」他似是有著甚大的難言苦衷，這個了半天，還是這個不出個所以然來。

上官婉倩突然接口說道：「我師父從不和武林中人物來往，你怎會知道她？」

上官嵩道：「孩子，你這不是告訴人家了嗎？」

上官婉倩先是一怔，繼而嫣然一笑，說道：「我又不是故意說的，就是師父知道了，也不致責罵於我的。」

易天行道：「這就是了，宗兄不相信兄弟之言，總該相信上官兄和他令嬡的話吧！」

宗濤輕輕哼了兩聲，道：「老叫化不知其人，也不算什麼丟人之事。」

易天行笑道：「除開恨天一嫗不談，眼下江湖上一宮、二谷、三堡中，都有他們獨特的武功，而且各有大成，博及五行神算、奇門八卦、醫卜星相，無所不包……」

紫衣少女突然轉過頭來，接道：「恨天一嫗也好，一宮、二谷、三堡中人物也好，大不了在武功上有些成就而已，致於五行神算、奇門八卦、醫卜星相、機關埋伏，更是算不得什麼深奧博大之學，此中學問首推河圖、洛書，中原人物有幾個敢自詡精通此道？」

此女口氣狂大，連易天行那等修養有素的人也爲之臉色一變，冷笑一聲道：「年輕輕的姑娘家，怎的說話這等放肆，天下之大，無奇不有，你見過多少世面，敢這等藐視天下英雄？」

紫衣少女緩緩向前走了幾步，道：「你們中原武林，最受尊崇的人物，不知是哪一個？」

此言問得大是突兀，神丐宗濤、上官嵩、易天行，彼此互相望了一眼，都默然不言。

數百年來少林寺一直被譽爲武功薈萃之處，隱隱領袖中原武林，但武當在百年前聲勢突漲，目標內功劍術，天下無敵，但自一宮、二谷、三堡崛起之後，江湖大變，黑白兩道高手輩出，人才濟濟，江湖上形成了分地各踞的混亂局面。

這三人都是名重一時的高手，縱然想公公平平地說出中原道上最受尊崇之人，也是難以想起來該說哪個才對。

十七　神州一君

沉默了足足有一盞熱茶工夫之久，易天行才接道：「這一問，就叫人覺著你年紀幼小，見識不多！」

紫衣少女說道：「我問得哪裡不對？」

易天行說道：「武功一道，博大深遠，不論何等聰明之人，也難把世上所有的武功學會，至於星卜醫道、五行神算、河圖、洛書，更是窮盡一生精力，也難通達全盤變化的學問，哪個最受尊崇，必是武功、學問件件都有過人之處，才能爲人公認。武功無邊，學問無際，天下沒有武功第一之人，也沒有無所不通之才，經緯天地，絕代才人，直古迄今，能有幾個？縱然是有，也不過在某一種學問之上，有所大成，也難通博天地間萬事萬物，姑娘所問之話，在下很難答覆，不過我可相告姑娘的，就是你眼前之人，都是中原武林道上小有盛譽的人，只要你把我們幾人制服，大概你們南海門的武功，就足以揚名中原了。」

紫衣少女星目轉動，掃掠了易天行等一眼，緩緩說道：「這麼說來，三位都是中原道上的第一流高人了？」

宗濤冷哼一聲，道：「將將就就的算一份吧！」

紫衣少女慢慢地舉起纖纖玉指，好整以暇地理理頭上的秀髮，說道：「失敬，失敬，敢問三位高名上姓？」

易天行微微一皺眉頭，暗道：這女娃兒好生難纏。

但他心機深沉，喜怒之情，從不形露於色，也緩緩舉手一捋鬚，眉頭頓展，道：「姑娘當真不知呢，還是明知故問？」

紫衣少女道：「知道你們姓名了，我又不能長高些，有什麼好？」

易天行回頭望望宗濤，說道：「這位身背葫蘆，不修邊幅的宗兄，乃我們中原武林道上望重一時的大俠神丐宗濤，姑娘昔年曾和令尊大鬧南嶽英雄大會，已算涉足過我們中原，想已聽令尊說起。」

那紫衣少女星目轉動，在宗濤臉上溜了一眼，說道：「神丐宗濤這名字倒是聽人說過。」

易天行微微一笑，舉手指著上官嵩道：「這位乃威震西北黑白兩道的上官堡主上官嵩。」

紫衣少女側著臉，微微一聳秀眉，道：「你們中原武林，分有一宮、二谷、三大堡，這位上官堡主是號稱三堡中的一堡雄主了？」

易天行高聲說道：「在下叫易天行，我們三人姓名，盡皆相告姑娘，不知還有什麼相問之事嗎？」

紫衣少女緩緩仰起臉來，望著屋頂，說道：「三位果然是中原道上大大有名的人物，不過……」

宗濤看她那等漠然神情，不禁大怒，高聲喝道：「不過什麼？老叫化已聞得南海門下武功，詭奇、辛辣，今宵正好見識見識！」

紫衣少女回頭望著那身著紅衣獨腿大漢，道：「二師兄，人家指名要見識咱們南海門的武功，我可是不願和那又髒又臭的老叫化子動手，你去和他打幾招吧！不過不許打得太多，只限十招。」

那紅衣獨腿大漢側臉望著那錦衣大漢，似是等待示下。

錦衣大漢正容說道：「師妹身懷白鳳令旗，說話有如師父令下，你還不快些出手，站這裡等什麼？」

紫衣少女淡淡一笑，道：「二師兄平常就不肯聽我的話，大師兄最好多教訓他幾句。」

那紅衣獨腿大漢大聲笑道：「大師兄久已不教訓我了，縱然是責罵之言，聽來也甚受用。」鐵拐一頓，呼的一聲，躍入場中，左手一指宗濤，說道：「臭叫化子，快出來……」

宗濤大聲喝道：「臭叫化子也是你叫的嗎？」

舉手一掌直劈過去，一股強猛的暗勁，直撞過去。

紅衣獨腿大漢冷笑一聲，舉起左掌平胸推出，竟然硬接一擊。

宗濤推來的暗勁，撞中那紅衣獨腿大漢，推出左掌之後，忽覺一股陰柔的力道，把自己劈出的陽剛之勁卸去，不禁心頭一震，暗道：中原武林道上盛傳南海門武學詭譎難測，別走蹊徑，自成一家門戶，今宵老叫化子如若敗在此人手中，那可是羞見天下英雄之事。當下一吸丹田真氣，把擊出的力道收了回來。

他功力已到收發隨心之境，一發一收間，只不過剎那間的工夫。

那紅衣獨腿大漢接了神丐宗濤一記劈空掌風，突覺心神一震，心中大生驚駭，忖道：這老叫化子倒非徒托空言之輩，今宵之戰，勝負難料。當下凝神運氣，蓄勢待敵，並未借勢反擊。

兩人所修內功，路數大異，宗濤以陽剛之力見長，發掌出拳，講求碎石裂碑的威猛之勢；紅衣獨腿大漢卻以陰柔之力克敵，攻拒之間，講求以辛辣迅快的招數，無聲無息地暗勁傷人，外形之上很難看得出他功力造詣的深淺。

所以宗濤發出一記劈空掌風，被對方推出的陰柔之力化解開去，紅衣獨腿大漢雖已感到心神動撼，但宗濤卻一點也瞧不出。

兩人互以內功拚了一掌之後，彼此都知遇上了前所未見的勁敵，誰也不敢稍存大意之心。

神丐宗濤轉臉瞧了易天行一眼，輕輕咳了一聲，緩步走了出來。但見他愈往前進的腳印，陷地愈深，臉色也愈見凝重。

全場中人，都已瞧出了局面緊張，屏息凝神，注目而觀。

宗濤在距那紅衣獨腿大漢三尺左右處，停了下來，冷冷說道：「看你身有殘缺，讓你先出手吧！」

那紅衣獨腿大漢心知這先行出手的一招，十分重要，如能搶了先機，沾光不少，當下笑說道：「你已先發了一記劈空掌力，我縱先行出手，也不算承讓先機。」話落口，左掌已自出手，當胸推去。

神丐宗濤身子一側，不退反避，左掌橫掃，右手當胸戒備。

紅衣獨腿大漢右腋鐵拐突然一頓，身子凌空而起，一腳踢向宗濤的小腹。

這一著快攻突起，借勢取敵，快若電光石火。

宗濤仍然不肯向後退避，小腹一吸，下半身陡然向後縮回一尺，讓開一腳。

那紅衣獨腿大漢著地，鐵拐向前一傾，上升之勢不變，單腿一伸，疾向前胸點去。

宗濤大喝一聲，護胸右掌疾掃而出，仍是不肯向後退避。

那紅衣獨腿大漢，雖只有一隻鐵拐著地，身懸半空，但收腿出手之勢，仍極靈活，只見他單腿一跪，讓開宗濤掌勢，突然突又疾伸而出，踢向宗濤下顎。

他在一腿之中，原式不變，連踢了三個部位，而且迅快無比，一氣呵成，宗濤武功雖高，但也被迫得向後退了兩步。

那紫衣少女突然叫道：「二師兄，你已經踢出三腿，打出兩掌，不算那老叫化子攻出的掌勢，已有五招，已經過了半數啦！」

紅衣獨腿大漢突然吐氣出聲，身子向上一翻，疾向後躍退五尺，單腿落地，高聲道：「先別打啦！我有話說。」

神丐宗濤被他迫退了腳步，心中真火已動，正待全力搶攻，那紅衣獨腿大漢忽然退後五尺，當下冷笑一聲，道：「有什麼話快些說吧！老叫化子還急要領教武功！」

那紅衣獨腿大漢冷哼了一聲，轉過頭去，對那紫衣少女說道：「師妹你怎麼算的，我這一腿雖然連踢了三個部位，但原式卻是未變，如何能算三招了？」

那紫衣少女微微一笑，道：「不管啦！你踢人家三個部位，我就要算你三招！」

那紅衣獨腿大漢心頭大急，高聲辯道：「這明明是一招，如何能算三招呢？」

紫衣少女道：「我說三招就是三招，你打人家不過，再加二十招也是沒用，要是能打得過，一招或兩招，就可分出輸贏，我爹爹和人家動手的時候，總是一、兩招便能制勝，幾時超過三招了？」

那紅衣獨腿大漢聽得怔了一怔，肅容說道：「師父老人家是何等超人之人？我再學上一百年，也難及得師父萬分之一。」

紫衣少女道：「這就是啦！你武功不好，打人不過，就是再加上一千招也是沒用！」

易天行、上官嵩看她自自然然說出這強詞奪理之言，心中暗生驚駭，暗暗忖道：那紅衣獨腿大漢和宗濤動手雖只有幾招，但已看出他武功縱然不能勝過宗濤，也差不了好遠，如若讓兩人放手打去，不到千招，絕難分出勝敗，此女口氣這等托大，難道真有過人的武功不成？

那紅衣獨腿大漢似是不敢再和那紫衣少女爭辯，轉過頭來目注宗濤道：「咱們還有五招，生死勝敗，都在這五招相搏之中。」

神丐宗濤冷冷說道：「五招之數，老叫化子自知難有勝人之道，南海門的武功，素有詭異之稱，你有什麼自認奇詭之學，但請用出就是。」

紅衣獨腿大漢道：「臭叫化子倒不失磊落胸襟。」

他微微一頓後，又道：「我這第一招名叫『萬點寒星』，咱們同時出手搶攻。」

宗濤冷哼一聲，道：「老叫化用一招『雲帚清天』對付。」

話一往口，兩人同時向後退了一步，各自凝神蓄勢，但都不敢搶先出手，彼此相對而立。

紫衣少女看著二人凝神聚氣，虎視眈眈地相對而立，微微別過臉，望著那白髮老嫗，輕輕淺笑。

紅衣獨腿大漢耳聞紫衣少女淺笑之聲，心頭激動，不由得用目光向她掃望過去，只見她正看著自己，心裡不免有點焦急，但對方乃是自己生平罕逢的勁敵，不敢有一點分神，掃了一眼，又趕忙收住心神，蓄勢待敵。

這二人又相持了一盞熱茶工夫，各自吸集了一口真氣，雙目圓睜，眈眈地凝注對方。但見二人身腿微矮，神丐宗濤左腿徐徐自左移動，那紅衣獨腿大漢腋下鐵拐，也略略向右移出。

神丐宗濤向左，紅衣獨腿大漢向右，同時慢慢移動腳步，這腳下移動得十分緩慢，一寸一寸地半晌才移開一步。

二人移動雖然十分緩慢，但看來竟是極其吃力，那紅衣獨腿大漢輕移腋下的鐵拐，所過之處，但聽咯咯吱吱的作響，地下便留下一道拐痕。

那神丐宗濤的功力也是驚人，鞋履過處，地面也是現出一道深深痕跡。二人四目相對，一寸一寸地移動，這情形看來極是平靜，毫無驚駭之處，但佇立一旁的易天行、上官嵩幾人，卻看得連大氣也不敢出一聲。

要知這武功一道，不過是講求練力、養氣、取巧三種原則，一般動手過招，不過是取巧而已，儘管打得刀光劍影，也只是招式純熟，對拆俐落，若是雙方比較內力，那就全在養氣的功夫之上，雙方各聚真元內力，勁由暗中迸發出來，從外面看來，直似晴空無雲，碧海不波，平靜萬分，但是這種平靜之中卻含著天覆海騰，一觸即發的潛在驚險。

神丐宗濤與那紅衣獨腿大漢，這時雖然相距數尺，相對移走，但易天行幾人一看便知，這二人已集聚了全身功力，準備俟機驟襲對方了。

二人頭上的青筋漸現，眼睛睜得大大的，腳下步法，也漸漸加速，但聽拐聲「得得」，二人已對峙游走。

約莫走了三圈，二人同時突然停身止步，立如山嶽。但二人身子卻又同時微微一晃。

紫衣少女輕輕喊了一聲，道：「好，又是一招。」

紅衣獨腿大漢點了點頭，又漸漸移走。

神丐宗濤當即隨著那紅衣獨腿大漢的速度，移開腳步，相隨走動。二人又走了十數圈，那紅衣獨腿大漢，猛的吐氣出聲，左掌在胸前平劃一招。

這一招他出手之際，吐氣出聲，定是用了十成的真力。但掌風出手，卻並不凶猛，只是柔柔的徐如熏風。

神丐宗濤早知南海門武功的奇詭，哪敢大意，身形一穩，丹田氣聚，雙掌平胸，靜如古松，待那股柔風來到，這才雙手擺揮。但聽一陣狂嘯，已把柔風化解開去。

那紅衣獨腿大漢發出的一股柔如熏風的掌力，乃是他集聚八、九成功力的一擊，滿以爲這一掌或可給神丐宗濤一點挫折，哪知事實不然，這一掌竟被宗濤揮出的剛陽勁氣，化解開去。不但自己的掌風被宗濤化去，而且自己吃那剛陽強勁的掌風所含蘊的反震之力，震得心頭卜卜地直跳，心氣浮動。

這紅衣獨腿大漢因當著那紫衣少女之面，不敢示弱，當下忙攝斂心神，猛提一口真氣，右腿一運真力，鐵拐疾點，人已懸空躍離地面，左腳彈飛，向宗濤腰間要穴猛力踢去。

神丐宗濤乃是武林奇俠，經驗何等廣博，在動手之初，就知這缺腿的漢子雖是斷缺了一條右腿，但他在腿上確也下過一番苦功，所以暗中特別留意他的腿腳。

這時見他凌空躍起，借這騰躍之力，一腿踢到，立時身子一矮，雙手往上一托，一招「撥雲見月」，直向他腿上擊扣而去。

紅衣獨腿大漢確實學有獨到，見神丐宗濤雙掌扣撲而來，半空中身形一弓，左腿急收，腋下鐵拐一旋，激起一陣狂飆，直向神丐宗濤頭上罩去。

神丐宗濤陡覺頭頂風涼，雙足用力一點，人已矮身貼地，橫閃五尺，倏的身形一長，右腳點地，同時疾吐左掌，人又向紅衣獨腿大漢欺去。

紅衣獨腿大漢一腿一拐未中，心中不免焦急異常，身形尚未落地，已見神丐宗濤返身擊到，當下急用「千斤墜」的身法，穩住身形。

正當他鐵拐拄地之時，那紫衣少女已淡淡地說道：「好啦，好啦！二師兄你十招已過，還有什麼可比的呢？」

紅衣獨腿大漢身勢正挪向宗濤迎去，聽得紫衣少女一喊，只得猛然收刹住身勢，回過頭訕訕地道：「小兄與他尚未分高下……」

紫衣少女不待他話完，搖搖頭道：「我不管你們分不分高下，我只限你十招，現在十招已過，自然不能再比。」說著把一雙秀目瞧了瞧上官嵩。

那紅衣獨腿大漢彷彿怕紫衣少女責怪，還想講話，他移了兩步，望著紫衣少女張了張嘴。

那錦衣大漢未待他開口，冷然一笑道：「師妹之言，有如師訓，你還有什麼話可說？」紅衣獨腿大漢望著錦衣大漢，高聲說道：「小弟遵命。」說著便向一旁退去。

神丐宗濤見紅衣獨腿大漢已向一旁退去，也只得返身退回一側。

紫衣少女望了上官嵩一眼，又轉臉對錦衣大漢道：「我久不見大師兄和人動手了，現在你去和他過幾招，也好讓他們多見識咱們南海門的武學。」說話間，緩抬羅袖，輕輕向上官嵩一指，又接道：「不過，你們二人只限五招。」

上官嵩見她向自己一指，當下含笑而出，那錦衣大漢略整錦冠，迎向上官嵩走過去，抱拳說道：「待我來陪上官堡主走幾招。」

上官嵩手拂長髯，點頭微笑，說道：「很好，很好，兄弟久知南海門的武功，別走蹊徑，只是恨無機緣，今天倒要一開眼界了。」說完又是朗朗一笑。

錦衣大漢走了幾步，收住腳步，道：「上官堡主威震西北，武林中誰人不知，況且三堡的武學各有絕藝，今天兄弟在上官堡主之前，正好請益了。」

上官嵩一笑，道：「豈敢，豈敢，你如此一說，倒叫兄弟汗顏了，武學一道，廣如瀚海，兄弟能懂得多少？」頓了頓又道：「想你南海門別立宗派，創所未有，武林中人，誰不想一睹南海門的奇學，今日之會，實是難得，尙望不要藏珍才好。」

錦衣大漢還想說話，忽聽身後「篤篤」兩響，這聲音雖然不大，但觸地發聲之時，地面卻微感震動，錦衣大漢聽得心裡一凜，回頭望去。原來這兩下觸地之聲發自老嫗。

錦衣大漢一看老嫗這種情形，就知她心中不耐煩自己與上官嵩這等交談。

他對這白髮老嫗彷彿有幾分畏懼，當即前跨一步，道：「既是機會難遇，上官堡主就請出手，兄弟這廂候教了。」

說完話，依然卓立原地，身形不變，氣定神清地竟似渾如無事一般。

上官嵩道：「好說，好說，還是你請先。」

紫衣少女見他二人互相謙讓，插口說道：「不行不行，武林中講究尊讓之禮，上官老堡主是江湖成名的人物，自然是先請老堡主出手。」

上官嵩望了她一眼，見她說得極是誠懇，當下答道：「既是如此，只弟就有僭了。」說著也向前移動了兩步，朝著錦衣大漢道：「今日咱們比武，就依姑娘的意思，以五招為限，不知尊駕意欲如何比法？」

錦衣大漢道：「一切悉聽尊便，在下無不奉陪。」

上官嵩哼了一聲，道：「以兄弟之意，咱們前三招試試彼此拳腳上的功力，後兩招則看看你我內功的修為，你道如何？」

錦衣大漢還未來得及答話，那紫衣少女輕輕「嗯」了一聲，道：「老堡主這方法，很是高明，大師兄自是沒有話說。」

上官嵩瞧了錦衣大漢一眼，略一抱拳，喝道：「接著兄弟一招試試。」話甫出口，人已雙足懸空，騰身躍起，右掌單劈一招「神斧開山」，直劈那錦衣大漢左肩。

他沉浸武學數十年，威震西北黑白兩道，功力自然非同小可，眼下又是勁敵當前，哪敢輕敵，這一掌由空劈下，勢如山崩，力逾千斤。

錦衣大漢見一掌劈到，不慌不忙，從容一邁右腿，猛挫身腰，斜地讓開三尺。同時左掌托天，一招「仰望雲霓」，暗中已運集了內勁，直向上官嵩劈下的勁道迎去。兩股勁道，一股下壓，一股上迎，半空兩下一擋，激起一陣旋風。

二人這一接觸，心頭微震，不由互望了一眼，暗自讚道：好功力！

但聽颼颼兩聲，衣袂風動，二人各橫讓出兩步，雙方腳落實地，錦衣大漢左腿前欺，身子朝前一衝，雙掌平推而出，直向上官嵩腰部「章門」要穴擊去。

上官嵩見錦衣大漢來勢如驚濤駭浪，凶猛無比，一提丹田真元，力貫雙掌，左掌貫注一股真力，護住胸、腰、腹三大處，右掌橫擊出一股內勁，硬向錦衣大漢襲來的勁力切去。

這第一次發動，二人不但各存戒心，而且含有一爭高下的意念，所以這一交接，二人的四掌，僵持在原處，半晌未曾移動，腳下馬步，踏得地面咯咯作響。

二人這一掌功力悉敵，誰也不敢先撤手，僵了片刻工夫，二人同時吐氣出聲，但見兩條身形一晃，已同時躍開。

紫衣少女在一側柔聲道：「大師兄，你還有一招了。」

她話音未完，場中二人又已三度交手，上官嵩二指如戟，直向錦衣大漢「將台」穴點去。

錦衣大漢疾翻左腕，但聽「唰」的一聲，錦袖向上一揚，宛如一道錦幕，護住前胸。

這二人動手的招式雖看來平平無甚奇特之處，但因二人修爲的火候不同，而且二人各有擅長，所以一式一招，舉手投足之間，實含有驚心動魄的威力，雖則各出三招，已看得在場幾人，屏住了聲息。

上官嵩一點未中，錦衣大漢翻袖之間，也未能借力挫折於他，這一回合，依然不分高下，二人同時撤招收勢。

錦衣大漢道：「上官堡主果然是武林高手，名不虛傳。」

上官嵩也笑道：「尊駕果真身負奇學，兄弟算見識了。」

錦衣大漢道：「你我拳腳已完，願再領教老堡主的絕世內功。」

上官嵩捋髯點頭。

錦衣大漢道：「內功不比拳腳，一招之間就可立判勝負，以兄弟之見，咱們不妨在立、坐二勢上，各試一招如何？」

上官嵩道：「使得，使得。」

錦衣大漢道了一聲「請」，便丹田運氣，蓄勢待敵。

上官嵩也不遲延，當下雙目微閉，雙腿略屈，立地如石。

二人暗中運集內勁，約一盞熱茶工夫，只見二人雙手微微上抬，身子也微朝前傾，臉色也光采煥發。

猛然間，兩聲暴喝，有如晴空霹靂，隨著大喝之聲，四掌疾收疾吐，這動作快若電光石火，覺似同一動作。

就在這一送一收之間，迸發起兩陣狂飆，激揚沉濁的呼嘯之聲。

二人身形同時擺動了兩下，覺得心氣微浮，暗自試運了一下氣息，覺著各處經脈暢通無礙，才悠悠吁了口氣，放下心來。

上官嵩先開口說道：「還有一招，彼此可不必存什麼顧忌之意，可全力施爲，讓兄弟一窺南海門的奇學。」

說罷，矮身席地坐下。錦衣大漢冷然一笑，也席地坐下。

二人相對坐下，略一調息，點頭示意，便各自運功待敵。

大約有一盞熱茶工夫，陡然間二人喘如雷鳴，毛髮戟立，定目凝神，相持了一頓飯的時間，依然坐在原地，不見動靜。

紫衣少女也一直呆呆地看著，她看了半晌，忽然星目一轉，抿嘴微笑。

又隔了片刻，她才轉臉對那手拄竹杖的白髮老嫗，笑道：「梅娘，你看他們二人真是勢均力敵，竟然到現在，未分勝負。」頓了頓，又說道：「就怕他二人內功修爲，功力相若，誰也不敢鬆懈一點，依我看，他們二人恐怕是僵住了，還是請梅娘去解一下吧！」

那白髮老嫗，蹙著眉頭，望了紫衣少女一眼，拄著竹杖，帶著一種不願意去而又彷彿不能不依她的神情，道：「他們難得會到稱意的對手，讓他們分個高下不好嗎？」

紫衣少女搖搖頭，說道：「我不忍心看到他們弄得臂斷腿折的，所以才限制了招數。」說著又對錦衣大漢和上官嵩瞧了一眼，道：「嘿，他們倆支撐得差不多了，如再不去代他們化解開，必定要落個兩敗俱傷，你快去吧！」

她這幾句話，說得卻極有一種力量，那白髮老嫗只好搖了搖頭，向二人走去。

梅娘走了幾步，在距二人四、五尺開外之處，倏然停步，右手一抖，竹杖疾如游龍，脫手飛起，左手一招，已捉住竹杖頂梢，右手向下一沉，竹杖一點消尖，直向二人中間挑去。

二人相較內力，原不見有何凌厲的聲勢，只是二人僵坐在原地，不敢有絲毫移動，更不敢有絲毫分神之處。這時梅娘一伸竹杖，朝二人對坐的中間部位挑擊而去，只聽一陣輕微的呼嘯之聲，宛如風吹林木一般，暗勁波蕩，震得地面土飛塵揚。

那白髮老嫗竹杖一點一挑之下，倏的一收杖勢，身形微微一晃，人已又在紫衣少女身邊。

紫衣少女面現淡淡歡愉之色，說了句：「梅娘辛苦了。」

梅娘也只笑了笑，沒有答話，卻望著上官嵩和那錦衣大漢。

但見二人突的身形暴起，各向後躍飛了五、六步遠，站穩身子。

紫衣少女待二人站定之後，淡然說：「這一招也不能算分出高低，你們二人也是平手。」微一停頓，轉過臉去，望著易天行道：「久聞你神州一君，在中原武林地位極是崇高，想來武功定是不凡，本來我想自己試試你的武功；但是我平素就不喜歡憑這血肉之軀與一時之勇，拚得你死我活，那又有什麼意思呢？」

說到此處，沉吟了片刻，又道：「不過我又怕你心裡不服，這樣子好了，我要梅娘陪你動手相搏幾招。」

說著轉頭對那白髮老嫗，道：「梅娘，你陪這位被稱為中原武林第一高手的神州一君打幾招吧，不過，只限三招。」

白髮蒼蒼的梅娘，輕輕歎息一聲，道：「頑皮的孩子，連我也要捉弄了？」

紫衣少女笑笑道：「我哪裡捉弄你了，爹爹不是常常和我說嘛，他生平和人動手，從未超過三招。」

梅娘淡淡一笑，道：「你爹爹是何等人物，舉世間又有幾人能和他相比？」

她雖然滿頭白髮，但臉色卻十分光潤，白中透紅，沒有一條皺紋，微笑起來，露出一排整齊的牙齒，望著那蕭蕭白髮，看來別有一番風韻。

神州一君緩步走了過來，抱拳一笑，道：「夫人武功，定然高過在下多多，三招之數，雖然不足分出勝負，但總可約略的判出優劣之勢了。」

梅娘臉色一整，又恢復那冷漠孤傲的神色，手扶竹杖，緩步而出，輕輕地喝了一聲：「小心了！」

輕輕一頓竹杖，無聲無息地陷入了地下半尺。

但見白髮一閃，人已直欺過來，這一次大反前態，來勢之快無與倫比，在場高手凝神相注時，梅娘和易天行已各自交了一招躍退開去。

耳際聞衣袂飄風之聲未絕，兩條人影乍合即分地退回原地。

此等驚霆迅雷般的決打，使在場中的一流高手，大都目不暇接，未看清楚。

神州一君抱拳微笑，道：「南海門下武功果然不凡。」

梅娘伸手拔出竹杖，冷漠地說：「可惜今宵之戰未能分出勝敗。」言下大有惋惜之意。

神丐宗濤怒道：「此事還不容易，如是想分勝敗，不妨再打一場。」

梅娘突然一顰兩道柳眉，但還未來得及說話，那紫衣少女卻搶先接道：「老叫化子，你心裡還不服氣嗎？」

宗濤道：「哼！老叫化子生平之中服過誰？」

紫衣少女緩緩向前走了幾步，微笑說：「你要不服氣，咱們兩個打一架試試吧！」

宗濤遲疑一陣，道：「老叫化子年近古稀，怎能和你這個小女娃兒動手，勝了你也會被武林同道恥笑，還是就你兩個師兄之中，選一個出來和老叫化子打吧！」

紫衣少女道：「麥草堆積如山，壓不死一隻老鼠，你年紀大幾歲，有什麼了不得。」

宗濤吃她拿話一激，不覺大怒，縱身躍出，厲聲喝道：「老叫化先讓你打三拳，咱們再動手不遲！」

就在宗濤縱身躍出的同時，那中年錦衣大漢和滿頭白髮的梅娘，同時躍了出來，護守在那紫衣少女兩側。

紫衣少女羅袖一拂，嬌聲叱道：「誰要你們出來了？」

那錦衣中年大漢滿臉慌急地道：「師妹千金之軀，豈可輕易和人動手，萬一有了……」

紫衣少女接道：「我爹爹都不管我，要你來管我了？」

錦衣大漢道：「這個小兄……」

紫衣少女不容他說下去，接道：「什麼這個那個，難道我的本領沒有你大嗎？」

錦衣大漢望了梅娘一眼，緩步向後退去。

紫衣少女回頭又望著梅娘說：「好梅娘，我求求你，別管我好嗎？」

梅娘輕輕歎息一聲，道：「孩子，動手相搏，生死一髮，豈能視同兒戲……」

紫衣少女接道：「你不是對我說過，不論什麼事，都要依我嗎？」梅娘聽得怔了一怔，退後三步。

紫衣少女說退了兩人，緩步走近宗濤，說：「你要讓我先打三拳，可是真心誠意麼？」

宗濤仰臉望著屋頂，冷冷說道：「老叫化素來一言如山。」
紫衣少女微微一笑，道：「我打你，你躲嗎？」
宗濤怒道：「老叫化子幾十歲了，豈肯和你鬥口打趣，快動手吧！」
紫衣少女一繃粉臉，說道：「誰和你打趣了，我要先打你三個耳括子！」
宗濤聽得一楞，道：「什麼？」
紫衣少女道：「你一身髒得要死，我打你三拳，豈不污了我的手，只有臉上還算乾淨，你要讓，三拳和三個耳光又有什麼不同？」
宗濤沉吟了一陣，無可奈何地說：「好吧！反正老叫化讓你先打三下就是！」
紫衣少女緩緩伸出右臂，輕輕挽起羅袖，皓腕如雪，肌膚瑩光，纖纖十指，嫩白豔紅，單看這一隻玉掌，就讓人情難自禁地伸過臉去，讓她打上幾掌。
宗濤輕輕地咳了一聲，頭上汗水如珠，滾滾而下，抬頭望著屋頂，滿臉緊張和痛苦混合的表情。
他乃江湖素負盛名之人，平日受人尊仰，身分極是尊崇，如今在眾目睽睽之下，讓一個女孩子家打上幾個耳光，心中之苦，直似比殺了他還要難過，但他已說出讓人打上三掌之言，一時間又無法改過口來，只好佇立以待。
紫衣少女舉起玉掌，揮臂擊了過去，但聞啪的一聲，正擊在宗濤臉上，宗濤文風未動，那紫衣少女卻一顰兩道秀眉，低頭瞧了瞧右手，重又緩緩舉了起來。
在神丐宗濤預想之中，此女一掌雖然未必能把自己重傷當地，但擊來力道絕不會輕，早已暗中運氣戒備。

但他乃素重信諾之人，說出讓人三掌，就是硬讓三招，連運氣反擊，也不願爲，只把全身真氣，凝聚相護。

哪知一掌擊在臉上之後，竟是毫無感覺，不禁心中大生疑惑。

轉臉看去，只見那紫衣少女又緩緩舉起手來，不覺心頭一寒，又出了一身大汗。

紫衣少女掌勢已然準備拍出，目睹宗濤痛苦的神情，突然收回手來，玉掌左右揮動，虛空打了兩下，說道：「打完啦！現在該你打我了！」緩緩向後退了三步。

此女生性太難捉摸，忽而詭智百出，處處捉弄別人；忽而十分善良，無限溫柔。

宗濤被她在眾目注視之下，打了一記耳光，滿腔怨恨之氣，轉過頭說道：「你自己不打足三掌之數，那可怪不得老叫化了。」

紫衣少女柔聲說：「已經打過啦！我也讓你打我三個耳光，只要你能打我一下，那就算你贏了。」

宗濤冷冷說道：「老叫化素來不知憐香惜玉，我就不信打不下去。」

紫衣少女嫣然一笑，道：「你要是打不下，以後再見我，就得聽我吩咐。」

宗濤怒道：「我要是一掌把你打死可是咎由自取，怪不得老叫化子心狠手辣。」大步走了上去，高高舉起右掌。

紫衣少女忽的一顰秀眉，那張嫩白艷紅、美麗絕倫的臉上，陡然間泛上了無比的淒涼、愁苦，剎那間全室中都似湧起了愁雲慘霧，瀰漫著淒風苦雨，所有之人都被她那淒淒欲絕的神情，引得心神大慟茫茫若失，只覺天地之間，充滿了悲苦，哀傷，萬念俱灰，鬥志全消。

宗濤揚起的掌勢，已然橫擊而出，但當他的目光和紫衣少女目光相觸時，突覺心頭大震，手腕一軟，不自禁地放下了右手。

全室中鴉雀無聲，六個抱劍而立的白衣童子，也都垂下手中寶劍，滿腹愁苦，濡濡淚水。沉寂中忽然響起了一縷低婉的嗚咽，如泣如訴，幽幽揚起。

單是她那哀苦的神情，已使人感傷萬千，如今再加上這幽幽的哭聲，更使人情難自禁，但感心頭上泛起了無限痛苦，生平中經歷的淒慘傷心之事一一展現腦際，悲從中來，泫然欲泣。

那六個白衣抱劍童子，首先忍受不住，珠淚滾滾，順腮而下。

神丐宗濤聽得那幽幽哭聲，圍繞耳際，忍不住轉頭望去。

紫衣少女也正圓睜著一雙淚水瑩瑩的星目，向他望來。

四道目光接觸，宗濤突感心頭如受重擊，一股無名怨氣，胸中直向上衝，但覺眼睛一熱，淚水幾乎奪眶而出。

但他究竟是內功深厚，修養有素之人，千鈞一髮之際，忽然警覺不對，慌忙別過頭去，硬把眼眶中湧出的淚水忍住，不使它滾落下來，長嘯一聲，大步向室外衝去。

那六個白衣抱劍童子正在心情激盪，悲傷難過之際，也不知攔擋於他，任他向室外走去。

正待舉步出門，忽聽那紫衣少女嬌聲喝道：「站住，你要跑嗎？」

宗濤不由自主的便停下腳步，回頭望去，只見那紫衣少女已恢復神態，靜靜地站在室中，神志忽然一清。

全室中人，都長長歎一口氣，神志逐漸恢復了清醒。
紫衣少女展顏一笑，道：「老叫化子要賴嗎？」
宗濤緩步重回室中，冷冷說道：「老叫化哪裡要賴了？」
紫衣少女道：「咱們比武之前，我說過你要能打我一下，就算你勝，說過沒有？」
宗濤道：「不錯，確是說過此言。」
紫衣少女道：「你要打我不下，那自然是你輸了！」
宗濤略一沉思，道：「這話也不算錯。」
紫衣少女道：「我說你輸了，以後見著我就得聽我吩咐，是也不是？」
宗濤抬起頭來，望著屋頂，答道：「這個老叫化沒有答應啊！」
紫衣少女微微一笑，道：「你沒有答應，可也沒有反對，是不是？」
宗濤冷哼了一聲，默然不言。
紫衣少女又道：「神丐宗濤之名，在江湖上盛譽甚隆，答應的事，事後反悔，抵賴不認，日後傳言出去，那可是大損威名的事。」
宗濤長長吁了一口氣，道：「你有什麼事，說吧？」
紫衣少女微微一笑，道：「我說了你不肯聽，豈不等於白說了！」
神丐宗濤被她拿話一逼，只好硬著頭皮說道：「你說吧！老叫化素來言出無悔，既然有過這等承諾，自是言出必踐。」
紫衣少女道：「其實也不是什麼難事，只要日後咱們再見時，你能聽我吩咐也就是了。」

宗濤怒道：「老叫化是何等之人，豈能受你這等擺弄？」

紫衣少女突然一整臉色，說道：「你打賭輸了，怪得哪個？如果你當時一掌把我打死，我豈不白白的送了一命。」

宗濤暗忖道：這話倒也不錯，是我自己打不下去，自是不能怪她。

只聽那紫衣少女繼續說道：「和我打交道，你絕吃不了虧！」

宗濤道：「難道老叫化子還想討你什麼便宜不成？」

紫衣少女聽他口氣，已不似先前那等強硬，淡然一笑，道：「這麼吧！你如聽我吩咐一件事情，做到之後，我就也代你做一件事。咱們這樣公平交易，就不會有損你的威名了。」

宗濤乃生性剛正之人，暗想道：打賭我是輸了，雖未承諾爲她做事，但她提出之時，我沒有反對，於情於理都有些說不過去，她這等給我情面，我如再不答應，未免有些強詞奪理了。

心念一轉，歎息一聲，道：「老叫化雖無承諾，但已輸了賭約，此事一時間也難辯得清楚，這麼吧！以五年限期爲準，五年之內，你見到老叫化時，我就代你做一件事。」

紫衣少女笑道：「如果要你去死，你去不去！」

宗濤臉色一變，道：「老叫化答應了，一句話駟馬九鼎，生死之事，豈放心上。不過天涯路長，世界遼闊，只怕五年內，你無法再遇上老叫化子。」

紫衣少女笑道：「未來之事，誰敢預料，如果當真遇你不上，那我就白贏了一場賭約。」

宗濤果然言出必踐，正容說：「老叫化就要告辭，不知姑娘眼下有何吩咐。」

紫衣少女不理他的問話，目注易天行冷冷說道：「你有神州一君之稱，聽說中原黑白兩道人物，對你都甚尊敬，這事不能怪你，只恨世俗中人，有眼無珠，難以辨認善惡。」

易天行微微笑道：「善惡之分，甚難一語道完，姑娘出的題目太大。」

紫衣少女道：「那就換個小題目吧！你們三人之中，除了宗濤之外，哪個武功最高？」

上官嵩心中感謝易天行相救女兒之恩，接道：「論威望武功，易兄實在兄弟之上。」

他以酬報大恩之心，自認武功不如別人，說完之後，垂下頭去，一副黯然神傷之態。

易天行輕輕一拂長髯，笑道：「如論中原武林高人，那可是一言難盡，代代必有奇才絕人，不過，真正武功高強，身負絕學的人，大都是孤傲自賞、心若止水，哪肯在江湖之上走動。我們眼下三人，雖然都在中原武林中稍有聲譽，但如說是中原武林中出類拔萃的人物，個個都擔待不起。」

紫衣少女微微一笑，道：「是啦！目下中原武林，號稱人才最盛時期，除了幾個久負盛譽的正大門派之外，又有一宮、二谷、三大堡的崛起，那一宮爭列第一，想來那宮中的主持道人，武功定然是最高了。」

易天行搖頭道：「一宮、二谷、三堡，一向齊名江湖，各擅勝絕，有以武功雄霸，有以善毒著名，有以神算稱聞，有以五行奇術獲譽，這些並列中原武林的高人，雖然個個都懷雄才大略自成一家門戶，但也不能算我們中原武林中的頂尖高手，至於在下和宗兄，雖獲小譽，但那不過是江湖上朋友抬舉而已，毫無基業……」

宗濤冷笑一聲，道：「客氣，客氣，老叫化孤魂野鬼，無家無業，倒是不錯，但易兄耳目遍佈天下，如何能和老叫化相比？」

易天行毫無慍色，仍然笑意迎人地說道：「流言陷人，宗兄豈可相信。」

紫衣少女正待開口，易天行又搶先接道：「如論中原武功，應首推少林寺的慧空大師，放眼天下，只怕難有與他匹敵之人……」

蕭蕭白髮的梅娘，輕輕一頓竹杖，道：「不知他武功高到何等程度，老身有機會倒要見識見識。」

易天行道：「武功一道，深遠宏博，高到何種程度，實在很難說出規格。」

紫衣少女道：「既有正大之學，想來定有偏激武功了。」

易天行道：「姑娘聰明過人，如有未卜先知之能……」

紫衣少女道：「少給我戴高帽子啦！快些說下去吧！」

易天行的涵養工夫，實在到了爐火純青之境，不論何等之人頂撞於他，他均能隱忍不發，而且臉不變色，笑貌仍舊，輕輕一拂長髯，接道：「世人均以旁門左道難有大成，其實也不盡然，眼下中原武林道上，就有一個專走偏激異路的人身集大成，而且那人還是一個女人……」

一直未說話的上官婉倩，突然接口笑道：「你說的可是我師父嗎？」

易天行道：「不錯，正是令師恨天一嫗。」

紫衣少女輕輕地一顰秀眉，說道：「如若有人把慧空大師和恨天一嫗打敗，那人的武功就算天下第一了。」

易天行道：「慧空大師和恨天一嫗，可算是我們中原武林中百年來的兩大奇才，各集其成，正邪二絕。」

紫衣少女道：「這麼說來，你們幾人都是中原武林道上微不足道的人物？」

易天行道：「中原武林大都以拳掌兵刃和輕身功夫成名獲譽，縱然是偏激之學，也不過是在招術身法別起蹊徑，至於近乎妖異的瑜珈、移魂之術，在下還未聞得中原武林中有人精通此道。」

上官嵩接道：「易兄說得不錯，動手比武講求一掌一拳的求勝，邪道異術，勝之不武……」

紫衣少女聰明絕倫，如何聽不懂二人弦外之音，淡然一笑接道：「是啦，你們剛才看到我勝宗濤的一法，是種邪道異術，對嗎？」

易天行道：「在下孤陋寡聞，姑娘剛才用的什麼武功，恕難說得出來，不過從全室中人無不身受感染一事看來，似乎和傳言中的移魂大法，頗多類似之處。」

紫衣少女嬌聲笑道：「移魂大法雖然和我所用的心法有很多類似之處，但我用的並非移魂大法，看來你倒是知道不少，竟然能看出一點門道。」

易天行道：「好說，好說，姑娘過獎了。」

紫衣少女突然把面色一冷，說道：「你們口口聲聲指我用的邪道異術，不算武功，想來定然是想和我較量一拳一掌的功夫了？」

上官嵩暗忖道：看她比倩兒還小上幾歲，縱然稟賦過人，一出娘胎就開始練武功，總共也不過十七、八年光景，就算聰明過人，能有多大的道行，如果真要一拳一掌動手，就算不勝，也可支撐上三、五百招，看她兩個師兄的武功，她也強不過哪裡去。

心念一轉，大聲接道：「如是一掌一拳相搏，在下願當先領教姑娘武功！」

紫衣少女冷笑一聲，道：「你自信比神州一君易天行的武功高明嗎？」

上官嵩怔了一怔，道：「這個……」

紫衣少女說道：「別這個那個啦！你如自知不是易天行的敵手，那就早些藏拙的好，免得我多費一番唇舌。」

上官嵩心中感激易天行相救女兒之恩，誠心相讓神州一君，當下默然不言。

易天行微微一笑，道：「姑娘如果一定要和在下動手，在下只好捨命奉陪了，但不知是分出勝敗算數呢？還是打完幾招就算比過？」

紫衣少女道：「自然要分出勝敗，要不然你也不會輸得心服口服。」

易天行原想她會依照適才比武清形，規定幾招，打完算數，想不到她竟改了規矩，不覺呆了一呆。

抬頭看去，只見她嫩臉勻紅，眉目似畫，一臉書卷氣，怎麼看也不像身具上乘內功之人，暗道：「難道她的內功已練到不著皮相了嗎？」

要知易天行為人持重，心中沒有制勝把握，便不肯輕易出手，沉思了良久，笑道：「好吧！姑娘先請出手。」

紫衣少女滿臉不屑之色地說道：「我如真的和你動手相打，豈不污了我的手嗎？」

易天行怔了怔，道：「不能動手，那要怎麼個打法，還請姑娘明言相告！」

紫衣少女星目一轉，盈盈一笑，道：「你往後退兩步！」

易天行皺皺眉頭，依言向後退了兩步。

紫衣少女道：「當心啦！我現在施『流星趕月』的身法，欺身而上，右手食中二指，點你『神藏』穴。」

易天行略一沉吟，笑道：「姑娘可是要用口述武功，和我比試？」

紫衣少女冷然說道：「你是縱身閃避，還是出手化解，再要延誤，我要點中你的穴道了！」

易天行道：「我用『彎弓射鵰』之式，讓開要害，左掌反擊前胸，右手施『天絲纏腕』，反扣你右腕脈門。」

紫衣少女隨口說：「我用『反踩七星』讓開你的左掌，疾沉雙指，右手點穴之式不變，點你『腹結』穴，左手『回風拂柳』，拍向你右肩『天鼎』穴。」

易天行笑道：「我由『彎弓射鵰』之式，施展『月移花影』身法，避開你兩手分襲之勢，反臂回手，施展『雲封五嶽』，疾攻你『神庭』穴。」

紫衣少女道：「我用『快馬搶渡』，分攻你『璇璣』、『天泉』二穴。」

易天行微一沉吟道：「姑娘不覺晚了一些嗎？」

紫衣少女道：「你用『雲封五嶽』反擊我『神庭』穴，是左手還是右掌？」

易天行思忖了一陣道：「我用右手。」

紫衣少女道：「那就不會錯啦！『天泉』穴屬於手太陰肺經，我用『快馬搶渡』出手，左手由下向上迎擊，你如不收勢而退，我必然先傷你『天泉』穴，那時右手經脈，哪裡還能聽你使喚？」

易天行笑道：「不錯，我左手『鐵騎突出』攻你側背，哪個先傷？」

紫衣少女道：「我右手已經攻出，指襲『璇璣』大穴，你右臂受傷，左手縱然能夠擊中我的側背，但已無法解救我改向『璇璣』穴的右手了。」

易天行道：「如我用『分雲取月』的招術，雙掌由前胸擊出，分開你雙手攻勢能否傷你？」

紫衣少女道：「臨敵動手，首重制機，『分雲取月』一招，雖然用得晚了一些，但仍不失敗中求勝之法，我如借勢施用『鐵板橋』功夫，上身平向下面臥去，開你一招『分雲取月』……」

易天行笑道：「那時姑娘先機盡失．全身要穴都在我指掌的籠罩之下，當世高手，只怕也無解救之策了……」

紫衣少女道：「未必見得，我借背脊貼地之力，雙腳齊起，踢你右腳『陽關』、左腿『地機』兩穴，你是躲也不躲？」

易天行怔了一怔，道：「姑娘聰明過人，才思敏捷，此法是不錯，但不知叫什麼招術？」

紫衣少女微微一笑道：「左腳叫『神君投筆』，右腳叫『化子打狗』。」

易天行道：「那『神君投筆』，也還罷了，這『化子打狗』之名，倒使我想起一招和姑娘用的這一招頗有相似之處。」

紫衣少女道：「你說是『仙狐參禪』。」

易天行道：「法賴心傳，名由人定，在下覺著姑娘踢出的右腳叫『妖狐吐丹』，聽起來比姑娘那『化子打狗』雅得多了。」

紫衣少女道：「南海門一十八招『旋天腿法』，專憑雙腳克敵，這不過是起式兩招，下面一十六招連環踢出，招招都是取人要害大穴，這兩招你是讓也不讓？」

易天行暗暗忖道：此女口齒伶俐，才學廣博，不論她那招術名稱是否有意罵我，但兩腳能有備踢出，勢必把我迫退不可……

他忖思良久，想不出破敵之策，只好說道：「我用『金鯉穿波』的身法，讓開兩腳，蓄勢待敵。」

紫衣少女道：「承讓，承讓，你既然收勢敗退，我自是要乘勝而追，你知道『龍形一式』吧！」

易天行臉色漸轉嚴肅，說道：「我用『金雞抖翎』變『春雲乍展』，以逸待勞。」

紫衣少女道：「我用『亂剪梅花』變『起鳳騰蛟』。」

兩人口述武功招術相比，博及天下各大門派精萃之學，易天行神色愈來愈是凝重，額頭上逐漸現出汗水，直似真的在和人動手相搏一般。

那紫衣少女卻是輕輕鬆鬆笑容依然，口述武功，滔滔不絕，有如長江大河，洪流滾滾。

兩人這口述武功相鬥之局，足足相持了一頓飯工夫，易天行口述還擊的時間，愈來愈長，額上汗水如珠，直淌下來。

在場之人，大都是中原武林道上有名高手，對兩人口述武學，都能瞭然於胸，只覺那紫衣少女攻勢愈來愈是凌厲，銳不可當，都不自覺地緊張起來，個個臉色，都變得十分凝重，同時也都在心中籌思對敵之策。

這樣一來，不只是兩人口述武功相鬥，連神丐宗濤和上官嵩以及那錦衣大漢、紅衣獨腿大漢、駝矮二叟等，都被捲入這場口述武功相搏之中。

這是一場別開生面的搏鬥，除了紫衣少女和易天行，其他之人都無敵我之分，只是各運心智、思索破敵的招數武功，雖無法在表面上分出勝敗，但參與此戰之人，心中自己有數。

兩人口述的招式，越來越是凌厲，易天行每解答一招，必然苦思解式，那紫衣少女口述武功，竟似如數家珍，不假思索，隨口而出，在攻讓之間，一招勝似一招。

這時，不但易天行額上汗珠滾滾，身上汗水涔涔，臉色凝重，就是站在旁邊的神丐宗濤、上官嵩等人，也無不是神色緊張，屏息凝氣的如臨大敵。

易天行突然吃力地抬起右手，擦了擦額上的汗水，吁了口氣道：「姑娘才智過人，胸羅奇學，更能將各家之長，融會運用，在下實在佩服……」

紫衣少女秀臉微側，問道：「如此說來，這場比武，你是認輸了？」

易天行略略一怔，道：「姑娘在口述上，雖然比在下略佔先機；但這不過是姑娘嫻熟招式拆解而已，自不能和動手相搏相提並論。」

紫衣少女對他只微微一笑，並未說話。

但她這微微一笑，彷彿含有用意，看得易天行與在場諸人，心中各泛起了不同的反應。

易天行也訕訕一笑，道：「要知武功一道，固然講究機智敏捷；但是功力火候，尤為重要，雖是同一招式，如易人施爲，其威力強勁的差異，就無可估計……」

紫衣少女道：「我看你是仗恃自己功力深厚，還想和我真的動手比試一番。」頓了一頓，未容神州一君易天行說話，又道：「我是真的不願意和你動手，如果我真想和你動手，又何必費這番唇舌呢？」說著竟幽幽一歎。

易天行、宗濤、上官嵩以及錦衣大漢等人，聽她幽幽一歎，彷彿都受了她這幽怨的感染，不禁一齊面帶憂戚地向她望去。

紫衣少女緩緩地移了移身子道：「算了，梅娘，咱們走吧！」

那白髮老嫗朝她慈愛地看了一眼，突然手裡的竹杖在地上一頓，轉臉瞧著易天行，沉聲說：「不行，當初你被他強行擄去，今天若沒有個了斷，咱們南海門豈不被人恥笑嗎？」

易天行這時已將緊張的精神舒緩過來，又回復了平日的神態，微笑答道：「這位婆婆不要誤會，當初這位姑娘雖被在下屬下接走，那是屬下不知，況且事實上也是他們慨伸援手，實非強行劫擄，如若不信，可問姑娘……」

紫衣少女不待易天行說完，扯住那白髮老嫗的衣袖，道：「過去的事算了，還提它做什麼？」

她說著話，卻把眼光投在神丐宗濤臉上，沉吟了片刻，低低地說道：「方才你應允我做一件事，我想現在就煩托於你。」

神丐宗濤略一沉思，慨然笑道：「老叫化子既然答應過你，五年也好，今天也好，反正都是一樣。姑娘，請說吧。」

紫衣少女輕輕說道：「我想……」她只說了這兩個字，不禁秀臉微垂，星眸流波，臉上泛起了淡淡的紅霞，倏然住口。

停了半晌，才悠悠接道：「這件事，還是以後再說罷。」

那錦衣大漢接口說道：「師妹，咱們就早些走吧！」

易天行淡然一笑，吩咐那六個抱劍童子道：「你們讓開。」

六個抱劍童子一聽吩咐之言，立時分向旁邊躍去。

駝、矮二叟也同時向後退了兩步，讓開道路。

紫衣少女雙目向前平視，緩緩出了室門向前走去。

易天行望著那紫衣少女去勢背影，流現出無限淒涼，不禁心中一動，暗道：今夜之戰，她威風十足，心中應該快快樂樂才對，爲什麼竟似有無限傷感一般？

但見滿頭白髮的梅娘和駝、矮二叟，前後護擁那紫衣少女，慢步而行，消失在夜色之中。

那錦衣大漢和缺了一腿的紅衣大漢，卻仍然站在室門口，錦衣大漢一抱拳，說：「今宵之事，已成過去，諸位日後遇上我師妹時，讓她一二。」

神州一君易天行微笑道：「今宵聽得令師妹口述武功，滔滔不絕，有如長江大河，而且博及天下各門各派，胸羅之廣，世所罕見。以她年齡來說，能夠有此成，實是百代難遇才人，在下對她十分佩服，日後果能有緣再遇上她，定當竭誠接待。」

那錦衣大漢朗朗笑道：「易兄望重武林，一言如山，兄弟這裡先領盛情了。」說完，轉身大步而去。

易天行左腳一抬，腿不屈膝，手不擺動，全身向前飛出了六、七尺遠，落在門口，抱拳相送，高聲說道：「兄台慢走一步，在下還沒有請教上姓大名。」

那錦衣大漢轉過頭來，沉思了一陣，笑道：「兄弟姓王草字冠中。」答完了一句話，立時轉身疾奔而去，紅衣獨腿大漢鐵拐頓處，緊隨躍起，兩人飛躍，去如流矢。

易天行目睹兩人背影隱入夜暗，才緩緩轉過身來，對宗濤和上官嵩拱手作禮，笑道：「上官兄雄踞甘南，領袖西北武林，難得到中原一次，宗兄行俠江湖萍蹤無定，今宵難得相遇一起，兄弟想作個小東，請兩位飲上幾杯酒如何？」

神丐宗濤冷笑一聲，說：「老叫化吃慣了殘餚剩酒，無福消受易兄盛情，我要失陪了。」轉過身子大步直向室外走去。

易天行原本當門而立，一見宗濤大步走來，立時向旁倒一閃，讓開去路。

上官嵩看見宗濤對待易天行的冷漠模樣，甚覺看不過眼，冷笑一聲罵道：「哼！臭叫化子，不知好歹！」

宗濤回過頭，放聲大笑，說道：「自古以來，宴無好宴，會無好會，老叫化奉勸你一句，還是別吃的好……」也不待上官嵩和易天行答話，縱身躍起，電奔而去。

易天行望著宗濤奔行的方向，眉宇之間忽然泛現殺機，但一閃而逝，瞬息之間，又恢復了平靜，轉臉對上官嵩道：「這位宗兄一向遊戲人間，不論對待何人，均難脫玩世不恭之態，但此人心地，卻是光明磊落，大有俠風。」

上官嵩道：「兄弟久聞宗濤其人冷怪難纏，今宵一見，果然不錯。哼，日後他如到西北道上，兄弟非得給他一點顏色看看不可。」

易天行道：「那倒不必了。據兄弟所知，此人口頭之上雖然刻薄，但他待人卻極純厚，排難解紛，甚獲俠譽。」

上官嵩略一沉吟，歎道：「易兄的風度胸襟，實叫兄弟佩服，宗濤那等冷諷熱刺的對你，易兄居然還要替他辯護，無怪江湖上黑白兩道，一提到易兄之名，無不肅然起敬，神州一君之名，果非虛傳，今宵驚擾，心已不安，不敢再叨光酒飯，兄弟也就此告辭了。」說完，長揮揖拜別。

易天行抱拳笑道：「上官兄辭意堅決，恕兄弟不遠送了。」

上官嵩走到門口，突然回過身來說道：「易兄待人這等寬宏大量，實叫兄弟感到慚愧……」他頓一頓，又道：「兄弟有幾句話，如鯁在喉，不吐不快。」

易天行道：「上官兄有話儘管請說，兄弟這裡洗耳恭聽。」

上官嵩道：「易兄可知道上兄弟今宵來意嗎？」

易天行笑道：「上官兄可是爲傳言中南海門奇書而來嗎？」

上官嵩歎道：「易兄猜得不錯，現下這洛陽四周，雜亂異常，不但一宮、二谷、三大堡中都派有耳目在此，就是少林、武當等自行標榜正大門派中，也派遣有人，所以易兄屬下擄得那紫衣少女，立時傳遍了雲集在洛陽四周的高手。」

易天行道：「多謝上官兄指點，兄弟對此事一無所聞。」

上官嵩沉吟了一陣，道：「除了易兄擄得那紫衣少女之事以外，江湖間還傳說著一件大事……」話未說完，但卻倏然住口。

易天行笑道：「傳說之事，難道也和兄弟有關嗎？」

上官嵩臉色莊嚴，又緩步走了進來，聲音十分低沉地說道：「兄弟未見易兄之前，亦為那傳言所動，但今宵一見，方知是有人故意中傷，但此事非同小可，易兄還是早做準備得好。」

易天行愕然問道：「什麼事這等嚴重？」

上官嵩怔了一怔，道：「怎麼？難道易兄真的就沒有聽得一點風聲？」

易天行道：「兄弟實在不知，還望上官兄指點指點。」

上官嵩道：「近日江湖傳出易兄心懷叵測，在各大門派，以及一宮、二谷、三大堡中，都派有暗樁，所以對天下武林動態均能瞭如指掌，此事是真是假，兄弟不敢妄作論斷；但此事已引起一宮、二谷、三堡中人的不安，兄弟快馬兼程，由甘南趕來此地，也和此事有關。」

易天行微微一聳眉頭，歎道：「唉！江湖風險，實令人防不勝防，不知上官兄對此事看法如何？」

上官嵩回頭望了女兒一眼，說道：「兄弟未見易兄之前，對此事半信半疑，因那一宮、二谷、三堡之中，對門下能參與機要的弟子身世，早已調查得清清楚楚，甚難魚目混珠，但傳言鑿鑿，又不能使人不信。」

易天行又恢復鎮靜的神色，微微笑道：「如若傳言如是，各門各派應該先從門下弟子查起才對，不知趕來中原作甚？」

上官嵩輕輕地咳了一聲，道：「不知如何傳出，易兄今宵要在這座荒涼的莊院之中，召集潛伏各門各派的暗樁，聽取報告，所以各大門派之中，都派了高手來此，以探虛實……」

易天行接道：「姑不論此事真偽，但各大門派能這般看重兄弟，實叫兄弟受寵若驚了。」

上官嵩道：「兄弟就聞得傳言，據實相告，尙望易兄不要怪兄弟語無倫次了。」

易天行說道：「上官兄肯和兄弟這等赤膽論交，易天行感激還來不及。」

上官嵩抱拳後退三步說道：「易兄相救小女之情，兄弟終生難忘，若有需兄弟效勞之處，但憑一紙相召，生死不計。」

易天行長揖還禮，道：「不敢，不敢，日後如有借重之處，兄弟定當親赴甘南相請……」他微微一頓之後，又道：「不過兄弟生性淡泊，和人無爭，生平之中既無深恨大仇之人，亦無肝膽生死之交，今宵和上官兄卻一見如故，眼下此處是非正多，兄弟也不勉強留駕，待此一陣風波過後，兄弟當趕往甘南和上官兄暢飲幾杯。」

上官嵩笑道：「語言中傷，必有洗清之日，今宵得謀一面，兄弟深信易兄名不虛傳，甘南之行，尙望早日就道，兄弟當邀請西北武林道上高手，替易兄接風洗塵，我這就此別過了。」說完，大步向外走去。

易天行左手輕輕一揮，六個抱劍的白衣童子齊齊躬身相送。

上官婉倩大傷初癒，不能施展夜行功夫，但她乃生性好強之人，在易天行和六個白衣童子的眼下，不願示弱，勉強咬牙，緊隨父親身後，疾奔而去。

易天行口齒啓動，本待出言阻止，但話到口中，突然又住口不言，目送上官嵩父女兩人的背影，隱失在暗夜之中。

群豪盡去，廣闊的大客室中，只餘下了易天行和六個白衣童子。

易天行緩緩在室中踱了幾步，那經常掛在嘴上的笑容，亦隨著隱失不見；但見他舉起左手輕輕一揮，六個白衣童子，立時縱身躍出室外，在四周異常仔細地搜查了一遍，各守著一個方位，然後輕擊三掌。

客室中的易天行得掌聲之後，舉步直向左側壁角走去，移開屋角一張茶几，低聲喝道：「熄去燈光。」

兩個留在室中的白衣童子，聽得吩咐，突然分頭疾行，熄去了室中燈光。剎那間，全室中一片黑暗，伸手不見五指。耳際間響起了輕微的軋軋之聲，屋角間忽然現出一道暗門，易天行舉步而下，直向裡面走去。

十八　催命令牌

徐元平吐出胸中一口淤血之後，心頭忽覺輕鬆甚多，放開步子向莊院外面走去，他自知已難施展輕功越屋翻房，索性昂首闊步，沿道而出。

這莊院四周雖然埋伏有很多高手，但都早已得到易天行的命令，也無人出手攔截他。在他想像中，離開這莊院時，定然要經過一番搏鬥，才能闖得出去，所以勉強提聚真氣戒備。哪知一路行來，竟能暢通無阻。

他已身受重傷，雖然吐出淤血，已無大礙，但必須及時運氣調息，才能使傷勢好轉。這般提氣戒備，如臨大敵，內傷立時轉重，出得莊院大門，心中戒備之念鬆懈之後，立時覺著全身筋骨，痠疼難忍，舉步維艱，勉強向前走了四、五丈遠，一跤跌在地上，只覺全身筋骨，如同散去一般，掙扎坐起兩次，又不自主地跌了下去。

夜風如嘯，吹得四外枯草沙沙作響，這荒涼的曠野，陰森的莊院，如非他目睹，絕難想到江湖上甚難一見的武林高手，竟由千里之外趕來此處，雲集荒涼的莊院之中。

忽然又想起和自己動手的黑衣少女，以一個女流之身，竟練成那等驚世駭俗的武功，而且年齡也和自己相彷，自己只道得天獨厚，短短數月工夫中，從一個藉藉無名之人，列入武林高手，哪知一個女孩子家竟然也有著那等成就，看來武功一道，當真是沒有止境了……他心中胡思亂想了一陣，忽然覺著睏倦起來。

這時，他的神志還十分清醒，心中驀然一驚，暗道：金叔父和鐵扇銀劍于成，還在這附近等我，我雖然不能行動，何不叫他們一聲。」

心念一動，立時張口大叫，只覺如鯁在喉，一張嘴，聲音低微，一丈之外難聞。

他忽然驚覺到自己有如將近油盡之燈，如果再勉強掙扎，耗去最後一口真氣，不但養息困難，只怕武功也難恢復。

他忽然想到《達摩易筋經》上有一句口訣：「養氣一息，易筋之機。」腦際中靈光閃動，忽然大悟這一句口訣之妙，當下凝神調息，盡量使自己的心情平靜下來，緩緩伸展一下手腳，使身體躺得舒服異常，長長吸一口氣，又慢慢吐了出來。

呼吸了三次之後，閉上雙目。休息了一陣，又開始呼吸起來，大約有一頓飯工夫之久，精神忽覺好轉過來，當下慢慢地伸動手腳，依照慧空大師傳授的實用法門，彎臂曲腿。

這時，他的筋骨如散，彎動起來，異常痛苦，有如利刃傷筋刮骨一般，疼得額上的汗水如珠，涔涔而落。

但他此時已深深領悟到「養氣一息，易筋之機」的妙諦，自是把握住一息之機。

雖然全身筋骨疼痛欲散，但他的個性之中，含有一種極是倔強的成份，雖已痛得汗水如珠，依然不甘就此停息。

他抿緊嘴唇，氣納神閉，依著慧空大師傳授的心法，忍痛凝神，強自舉手伸腿，哪知這一伸動，忽然一股徹骨刺心的痛楚，猛襲而來，只痛得他不由自主地大叫一聲，痛暈當場。

他這一陣疼痛，正暗合要義，在一陣猛烈的劇痛之中，人便沉沉睡去。

再說與神丐宗濤、徐元平同來的金老二和鐵扇銀劍于成二人。

他二人按照神丐宗濤的吩咐，雙雙隱入矮樹深草叢中靜待動靜。二人一等再等，眼看著星河徐移，心中又惦念著徐元平的安危，真是十分焦急。

夜涼霧重，二人身上已有寒濕之意，再看星斗，已然是四更已過。

鐵扇銀劍乃是性急之人，早已忍耐不住。他低聲地對金老二道：「徐相公和宗老前輩深入莊院，這般時候還不出來，我看定然是發生了變故，我等還是前去接應才是。」

金老二道：「不行，宗老前輩臨行是怎樣叮囑，再說你我進去，也未必有用，依我看再等片刻，如若不然，咱們寧可到北方小廟相候，也不可盲目涉險。」

于成對金老二還是甚為佩服，聽他如此一說，也不勉強。

二人又等了頓飯工夫，這時天光漸亮，朦朧中已現出山村影跡。

金老二抬眼看看前面莊院，轉臉對于成道：「咱們不妨向前移進一點。」說著鶴伏而行，向前走去，于成巴不得金老二有所行動，當即跟隨前去。

二人匍匐走了約十一、二丈遠近，陡然聽得莊院那邊，傳來一陣步履之聲。

金老二一拖于成，迅快地往旁邊一撮濃密的草叢之中一隱。

這時東方魚肚白色已微微開露，再加上二人又是目光精銳之人，已可看清附近景物。二人知莊內之人都是一時高手，哪敢大意，趕忙屏住聲息，偷眼向前一瞧，只見前面人影閃動，走出四個人來。

前面二人正是駝、矮二叟，第三個人乃是那紫衣少女，她身旁則是一位拄杖而行的老嫗。四人正向自己隱身之處走來。

四人走了一小段路，那紫衣少女抬手理了理一下耳鬢秀髮，幽幽地輕歎了一聲，說道：「唉，我太累了。一步也走不動了。」

那拄杖老嫗接道：「孩子，再往前走一段路，就有馬車在等候了。」

那紫衣少女搖著頭道：「不行啦！我一步也不想走了，好梅娘，你別老是迫著我好嗎？」

梅娘輕輕歎息一聲，道：「孩子！這等荒涼的地方，一無床榻，二無被褥，秋晨露重，你怎能停在這裡休息？」

紫衣少女仰臉望著泛現銀白的天幕，怡然自得地吟道：「蒼穹為被地作氈，野草覆身眠，饑餐風霜渴飲露，此情欲誰憐？」

隨口吟來，淒婉欲絕，臉上笑容，亦隨著吟聲消失，兩行清淚順腮而下。

只見駝、矮二叟臉色一變，頓時籠罩起一臉愁苦，慌忙轉過身去，背那紫衣少女而立，不敢再多看她一眼。

原來兩人都為她幽幽吟聲，引得心神大慟。

梅娘輕輕搖著頭，黯然說道：「孩子，你心裡不快樂了？」

紫衣少女舉起衣袖，拭去臉上的淚水，道：「唉！我現在才知道，不論如何快樂的人，總是要有些煩惱……」悠悠坐下身去，躺在荒草地上。

一陣晨風吹來，飄起她的衣袂，和梅娘滿頭蕭蕭白髮。

梅娘把竹杖向下一按，登時入土半尺多深，蹲下身去，柔聲說道：「孩子，我抱你回去好好的睡一覺，好嗎？」

紫衣少女微閉著星目說道：「不要啦！我就要睡在這荒草地上。」

梅浪歎息一聲，道：「孩子，你身體素來嬌弱，如何能受得住風霜侵襲？」

紫衣少女淒涼一笑，道：「我要好好的大病一場。」

梅娘聽得怔了一怔，道：「傻孩子，這是何苦？病了要吃藥的，你一向不是最怕吃藥的嗎？」

紫衣少女道：「我要睡覺了，別和我說話啦！」

但見她秀麗絕倫的臉上，泛現出萬縷幽情，熱淚如泉由那微閉的雙目中湧了出來，直叫人憐愛橫生，黯然魂銷。

梅娘不自禁地滴下兩行老淚，低聲說道：「孩子，什麼事害得你這樣傷心？我把你從小帶大，名雖主僕，情勝母女，只要你想到之事，不論何等困苦艱難，拚上這條老命，我也要替你辦到。孩子，告訴我好嗎？」

紫衣少女忽然睜開眼睛，婉然一笑，道：「梅娘，我要是一旦死了，我爹爹能不能獨自活下去？」

此話問得大是突然，只聽得梅娘心頭如受重擊，呆了半晌，才道：「這個，這個……」

紫衣少女道：「你從小就和我爹爹在一起，定然知道他能不能離我而生，梅娘，不要騙我，老老實實的告訴我，好嗎？」

梅娘道：「你爹爹愛你甚深，但生性冷僻，不肯把父女摯愛之情流現於言詞神色之間，表面上看去，他對你不聞不問，事實上暗中向我問你生活情形，已不知有多少次了……」

她輕輕歎息一聲，道：「自你娘離他而去之後，外形之上，雖然不見他絲毫傷心之處……」忽然臉色大變，倏而住口不言。

紫衣少女霍的挺身坐起，目光緩緩盯在梅娘臉上，瞧了半晌道：「梅娘，你怎麼啦？」

梅娘道：「沒有，我很好。」暗中一提真氣，裝出一副鎮靜神色。

紫衣少女淡淡一笑，道：「你是不是覺著自己說溜了嘴，怕我爹爹知道了責罰於你，其實你不說，我早已想到，爹爹告訴我說，我娘早已死去，還替她造了一座假墳，但那只不過騙我罷了，你想想，什麼事能夠瞞得過我？」

梅娘歎息一聲，默然不言。

紫衣少女又慢慢地躺了下去，接道：「其實我早已知道我娘還活在世上，只是不願和我爹爹再相見罷了。」

梅娘望了那紫衣少女一眼，說：「你怎麼會知道這些事呢？」

紫衣少女團上雙目，答道：「以我爹爹那等精深的內功，縱然再大上幾歲，也不會那樣蒼老，如非有過大傷大痛，長期的憂心傷神，絕不會兩鬢斑白，皺紋纍纍。」

梅娘道：「你娘和你爹爹相遇之時，你爹爹已是五十多歲的人了。」

紫衣少女道：「但我爹爹那時滿臉紅光，看去如二十幾歲一樣。」梅娘默然不言。

紫衣少女又道：「自從我娘和我爹鬧翻之後，爹爹就變得憂鬱起來，他雖然不肯去找我娘，但他卻變得十分憂傷，因此十幾年的工夫，人已變得異常蒼老了，唉，爹爹實在很可憐，但卻不知我生身之娘，是否也和爹爹一樣的生活在憂傷之中。」

梅娘啊了一聲，道：「孩子，這些事發生之時，你還在襁褓之中，怎麼你竟然都知道了呢？定然有人告訴你了！」

紫衣少女道：「沒有人告訴我，是我自己想出來的，再說除了爹爹之外，也沒有人敢告訴我，但爹爹絕不會告訴我。」

梅娘悟然說道：「你能想到這些事，實在聰明過人……」

紫衣少女接道：「爹爹很愛媽媽，但媽媽走了，他竟然還能活得下去，看來我要死了，爹爹還是會活下去的，恨起來我就死了算啦！」

梅娘聽得似解非解地說道：「你恨什麼？」

紫衣少女道：「我恨所有的男人。」

梅娘奇道：「你恨他們，死了有什麼用？」

紫衣少女淒涼地笑道：「我死了，爹爹定然十分震怒，因我死在中原，他定要把這股怒氣遷怒在中原道上，那就不知道他要殺多少人了。」

梅娘道：「殺上一千一萬個人，也抵不過你一條命，孩子，你難道還不覺得快樂嗎？咱們南海門下所有武功高強之人，都已動員起來，維護你的安全。你那大師兄本已被你爹爹逐出門牆，永不准他重返師門，但爲了要他保護你遨遊中原，特准他戴罪立功，如果你有了什麼差錯，兩罪合一併科論處，那是非死不可，唉！不只他一人死罪，只怕南海門下弟子，難有一個保得住性命。」

紫衣少女道：「那最好啦！咱們統統死了，在陰間做鬼也有人陪我玩了。」

駝、矮二叟見紫衣少女靜靜睡去，再看梅娘，見她安詳地守候在她身旁，也只得站在一側守護。

這時朝陽初起，那柔和的陽光，驅散開迷濛朝霧，遠近景色，猶如雨後新洗，清朗醒目。隱身在樹草叢中的金老二與鐵扇銀劍于成一見天色大亮，怕自己隱藏之處被人發覺，心中甚是不安，又因自見駝、矮二叟等人由莊中出來之際，就屏凝住氣息，一直強自壓逼到現在，任是武功再高，要忍上這一段長長時間，也實是不易之事，于成一時強忍不住，只得輕輕吁吐出一口氣來。

歐駝子凌空躍起，將要落向金老二、于成隱身之處，才暴喝一聲，道：「是哪處的朋友，爲何不現身相見，卻偷偷藏藏的，真是太不大方了。」

金老二和于成雖不願與他們衝突，但事已如此，也由不得自己心願，一見歐駝子躍身撲到，也立時一長身，分向兩邊閃出。

歐駝子一撲未中，心裡已自惱火，腳尚未落實地，右手已倏的劈出一掌。他這一掌正擊向鐵扇銀劍于成閃避之處。

于成見他出手厲害，忙的又一閃身，讓開掌風，冷笑一聲，道：「來得好，待我于某來試試再說。」

金老二在一邊忙道：「且慢，大家把話說明了……」

于成道：「有什麼可說的，待打完了再說吧。」話音未落，一抖鐵扇，向歐駝子點去。

歐駝子不慌不忙，略向旁邊一閃，讓開扇勢，冷哼一聲，道：「好哇，你堂堂的總瓢把子不做，卻學著這些偷偷摸摸的行爲，久聞你以鐵扇銀劍成名江湖，今天倒要見識見識了。」

胡矮子一旁見二人越打聲響越大，他怕驚醒熟睡的紫衣少女，心中打算速戰速決，所以就在歐駝子向于成胸腹二處點擊之際，一晃肩，躍到當場，正待向于成擊襲。

金老二右臂傷勢未癒，但一見胡矮子躍出，準備夾攻于成，也只得一咬牙，向胡矮子落腳之處迎撲而來。

歐駝子猝然反擊，于成真沒有料到他竟然如此地快迅，眼看指掌齊到，猛又張開摺扇準備硬接他一招。

哪知歐駝子一見胡矮子上來助拳，心中大不樂意，撤回擊出的指掌，退後兩步，對胡矮子道：「你回去吧！這裡有我對付……」

胡矮子道：「駝子，你不要逞功好勝，爲今之計，是早早結束，可千萬別把小姐吵醒。」說話間，也不理歐駝子，人已欺身上前。

歐駝子見胡矮子對自己之言竟不睬不理，一翻雙眼，轉身一掌，向胡矮子擊去。

胡矮子瞧了歐駝子一眼，冷哼一聲，退了回去。

那邊于成正感胸腹受敵，竟被胡矮子一來，化解開去，見金老二也出了手，不由豪氣大壯，鐵扇一揮，點點扇影，朝歐駝子渾身大穴點到。金老二也在一旁揮拳相助。

三人激鬥的聲響，將那紫衣少女由熟睡中吵醒，她移動了一下嬌軀。

梅娘一見三人把她吵醒，一頓竹杖，就想上前，但那紫衣少女輕輕地把她一拖，道：「梅娘，不要去，看他們打一陣。」

歐駝子力戰二人，約過了二十招，依然未見勝負，不由心中惱急。

紫衣少女看了一陣，緩緩地道：「唉，難怪你贏不了呢！你出錯招了。」看了看忙道：「歐駝子快出『蒼龍歸海』……」

歐駝子聽得一震，忙的一招「蒼龍歸海」向于成抓過去，但見于成往後疾退，鐵扇已被歐駝子奪在手中。

于成鐵扇被奪，翻腕取下銀劍，正待撲上，猛聽一聲大喝：「住手！」徐元平如飛躍到。

朝陽中但見他來勢如電，話聲甫落，人已落到于成前面，擋住了歐駝子。

金老二喜極而泣，熱淚盈眶地叫道：「平兒，你沒有事吧……」

他心情激動，一時間想不起適當措詞。

徐元平恭恭敬敬對金老二躬身一揖，道：「多謝二叔掛念。」

鐵扇銀劍于成一揮手中銀劍，道：「相公暫請退開休息，待我和歐駝子打個勝敗出來。」

徐元平搖頭說道：「此人掌力雄渾，你絕不是他的敵手！」

此言如是出自別人之口，鐵扇銀劍于成絕難忍得下去，但從徐元平口中說出，他卻甚是敬佩，當下把銀劍還入鞘中，向後退了三步。

徐元平目光掃過一周後，冷然向歐駝子道：「咱們一無積憤，二無恩怨，我也不願和你們動手，拿來吧！」應聲把右手伸了出去。

歐駝子怔了一怔，道：「什麼？」

徐元平突然欺身而進，手腕翻轉之間，已把歐駝子拿在手中的鐵骨摺扇搶了回來，出手疾如電奔，而且去勢奇奧難測。

歐駝子只覺手腕一麻，奪得的摺扇已入了徐元平的手中，不禁大怒，厲喝一聲，一招「乘風破浪」直劈過去。

徐元平身軀閃動，橫移三尺，讓開了掌勢。

但聞一陣沙沙之聲，強猛的掌風衝裂荒草而過。

徐元平冷然一笑，回頭對于成說道：「咱們走吧！」一抖健腕，把摺扇向于成拋了過去，當先轉身大步而行。

忽聽一個脆若銀鈴之聲，喝道：「站住！」

徐元平已走出四、五步遠，聽得喝聲，只好停了下來。

回頭望去，只見那紫衣少女手扶梅娘，亭亭玉立，朝陽照得她嫩臉勻紅，容色奪目。

不知她是心情激動，還是難耐晨寒，嬌軀不住地微微顫抖。

徐元平瞧了她一眼，立時把目光移注到上空一片悠悠移動的白雲上，冷傲地說道：「姑娘喝住在下，不知有何見教？」

紫衣少女道：「你怎麼知道我叫的是你？」

徐元平怔了一怔，道：「既然不是叫我，那就算了。」霍然轉過身去，大步而行。

紫衣少女道：「哼！不算了，你還要怎麼樣？」

徐元平停下腳步，又回頭瞧了那紫衣少女一眼，但他終於又忍了下去，轉身而去。

紫衣少女高聲罵道：「瞧我幹什麼，不要臉。」

徐元平再難忍耐，回頭怒道：「你罵哪個？」

紫衣少女忽然微微一笑，道：「我罵哪個，你還能管得著嗎？」

心中卻暗暗奇道：他昨夜身受重傷，距今不過幾個時辰，不知何以竟然恢復得這般神速？

徐元平似是不願和那紫衣少女衝突，沉吟了一陣，道：「我已再三禮讓於你了，欺人不可過甚。」又轉過身子，向前走去。

紫衣少女突然拿開扶在梅娘肩上的右手，向前追了幾步，叫道：「你要急著去送喪嗎……」

徐元平霍然回頭，縱身一躍，直飛過來，落在那紫衣少女面前，接道：「你這般出口傷人，難道看定我不敢……」

他本想說不敢揍你，但話將出口之時，忽然覺得在一個少女面前，說出此等之言，太過不雅，倏然住口不言。

但聞衣袂風聲，梅娘已縱身衝了過來，竹杖伸縮之間，連續點出了三杖，招招都是襲向徐元平要害大穴，應手杖風勁急，迫得徐元平向後連退三步。

紫衣少女伸手攔住梅娘，說道：「梅娘退開，他絕不敢打我。」

徐元平被梅娘迅快的杖勢逼退，心中又是驚駭，又是惱怒，暗忖道：這老婆婆能把內力貫注在竹杖上傳出傷人，武功實非小可，我大傷初復，不知能否打得過她？但此女連連出口傷人，如不給她一點教訓，實難甘心，當下舉起右掌，說道：「你怎麼知道我不敢打你？」

梅娘滿頭白髮，直急得根根豎了起來，暗中運集功力，蓄勢戒備，只要徐元平一出手，立時以全力出手相救。

紫衣少女望望徐元平揚起的右掌，笑道：「你已舉起手來，如若不敢打我，不知要如何放下。」口中言笑晏晏，人卻輕步走了過來。

但見她臉上笑容如花，嬌媚橫生，徐元平只感手腕疲軟，舉起的右掌，竟然拍不下去。

紫衣少女直欺他身前尺許之處，突然斂去臉上笑容，冷冷說道：「你為什麼不打？」

徐元平如夢初醒，仰臉望望天上悠悠浮動的白雲，心中暗暗忖道：原來一個美麗的女孩子笑將起來，竟然如此好看，多采多姿目不暇接……

紫衣少女看他仰臉出神，嫩臉之上，微微泛起一層紅暈，柔聲問道：「你在想什麼，可是怕一掌把我打死嗎？」

徐元平心間突然一凜，暗忖道：我和丁氏姐妹相處之時，心中坦坦蕩蕩，毫無異樣，怎的此女一笑，竟使我如中瘋魔。當下一提真氣，澄清心中綺念，冷冷說道：「念在你替丁玲姑娘療傷份上，我再讓你一次。」

他說話之時，仍然仰臉望天，目不轉睛。

只覺一股香風拂面而來，啪啪兩聲，雙頰各自著了一掌，聲音雖響，但卻毫無疼楚之感。耳際間響起那紫衣少女嬌脆的笑聲，道：「你不打我，那我就打你了。」

徐元平被打得怔了一怔，向後退了兩步，舉起右掌，正待拍出，忽見她雙眉輕顰，眼眶之中，淚光濡濡，滿臉幽怨，楚楚可憐，不覺心中一動，暗道：如我這一掌拍了下去，只怕要把她活活打死……心念一轉，按下胸中憤怒之氣，緩緩地放下右掌說道：「我徐元平乃堂堂男子，豈肯和你女孩子家計較……」

紫衣少女不容他說完，冷然接道：「張口男子漢，閉口大丈夫，哼！男子漢有什麼了不得，你比神州一君如何？」

徐元平道：「眼下我雖然未必能夠勝得了他，但我總有一天要把他活活劈死……」

紫衣少女嫣然一笑，接口：「是啦！日後的事，以後再說，眼下來說，你是自知打他不過了，是嗎？」

徐元平道：「我和黑衣女比武受傷，不能和他動手，彼此沒有相試，怎知我打他不過？」

紫衣少女聽他言詞間，似乎把神州一君易天行，恨得切齒入骨。秀眉微揚，眼珠轉了兩轉，笑道：「我覺著那位易天行不但武功高強，而且爲人也很和善，神州一君之名，實不虛傳……」

徐元平大聲說道：「其人外貌僞善，心地險惡無比……」

紫衣少女微笑接道：「你怎知人家心地險惡，我看比你和善多了。」

徐元平怒道：「我懶得和你談啦，婦人之見。」說完，不再容那紫衣少女接口，轉身一掠，人已到數丈開外，放腿疾奔而去。

金老二和鐵扇銀劍于成一見徐元平向前疾奔而去，立時放腿向前追去。

紫衣少女望著徐元平逐漸消失的背影，暗自歎了一聲，緩緩轉過身子，恨聲罵道：「呆頭呆腦的傻瓜……」

梅娘嗤的一笑，接道：「你舉手就要打人，開口就要罵人，那自然要把人家嚇跑了。」

紫衣少女仰臉望天，默然良久，突然回頭望著駝、矮二叟，道：「你們立時重回那莊院之中，告訴神州一君，要三日之後，五日之內，趕到碧蘿山莊見我！」

駝、矮二叟同時怔了一怔，才抱拳說道：「敬遵令諭。」齊齊轉身，向那莊院之中奔去。

紫衣少女秀眉微聳，艷麗絕倫的粉臉上，滿是肅殺之氣。

梅娘呆了一呆之後，柔聲說道：「神州一君易天行，乃中原武林道上最為險惡之人，你要他去咱們碧蘿山莊作甚？」

紫衣少女嘴角間泛現出一絲冷峻的笑意，道：「我要幫他把中原武林道攪個天翻地覆。」

梅娘微微一皺眉頭，道：「咱們遊歷中原風光，與人無涉，何苦要自找麻煩？」

紫衣少女美麗的眼中，滿是怨毒的光芒，冷冷答道：「我要中原武林自相揮戈殘殺，屍遍荒野，血流成溪。」

梅娘聽得悚然一驚，轉臉對她一瞧，只見她黛顰深鎖，一雙秀眸怔怔地凝望著蒼茫無際的雲天，輕輕地咬著下唇，眼神裡透露出怨恨的神情。

她這種情形大異往昔，是梅娘從來未曾見到過的。

她伸手抓起紫衣少女的玉手，輕輕地撫拍了兩下，愕然地柔聲問道：「孩子，你今天是怎麼啦？咱們與中原武林，並無什麼恩怨糾葛，你怎能這樣做？」

紫衣少女依然佇立遙望著遠方，冷漠而低沉地說道：「嗯，我就是要這樣做，非把他們攪得天翻地覆不可……」

梅娘這時見她這種神情，既不好附和稱讚，又不好出口勸慰，一時不知如何是好，怔怔地又瞧了她一眼，只見她雙頰泛現起一層淡淡紅暈，心中忽然暗道：是啦，她乃是嬌養慣了的人，哪裡這樣勞動過的，想必是身子睏乏了。

想到這裡，搖了搖頭，道：「孩子，咱們不要盡站在這裡了，先回碧蘿山莊去吧！」

紫衣少女茫然地點頭，緩緩地抬起玉腕，扶在梅娘的肩上，隨著梅娘向前走去。

梅娘扶著她越過兩條小徑，繞過幾叢樹叢，回頭朝莊裡看了一眼，然後才徐徐地走去。

二人來到一座樹林旁邊，但見翠竹數畝，蒼松遮天，一聲低低馬嘶，轉過兩步，已見一輛套篷馬車，停在樹蔭之下。

兩名壯漢一見二人到來，肅立一旁，梅娘點頭招呼一下，扶著紫衣少女上了馬車，放下垂簾，一聲長鞭劃空，蹄聲得得，車聲轆轆，頂著大道疾馳而去，車後揚起一陣似霧的煙塵。

徐元平被紫衣少女打了兩下，心裡不知是什麼滋味，一怒之下，向前奔去。金老二和于成對他自是關心，忙由後追上。

三人默默地走了一陣，徐元平一路上漫無邊際地想著，把激動的心情，又漸漸平復下來。

金老二停了半刻，問道：「平兒，昨夜你在那莊子裡，跟他們起過衝突了嗎？」

徐元平搖搖頭道：「沒有。」

金老二望著徐元平道：「那你怎麼在那裡面這樣久呢？」

徐元平忽然笑道：「我受了傷啦。」

鐵扇銀劍于成啊了一聲，道：「相公受傷了，難道與他們動手了麼？」

徐元平道：「許多事真是使人難以預料，想不到竟碰到上官堡主上官嵩的女兒。」于成聳了聳肩，道：「那是出名難纏的，難道相公和她動手了？」徐元平沒有說話，只點頭微微笑了笑。

金老二滿心關懷追問道：「你既受了傷，這時如何又能行動了呢，已不礙事了吧？」

徐元平應道：「此刻已不礙事了……」

他本想把自己治療傷勢的事說出來，但是繼而一想，如果說出自己療傷之事，勢必要將少林寺慧空大師之事說出，那定然要牽引出更多事來，而其中有許多事是不能對外人說，所以說了一句，倏然住口，又淡淡地接道：「我自己調息了一陣就好了。」

金老二道：「平兒！你認識那穿紫衣的小娃兒嗎？」

徐元平搖搖頭笑道：「不認識……」忽然覺著不對，又改口接道：「我和她有過數面之緣，昨夜在那莊院之中，又見到了她。」

金老二皺皺眉頭，暗道：你要不說，我還可以想出一點頭緒，你這一說，我反而聽得更糊塗了。

他不知徐元平因為說得過急，故而前言不對後語，只道徐元平不願告訴他，當下也不再追問。

于成看看天色，說道：「相公昨天入那莊院之中，可見到神州一君易天行嗎？」

徐元平道：「見過了，我和那上官堡主女兒動手，身受重傷，他還出手相救於我。」

于成默然不言沉思了良久，才歎息一聲，道：「如那神州一君真如金老前輩所說，只怕他也不會出手救你了。」

言下之意，似是對神州一君其人，仍然萬分敬仰。

徐元平仰臉望天，默然不言，心中卻暗想：看那神州一君為人的確和藹可親，以他那等俠氣風采，難道真還會做出什麼卑劣可恨之事不成？不覺心中動搖起來。

金老二江湖閱歷何等豐富，見徐元平神情，立時察覺他心中有了懷疑，當下歎息一聲，說道：「平兒！昨宵神州一君救你之時，可有他人在場嗎？」

徐元平道：「神丐宗濤老前輩，和上官堡主在場。」

金老二略一沉吟，道：「他可是先救上官嵩的女兒，然後才動手救你，是嗎？」

徐元平心頭一震，道：「是啊！金叔父怎麼會知道呢？」

金老二臉色忽然變得十分緊張起來，急道：「平兒，他在救活你們之後，可曾取出一種藥丸要你們服用？」

徐元平凝目沉思了一陣，道：「好像有過此事……」他那時間神志還未十分清楚，想了半晌，才想了起來。

金老二急聲問道：「平兒！你吃了沒有？」

徐元平搖搖頭，道：「沒有！他先把那藥丸送給上官嵩的女兒，被神丐宗濤搶了過來。」

金老二長吁一口氣，道：「神丐宗濤之名，果不虛傳，一代大俠，見地究竟與眾不同。」

徐元平聽他連聲頌讚宗濤，不禁回頭望了金老二一眼，正待開口說話，鐵扇銀劍于成已搶先說道：「金老前輩此言，晚輩甚感不解，難道易天行出手救人，也是故作虛假不成？」

金老二道：「君子與小人之分，就在此處了，易天行救人之後，取出一粒丹丸，要你服用，表面之上看來，堂堂正正，其實他那一粒藥丸，乃是一種奇毒無比的慢性藥物，服用之後，緩緩侵入人體內臟，數月之後，才會發作，那時藥毒已然深浸內腑六臟，縱然是華陀、扁鵲重生，也感束手無策……」

鐵扇銀劍于成只覺得由心底泛上來一股寒意，道：「此事可當真嗎？」

金老二仰天一陣大笑，道：「平兒，宗濤搶去藥物之後，神州一君決然不肯就此罷手，定要把那藥物重新搶了回來。」

徐元平道：「不錯，神丐宗濤搶得藥物之後，易天行立時出手搶了回去。」

金老二哈哈大笑一陣，說道：「如果那藥物落在宗濤之手，易天行僞善天下之名，即將被武林同道拆穿，所以……」突然臉色一變，倏而住口不言。

他這等大反常情的神態，只看得徐元平和于成同時呆了一呆。還未來得及出言相詢，金老二已搶先說道：「平兒，咱們走吧！」也不待兩人回答，轉身向前走去。

徐元平看他神態之間充滿驚懼之情，不忍出言相詢，茫然隨在金老二的身後，向前走去。

于成究竟是久走江湖之人，見多識廣，心中感到金老二異常的神態，定然有什麼發現，立時轉頭四下張望，果然看見四、五丈外草地上，有一塊銀光閃爍的牌子，除此之外，再無發現。

回頭望去，金老二和徐元平已走到七、八丈外，正待轉身追去，忽然心中一動，暗道：那塊牌子，不知是什麼東西，何不拉出來瞧瞧？心念轉動縱身一躍，直向那銀牌飛去。

那塊銀牌相距他不過四、五丈遠，一連兩個縱躍，已到那銀牌旁邊。低頭看去，只見那塊銀牌之上雕刻著一根白骨。

伸手拉了起來掂一掂，只覺入手甚重，似是純銀做成。

這時，徐元平和金老二已走到十幾丈外，于成來不及翻轉過銀牌瞧看，隨手放在袋中，急步向兩人追去。

金老二腳步愈走愈快，頭也未回過一次，徐元平和于成緊隨身後，一口氣走出了五、六里路，到了一片雜林旁邊。

徐元平低聲叫道：「二叔父，你想起什麼要緊的事了？」

金老二停下腳步，緩緩轉過身來，徐元平仔細一瞧，登時心頭一震。只見他臉色發青，滿是冷汗，似是受到了極度驚駭一般。

于成心中甚感奇怪，忍不住問道：「金老前輩，你怎麼了？」

金老二伸出獨臂從懷中摸出一方絹帕，擦去額邊汗水，說道：「平兒，我只能活半日時光了，今天入夜之前，我就要死去，而且死得奇慘無比……」

徐元平奇道：「爲什麼？」

金老二慢慢轉頭，四下望了一陣，就地坐了下來，閉目養息了一陣，臉色逐漸好轉過來，說道：「因爲我已看到神州一君的催命牌了，凡睹此牌之人，非死不可。」

徐元平道：「有這等事嗎？」

金老二黯然道：「催命牌乃神州一君隨身所帶之物，除了他本人之外，其他之人均不得擅自動用，此牌一出，必然有人要死，四個時辰之內，如若見牌之人還不自斷肢體一死，立時將被拘回，身受萬蛇慘噬，用刑之慘，世無倫比。」

徐元平暗暗忖道：看那神州一君爲人，和藹可親，怎生會想出此等慘酷之刑……

于成心中一動，探手入懷，取出拉得的銀牌，問道：「金老前輩所見，可是此物嗎？」

這一面小小銀牌，不過徑寸大小，除上面雕刻著一根白骨之外，再無其他可怖之物；但久歷江湖、見聞廣博的金老二目睹那銀牌之後，立時臉色大變，頂門之上，又滾下點點冷汗。

徐元平眼見金老二對那一面毫不起眼的銀牌，竟然這等畏懼，心中大感奇怪，伸手取過于成手中銀牌說道：「一面銀牌，有什麼可怕之處，叔父怎的這等畏懼？」

金老二目注銀牌，說道：「你把那銀牌翻轉過來瞧瞧。」

徐元平依言翻過銀牌，只見上面雕刻著兩行小字，道：催命之牌，睹此速死。除了八個小字之外，再無其他可疑之處。

于成忽然放聲大笑，說道：「我們也見了這面銀牌，難道也要被神州一君給拘去受那萬蛇噬體之苦不成？」

金老二歎息一聲，道：「這我就不太清楚了，你們局外之人，是否也要受這催命之牌的約束，除了神州一君之外，大概再也無人知道，我曾目睹他在一宵之中，連傳六面銀牌，天色未亮之前，六人無一逃過銀牌拘捕之諭，推入蛇穴，被毒蛇活生生咬死。」

忽聽于成大聲喝道：「相公快些放手，那那……那銀牌之上有毒。」徐元平轉眼望去，果見于成拿過銀牌的左手之上，泛起一片黑氣。

金老二忽然叫道：「平兒、于兄，快些運氣閉住穴道，別讓奇毒傳到身上……」

只聽那一片雜林之中，傳出來一個冷漠的聲音，道：「可惜爲時已晚了，那銀牌之上，塗有世所罕見的奇毒，只要用手一摸，奇毒立時沾身，如想保得性命，快把摸過銀牌之手，齊肩斬去。」

于成低頭看去，果見一層綠綠黑氣，由左手循臂向上蔓延，不禁心頭大駭，趕忙運氣閉住左臂穴道，拔出長劍喝道：「什麼人鬼鬼祟祟，躲在林中？」

徐元平一抖健腕，手中銀牌疾如劃空流失一般，直向那發話之處飛去，人隨牌進，縱身猛撲過去。

但見那銀牌挾著一縷尖風，落在一片叢林密茂的草叢之中。

銀牌穿草而入，徐元平已跟蹤飛到，人未落地，懸空拍出了一掌。一股勁猛的掌風，震得枝葉紛斷，叢草裂分。

在徐元平心中想來，這一掌定可把那發話之人逼了出來，只要對方一現身，立時盡展所學，把那人捉住，然後迫他交出解藥，以救于成身受之毒。

哪知事情大出了他意料之外，掌風過處，草叢分而復合，但卻不見那發話之人。徐元平腳落實地，分草而入，向前搜去。

他乃是無經驗閱歷之人，一心只想找出發話之人，迫他交出解藥，解去于成手上之毒。這片草叢，十分深茂，而且高可掩人，徐元平分草深入了兩、三丈遠，仍然不見敵蹤，不禁心中動疑，暗道：對方發話聲，明明由此處傳出，難道還會聽錯不成？

何況此草這等深淺，不論身負何等輕功之人，只要一動，定然要發出聲響，既不聞草動之聲，又不知敵蹤何處……正在忖思之間，忽聞左側兩丈左右之處，枯草一陣嗦嗦大響。

徐元平大喝一聲，縱身直躍而起，身懸半空，突然一個轉身，直向那傳來響聲的地方撲去。

這一動作迅快無比，一閃而至，那荒草搖動還未靜止，徐元平已自撲到。但見滿目荒草，哪裡還有一點人影。

只感一股怒火，由心底直衝上來，大聲喝道：「鬼鬼祟祟豈是大丈夫的行徑？」喝聲之中，雙掌連環劈擊出手，強猛的掌風，排山般向四外湧去。

他這時功力，已然十分深厚，非同小可，但聞一片折枝之聲，繞耳不絕，斷草紛紛，四外橫飛。

他一連發出二十餘掌，才停下手來，周圍丈餘方圓以內的枯草，都被他掌力震斷，成了一片空曠的地方，但仍然不見敵人蹤影。心中正感奇怪，忽聽遙遙傳來一聲悶哼之聲，不禁心中一動，暗道：糟了，他們施用誘敵之計，把我引到此處，然後好下手對付他們兩人……心念一動，立時縱身而起，兩、三個起落，人已竄出草叢。

定神望去，哪裡還有金老二和于成的蹤影。

這一驚非同小可，口中大叫一聲：「二叔父！」放腿直向原來停身之處奔去。

只見于成雙目緊閉仰臥地上，手中銀劍和肩上插的鐵扇，齊丟在身側，金老二卻已不見。

徐元平一望之下，立時看出于成是被人點了穴，趕忙蹲下身去，伸手在于成身上輕輕拍了幾掌。

只聽于成長長吁了一口氣，道：「金老前輩已被人挾持去了，相公快些追去。」

徐元平接道：「向哪個方向去了？」

于成道：「向北咱們來的方向。」

徐元平道：「那一定重又回到那座莊院去了……」

縱身躍起，一掠二丈，直向正北追去。

他一口氣奔出兩里左右，忽然心中一動，暗道：我何不先爬上一株大樹上瞧瞧。

心念一轉，直向道旁一株大樹奔了過去，縱身一躍，抓住一條垂下的樹枝，借勢一翻，人已到了樹頂之上。

這時，艷陽當空，視界遼闊，一目可見數里外的景物。放眼看去，只見西面大道上，悠悠行著一輛馬車，除了那馬車之外，四下再無人蹤。

他駭然歎息一聲，跌下樹來，心中想道：這四下不少可以掩身荒草，如若他藏起身來，一時之間，如何能夠找到？

他忽然覺著世上有著很多困難的事，那些事，並非武功可以解決。回頭望去，只見鐵扇銀劍于成搖搖擺擺地走了過來。

徐元平極快地迎了上去，問道：「你傷勢很重嗎？」

于成搖搖頭，道：「一時間血道不暢，大概過一天就會好了，相公可看到金老前輩的蹤影嗎？」

徐元平道：「沒有。」

于成沉思了一陣，道：「事已至此，急也無用，此處滿是荒草，他們隨便找個地方藏了起來，一時間也不易尋到，眼下之策，只有先到那莊院中去，找到神州一君再說。」

徐元平仰臉望天，自言自語地說道：「如果她在這裡，定然會想出辦法。」于成奇道：「相公說的是誰？」

徐元平道：「鬼王谷的丁玲姑娘，她心思縝密，足智多謀，一向料事如神。」

于成黯然不言，心中卻暗暗想道：我于成跑了半輩子江湖，難道真的連鬼王谷一個小娃兒就比她不過嗎？當下凝目尋思起來。

要知人的智慧聰明，先天的稟賦極爲重要，年齡和經驗雖然增長了見識，但卻不能助長才智，所以，于成想了半天，仍然想不出一個完善之策。

徐元平看他一直沉思不言，忍不住問道：「于兄，不知那動手之人，是何模樣？」

于成呆了一呆，滿頰羞紅地說道：「我還未來得及瞧，已被他們點了穴道，只見到兩人背影，身著青色勁裝，背插單刀……」

徐元平突然滿臉堅決地說道：「于兄請自行尋找一處僻靜地方，療息傷勢，明日午時，咱們仍在此地相見，如若我屆時不來，那就出了意外，于兄就自行請回，仍做你的總瓢把子吧！」

于成急道：「這怎麼成？我已說過要終生一世追隨相公……」

徐元平歎道：「你去了也難幫我的忙，反要我分心照顧於你，我看還是別去了……」轉過身子，大步直向那莊院走去。

鐵扇銀劍于成急步跟了上去，大聲說道：「相公且請慢行一步。」

徐元平回過身來笑道：「什麼話快些說吧！」

于成道：「我在那莊院外面，找處隱密地方藏起來，等相公救人出來。」

徐元平想了一想，道：「好吧！如你等到太陽落入西山之時，還不見我出來，就別再等啦！」

于成黯然接道：「如若相公真的傷在那莊院之中，于成當昭告天下英雄，揭穿易天行僞善面目，然後以身相殉。」

徐元平緩緩伸手，從懷中摸出戮情劍，嚓的一聲，拔出寶劍，卻把劍匣交到了于成手中，說道：「這劍匣上的圖案，關係著孤獨之墓中的藏寶，如若我傷在莊院之中，這劍匣定被神州一君奪去，墓中藏寶，勢必要落入他的手中，實在有些可惜。」

「你把這劍匣暫時收存起來，我如送命在那莊院中，你就攜這劍匣，去找神丐宗濤，把劍匣交付於他，並把咱們在古墓所聞所見，一齊講給他聽。要他日後去那古墓，取出藏寶……」

他微微一頓之後，突然一揮手中精芒奪目的戮情劍，劃起了一道冷森的劍氣，接道：「寶劍啊！寶劍啊！你雖鋒利無比，但卻被世人視為不祥之物，但願此次能助我去報殺害父母之仇……」說時隨手揮動起來。

但見精芒閃動，剎那間劍氣漫空，五尺之內，盡都是冷森森的劍風，迫得于成一連向後退了三步。

鐵扇銀劍于成目睹徐元平揮動那戮情劍的手法，心中甚感駭異，只覺隨手一揮之勢，無不是精奇奧妙的招術，雙目神凝，看得呆在當地。

徐元平收住劍勢，神情忽然變得莊嚴肅穆起來，既無憤怒之色，亦無歡愉之情。片刻之後，朝北飛奔而去。

十九　詭秘重重

一向狂放的于成，忽然心生淒然之感，兩行淚珠，奪眶而出，抱拳躬身相送，說道：「相公珍重。」

徐元平忽然停下步來，回頭笑道：「于兄這般相待於我，在下未能回報點滴，心中極是難安。」

于成舉起衣袖，拭去面上淚痕，抬頭瞧了徐元平一眼，心中忽覺微微一震。

原來他神情之間已毫無哀傷之感，滿臉莊嚴之色。

只聽徐元平平和的聲音，傳入耳中道：「我忽然想到了幾招武功，三劍三掌，這六招各自獨立，互不相關，我也不知源出何門何派，但出手威力極強，我在一盞熱茶工夫之內，把這三劍三掌轉傳于兄，只是時間短促，難以多和于兄切磋，你能學得多少，就算多少。」

于成正待出言相謝，徐元平已大步走了過來，低聲喝道：「于兄留心了，這一掌叫『飛鳳出巢』。」舉手平胸，斜斜推出一掌。

掌勢初出平淡無奇，到推出一半之時，陡然向左翻去，手臂伸直後，又回返右面拍出。

徐元平初次授人武功，心中雖然瞭解這一招奧妙，但口中卻說不出來。

于成見聞廣博，一看之下，心中已有幾分明白，不自覺地照樣學去。這一招「飛鳳出巢」看似簡單，但真的學起來，卻又十分複雜，于成一連練了十餘遍，仍然無法盡得竅訣。

徐元平心急金老二的安危，不待于成完全學會，就又開始傳授他第二招「雷霆萬鈞」。這一招乃極為剛猛的掌勢，只要用出此招，不自主地就把全身功力凝聚起來。

徐元平看他練習了十幾遍後，大概竅訣已通，立時又開始傳授他第三掌「千絲一網」，這一招卻是極為奇奧的手法，暗含擒拿，變化萬端。

學完三掌，已過了將近頓飯工夫，徐元平抬頭望望天色，伸手搶過于成寶劍，隨手轉了兩轉，一劍刺出，口中說道：「這一劍叫『鐵樹銀花』，現下時光已經不早，于兄請恕我不能再傳餘下二招了。」口中說著話，手中長劍又連續施出二次「鐵樹銀花」，放下劍，縱身而起，直向那莊院之中奔去。

于成俯身撿起銀劍，徐元平人已到四、五丈外，但見他身軀閃了兩閃，消失不見了。

艷陽當空，微風拂面，于成黯然歎息一聲，收回戮情劍匣，正待找處深草隱身，忽聽一聲冷笑傳來。

這冷笑之聲，雖然不大，但傳入于成耳中，卻如聞得陡發春雷一般，心頭大生震駭。轉眼望去，只見不遠處一叢深草之中，走出一個身穿長衫、頭戴方巾，十分文雅的中年儒士，面含微笑，緩步而來。

于成忽覺心頭一跳，不自覺地脫口喊道：「你是神州一君易天行。」
那中年儒士笑道：「不錯，于兄手中拿的什麼？」
于成揚了揚手中銀劍，道：「這個麼……」
易天行搖頭微笑，道：「你左手所拿之物。」
于成低頭望了望手中的戮情劍匣，道：「易大俠問的這個？」
易天行道：「正是。」
于成淡然一笑，道：「這是位朋友之物，要我把它暫代收存。」
易天行笑道：「豈止暫代收存，不是要你轉交給神丐宗濤嗎？」
于成吃了一驚，道：「怎麼你都聽到了？」
說話之間，易天行已走到于成身前，緩緩伸出右手，笑道：「不知于兄肯把手中之物，借給在下瞧上一瞧？」
于成道：「這個……」
易天行道：「在下一向不願佔便宜，于兄如能把手中之物借給在下一瞧，我當療治好于兄手上之毒。」
于成早已把手上中毒之事忘去，聽得易天行一說，不自禁地低頭望去，只見手上中毒之處紅腫已消，但卻呈現出點點紅斑，心頭甚感奇異，暗道：中毒之初，看去此毒甚為厲害，怎的未經療治，紅腫竟然自行消去……
只見神州一君易天行微微一笑，說道：「于兄想必認為手上紅腫已消，大可不必再行療治，其實奇毒早已侵入肌膚血液之中，三天之後，毒性發作，全身潰爛而死。」

于成道：「什麼？」

易天行正容說道：「在下之言，句句真實，于兄如若不信，不妨把那泛現紅斑之處，用劍尖挑破，看看流出的血色，當知在下之言不虛了。」

于成略一猶疑，用手中銀劍劍尖，挑破一處紅斑。只見一滴紫血，由傷處流了出來，滴在地上。

于成冷笑一聲喝道：「江湖上黑白兩道之中，提起你神州一君，無不萬分敬仰，只道你是一位儒雅仁慈的長者，卻不知竟是一個外貌和善，心地險毒如蛇蠍的僞君子……」

易天行微笑道：「在下素不願意強人所難，如果于兄不肯把手中之物借給在下一瞧，也就算了。」說完，轉身慢步而去。

鐵扇銀劍于成，抬頭望望天色，心中暗自忖道：縱然他說的句句實話，我還有三天好活，我必須在這三天之中，找到神丐宗濤，把這戮情劍匣，交付於他……

忽然心念一轉，又自忖道：我答應在此地等他回來，究竟等是不等？覺這兩件事，件件都異常重要，一時之間，不知該如何才好。抬眼望去，只見神州一君易天行緩緩移動的背影，逐漸消失在亂草叢中。

于成忽然覺著心胸之中，湧塞了無比的痛苦和一種莫名的感傷，平時的豪氣忽消，黯然歎息一聲，自言自語地說道：他肯把這等珍貴之物，放心交付於我，定然是相信我能把此物轉交到宗濤手中，如若我不能辦到，豈不辜負了他一片信我之心……

何況那孤獨之墓中藏寶極豐，富可敵國，又有武林人物夢寐以求的玉蟬、金蝶，如若此物落在神州一君手中，那還得了，我非得早把此物送交神丐宗濤不可……

正在忖思之間，忽聽身側叢草響起一陣沙沙之聲。轉頭望去，不知何時四周已被六個身著白衣，懷袍短劍的童子包圍起來。這六個童子，大都在十四、五歲之間，個個眉月清秀，但神色之間卻是一片莊嚴。

日光下，但見六人懷抱的短劍上閃動耀目的光芒。

于成久走江湖，一望之下，立時看出這六個童子手中寶劍不是凡品，不禁一皺眉頭，暗自忖道：這六個孩子從哪裡得來這樣長短一般的六把劍？當下一揮手中銀劍喝道：「你們要幹什麼？」

正東一方站的白衣童子，似是這六人首領，輕輕一搖手中短劍，冷笑說道：「不要多說話，閣下只有死、殘兩條路，任你選擇一條。」他聲音雖然仍帶著幾分童音，但言詞神態卻冷峻至極。

鐵扇銀劍于成聽得怔了一怔，道：「什麼？」

那首先說話童子冷冰的聲音重又響起，道：「你耳朵聾了嗎？死亡、殘廢兩條路，任你選擇一條，難道就聽不懂嗎？」

于成由心底泛上來一股怒氣，暗道：我走了半輩子江湖，遇上的凶殘之人也不少，但卻從未見過這等眉目秀俊的年輕孩子說話時，神情、詞意間如此冷酷，長大了那還得了。

心中在想，口中卻不自覺地問道：「死亡之路如何？殘廢之路又將如何？」

六個童子互相望了一眼，仍由那站在正東方向的童子說道：「要死最是容易，我們一劍把你殺了，或是由你自己橫劍自絕，至於殘廢之路，雖然留下性命，但那活罪難受，先要挖去雙目，割去舌頭，挑斷雙手經脈，叫你不能洩去所見之事……」

于成大怒道：「就憑你們六個毛頭小孩子也敢這般狂妄？」銀劍一擺，猛向正西衝去。

他久在江湖之上行走，目光何等銳利，早已看出這六個孩子，不是易與之輩，心中早已打好主意，準備出其不意，衝出圍困，三十六計，走爲上計。所以話一出口，一劍「起鳳騰蛟」，閃閃精光，幻化出三朵劍花，點向那攔路童子。

于成老謀深算，和六個童子講話時，早已暗中留神打量六人，覺出衛守在正西方的白衣童子，較爲瘦弱，可能是這六人連鎖陣中最弱的一環，所以，怒喝一聲之後，仗劍直衝過去。

只聽那白衣童子冷笑一聲，右手短劍橫向上面一撩，直向于成臉上削去，出手迅快絕倫。

于成早發覺幾人劍光強烈異常，不敢硬和幾人短劍相觸，手腕一挫，疾收劍勢，寒鋒一偏一轉「腕底翻雲」，直向那白衣童子握劍右腕之上刺去，左手同時拔出肩頭鐵骨摺扇，灑出一片扇影，護住後背。在他想來，這六個白衣童子武功縱得神州一君親授，但年紀究竟有限，功力上面，卻難有什麼成就，六人同時現身，定然是憑仗合擊的劍陣求勝。

哪知大謬不然，他衝向正西方位，其餘五人並未出手合攻，仍然靜站在原地不動。但見守衛正西方位的白衣童子，手中短劍上撩，忽然一轉，變成了向下橫削。這一招變得詭異難測，手腕翻轉之間，短劍已撩上于成的銀劍。只聽噹啷一聲，于成手中銀劍登時被削去半截。

那白衣童子一劍得手，突然踏中宮欺身直進，短劍一揮，幻化出一片劍花，分襲前胸三大要穴。

形勢迫得于成不得不用左手摺扇拒敵，趕忙橫向旁側一閃，鐵骨摺扇「浮雲掩月」，由下向上疾翻，劃出一片扇影，封住那白衣童子攻勢。

那白衣童子似是早已料到于成有此一招，短劍左搖右擺，揮出一片寒光，但聞一陣沙沙急響，于成鐵骨摺扇被那寒芒劍風，削成片片碎屑，散落地上。

交手不過兩招，于成手中的鐵扇銀劍盡毀在那白衣童子的短劍之下，不禁心頭大駭，向後疾退兩步。

忽聞衣袂飄風之聲，那守在正南方位的白衣童子疾衝而上，左手一抄，已抓住于成手中的戮情劍匣，右手短劍當胸劃去，森森劍氣，拂面生寒。于成如不撒手鬆開戮情劍匣，勢非被那短劍劃中不可，情勢所迫，只得丟開劍匣向後退去。

那白衣童子搶得劍匣之後，回身一躍，又回到正南方位。

于成茫然四顧，目光緩緩從六個白衣童子臉上掠過，只見幾人臉色一片嚴肅冷漠，直似幾個白玉雕成的石娃娃，小小年紀，竟然能把喜怒之情，壓制在心底之中，不讓它形露於神色之間。

只聽那正東方位上的白衣童子，冷冷說道：「現在我們開始從一數起，數到九字，這一段時間之中，大概已足夠你想一個較爲舒適的尋死法子，如果九字數完，你還不死，哼，那我們就自己動手啦！」

于成在江湖闖蕩，身經無數惡戰。但卻從未像今日戰局之慘，這六個面貌秀俊的童子，不但劍法詭異絕倫，而且身法飄忽如風，不可捉摸，再加上手中斷金切玉短劍的威力，更顯得武功高強。

于成已從人家削去劍、扇，搶去戮情劍匣劍招的身法上，了然到自己絕難闖出六人連鎖劍陣，縱然和人一對一地相搏，也難是人敵手。他絕望的歎息一聲，仰臉望望無際的蒼穹，默默祈禱：相公，請恕我于成無能，難以完成你交代之事，只有拚得一死，聊謝愧疚了……

只聽那正東方位上的白衣童子，高聲喊道：「一……」

東北方位上的白衣童子立時接口道：「二……」

依序相傳，三、四、五、六，一氣喊完。

這時，于成心中死念已決，人反而變得十分鎮靜，不待七字出口，突然大聲喝道：「于大爺是何等人物，豈肯受爾等凌辱。」縱身而起，舉手一掌「飛鳳出巢」，直向正東方位拍去。

他已存下必死之心，衝擊之勢，十分迅快，這一掌「飛鳳出巢」，威勢又極強猛，雄渾的掌力，劃起了嘯風之聲。

守在正東方位上的白衣童子，似是想不到于成會猝起發難，變出意外，微現慌亂，身軀一閃，讓開三尺。

于成雖然一擊落空，但他已覺出這招「飛鳳出巢」的威力極大，腳落實地，陡然大喝，舉手一掌「雷霆萬鈞」反臂拍出。一股強勁絕倫的力道，直衝過去，正北、正南兩個方位上趕來兜截的兩個白衣童子，吃那一股強勁掌風，迫得疾向兩側退去。

于成借那反臂拍出的掌勢，向前疾躍出七、八尺遠。

但見白衣閃動，六個白衣童子齊齊振袂飛起，舉動之間，整齊劃一，直似一個人動作一般，迅快無比地搶在于成前面，六人腳落實地之後，仍然各站在原來方位之上，距離分毫不差。

那正東方位上的白衣童子，揮動手中短劍，劃起一片劍影，高聲數道：「七……」嗓音尖銳，猶帶童腔。

于成怒聲喝道：「于大爺走了半輩子江湖，身經無數惡戰，生死之事，早已不放心上，難道還會逃走不成。」舉手又一招「飛鳳出巢」猛劈過去。

他心知所會武功中，只有這兩招掌勢，還可拒擋敵勢，所以，又劈出了一招「飛鳳出巢」。

鐵扇銀劍于成此時早把生死之事置之度外，同時自己實不甘心受這六個童子的凌辱，是以劈出一招「飛鳳出巢」，人也同時隨著拍出的勁風，直向西南方面衝去。

他這一招乃是全力而發，那據守西南方的童子，見他擊來的掌風強猛凌厲，倒也不敢硬接，被迫得向後躍退出三、四尺開外。

就在于成一招得手之際，那正東方位上的白衣童子，已高聲數道：「八……」

鐵扇銀劍于成聽得心頭微微一怔，正待搶步衝出包圍，那正東方位上的童子又朗聲數道：「九。」

這「九」字聲音剛一離唇，立在他左右方的兩個白衣童子，倏的身形陡起，疾如驚鴻，掠空而過，半空中，雙雙旋身折回，短劍一揮，展起一片光華，人已躍落實地，雙劍並出，反襲而至。

于成只覺眼前寒光閃耀，霍的收住衝勢，情急之下，雙手疾吐，施展出一招「千絲一網」。

這一招手法極是奇奧，雖然于成使用得不太嫻熟，但那暗含的奇譎變化，已足令兩個阻攔去路的白衣童子，難測高深。

但見于成雙掌疾吐，分向兩個童子擊去，倏然變擊爲掌，動作快若電奔，但覺手上一重，心知已拿住對方，心裡也來不及考慮，雙臂同時運力，往外一送，但聽一擊悶哼，左手中的一個童子已被摔出四、五尺開外。

于成這一動作雖是同時發動，但他左手中毒，心中多少存有顧慮，所以在使用上，精力自不能充分貫注，因而一送之勢，那右手所拿的童子，僅被推送半步。

這童子被于成所拿，早已暗蓄功力，被他一送，腳下略一移動，人已拿穩身形，挺身趕前半步，右足猛掃，疾向于成下盤踢到。

于成因一推之勢用力過猛，腳下虛浮，被那童子一踢，一個站身不住，人已跌坐地上。

那正東方位上的白衣童子，見二童被于成一招「千絲一網」所拿，一躍身，人已電射而出，待他躍落實地，于成已跌坐地上，那童子冷笑一聲，短劍一伸，已指在于成胸前。

于成自認必死，雙眼一閉，猛然間身後響起一聲「住手」！這一聲呼喝，十分宏亮，聽得幾人不由得一怔。

于成轉臉一瞧，只見五步以外，立著一個方面大耳，五旬上下之人，不禁心中一震，暗道：查子清也來了。

來人正是查家堡堡主查子清，他向六個童子掃了一眼，朝于成問道：「于兄今日身陷重圍，可要在下助一臂之力？」

鐵扇銀劍于成一生縱橫江湖，絕少向人低頭，被查子清一問，心想：人生百年，總難免一死，我又何必向你求救呢！所以對他瞧了一眼，沒有理睬。

但繼而一想，又暗暗罵道：于成呀，于成，你好蠢材，徐相公托你多少大事，你一件尚未達成，怎能就一死了之呢……心念一轉，突然動求生之念，但他乃是成名江湖多年的人物，向人啓齒求命，甚覺難以開口。

轉頭望了查子清一眼，口齒啓動，但卻講不出一點聲音，查子清是何等人物，早從于成目光之中，看出他乞求之情，微微一笑道：「于兄不用開口，兄弟已領會心意了。」

他哈哈大笑一陣，道：「不過兄弟向來不願平白無故的幫人之忙。兄弟救得于兄之後，于兄也不必存下感恩之心，只求幫兄弟辦件事情，咱們就恩情兩抵，互不相欠……」話至此處，突然大喝一聲，右手一揚拂出。

一股淩厲的掌風，挾著縷縷銀芒，電奔而出。

但見白影閃動，兩個向于成身邊欺去的白衣童子，縱身躍開。

原來圍守在正東、正北兩個方位的白衣童子，藉著查子清說話的機會，縱身向于成身側欺去，準備先把于成刺死劍下。

查子清眼觀四面，耳聽八方，兩個白衣童子行動雖然毫無聲息，但也難以瞞得過他一雙神目，大喝一聲，打出一記劈空掌風，和二十四支蜂尾針。緊隨著縱身躍落于成身側相護。

但聞一陣沙沙之聲，叢草如波分裂般，倒向兩側，那守在正東方位的白衣童子，疾退了八尺之後，突然一揮手中短劍，六個白衣童子一齊動作，各歸方位，把查子清圍在中間。

查子清目睹六個白衣童子的迅快身法，臉上微微變色，沉聲對于成道：「于兄是否答允，快請決定，兄弟急事纏身，無暇在此多留。」

于成道：「什麼事，查兄先請說出，讓兄弟斟酌斟酌，力量是否能夠辦到？」

查子清道：「此事最是容易不過，在于兄只不過閒話一句。」

于成道：「什麼事，這等容易？」

查子清道：「只要借重于兄以中原四省綠林道上總瓢把子身分，傳下一道口諭，查一下兄弟犬子查玉的下落。」

于成暗自想道：此事果是容易。但口中卻故作謙遜道：「查兄一方雄主，一言出口，武林道上誰敢不聽？兄弟自是樂於效勞，只是不知能否查出少堡主下落而已。」

查子清冷笑一聲，道：「黃河之北，兄弟自信有此能耐，但中原幾省，就非兄弟力所能及，只有借仗于兄大力了。」

于成暗想道：此人之能，江湖上甚少敵手，這六個白衣童子武功劍術雖高，但想圍住他，怕不是容易之事，只是那戮情劍匣現已被人奪去，我縱然被他救出，也是難見神丐宗濤……

心念一轉，低聲說道：「兄弟雖願爲查兄效勞，不過……」

查子清已感不耐，大聲說道：「于兄也是成名多年的人物，說話怎的這等吞吞吐吐，答不答應但憑一言……」大概他感到下面的話太過難聽，倏而往口不言。

于成望望那正東方位上白衣童子手中的戮情劍匣，說道：「兄弟有一支劍匣，被人搶了過去，查兄請把劍匣奪回，兄弟受恩必報，不論如何，都要查出少堡主的下落。」

查子清冷笑道：「一支劍匣能值幾何，于兄想要多少，儘管派人到查家堡去取就是。」

于成暗暗忖道：我真是急糊塗了，查子清是何等人物，這些話豈能夠騙得過他，但如據實說出，只怕他搶得之後，不肯歸還於我……

只見正東方位上那白衣童子，高舉手中短劍一揮，六個白衣童子立時移步換位，緩緩縮小包圍。

于成目睹六個白衣童子排成的劍陣逐漸收縮，激戰即將展開，心念一轉，暗道：劍匣如果到了查子清手中，日後宗濤去討，要比落在神州一君手中容易得多。

念轉意生，故做一聲歎息道：「查兄這般對待兄弟，我于成如不實話實說，心中實是難安，那劍匣並非普通之物，乃傳誦江湖上的戮情劍匣，相傳此物上繪有一幅秘圖……」

查子清不待于成再說下去，突然一晃雙肩，快速無比地向那正東方位上白衣童子欺去。

但聞那白衣童子冷笑一聲，手中寶劍一揮，登時幻起一片森森劍氣護住身子。

正南、正北兩個方位的白衣童子，緊隨查子清身後，雙雙縱身躍起，攻向查子清身後。

查子清原想出其不意，以迅快的身法，從那白衣童子手中奪回戮情劍匣，哪知對方舉手一封，劃出的凌厲劍風，竟將自己疾撲之勢擋住，心頭微生凜駭，暗道：這六個小娃兒，怎的如此扎手。

他功力深厚，已進入收發隨心之境，去勢雖快，退勢更快，一吸丹田真氣，身子突然凌空而起，懸空兩個翻身，閃開左右兩個白衣童子的夾襲之勢，落到于成身旁。

他身子還未站穩，前後兩道銀虹，已挾著凌厲的劍風襲到。

查子清暗暗讚道：好快的身法。兩掌前後分出，打出兩股強猛的掌風，分阻兩個白衣童子的合擊之勢。

兩個白衣童子看出他推出的掌力強大，不敢硬擋鋭鋒，半空一挫腰，身子忽然斜斜飛開。

查子清不容對方出手，大喝一聲，雙拳連環打出，瞬息間打出六拳。這正是查家堡馳名武林的百步神拳，但聞勁風如嘯，迫得六個白衣童子紛紛縱身躍避。

六個白衣童子雖然被查子清百步神拳強勁的拳風迫得紛紛縱身躍避，但起落縱躍，交义橫飛之間，相互交換方位，陣法始終不亂。

要知道憑仗內家真力打出的拳風，雖然強猛絕倫，但最是耗費真力，難以持久，查子清功力雖然深厚，但在連續打出六拳之後，也不禁微微喘息。

拳風一止，六個白衣童子立時各歸原來方位，短劍平胸，凝神內視，緩緩向前移動。

查子清見聞廣博，一見六個白衣童子的神情，已知眾人劍術上的造詣，決非泛泛之流，凝神內視，正意誠心，正是施展上乘劍術前的準備，比武運劍之前的凝神內視，如非劍術有了相當的造詣，想裝作也學不來。

目睹六個白衣童子的神情動作，查子清登時心頭一凜，心知遇上了勁敵，今日之戰，非同小可，輕敵之念，立時消失，當下凝神靜立，暗中運氣調息，蓄勢待敵。

六個白衣童子把劍陣縮到一丈方圓時，一齊停下腳步。

但見正東方位上白衣童子，手中短劍一揮，幻起一片銀虹，其餘五個白衣童子群起相應，片刻間四周幻起了一片重重劍影。

突然間，由那重重劍影中傳出一聲輕叱，兩道銀光疾如電奔般直射而出，分襲查子清上、中兩路。

查子清早已蓄勢戒備，左拳一招「推山填海」打出一股拳風，右手迅快無比地從懷中摸出一條白絹，迎風一掄，橫擊出手。他功力深厚，雖是一條白絹，但擊出力道，甚是驚人，直向兩道襲來劍光上面掃去。

首先發難的兩個白衣童子，竟被他白絹掃襲之勢，迫得收劍疾退。兩人一退，另兩人卻緊隨出手，劍光打閃，分由前後攻到。

查子清迅快地一側身軀，白絹疾如靈蛇，反向身後一人掃去，左手又是一記百步神拳，擊向前面攻來敵人。

剎那間劍氣瀰天，六個白衣童子展開了連番猛攻，有時兩人齊上，有時四劍並進，進退如電，凌厲絕倫。

查子清施展開手中白絹，橫掃直擊，挾著強烈的風嘯之聲。

他手中白絹足足有一丈二尺，施開來，威勢異常強大，六個白衣童子雖有削鐵如泥的寶劍，但那長絹乃柔軟之物，寶劍削上，至多劃上一道口子，無法把它削去，而且那絹忽長忽短，捉摸不定，擊來力道又極強猛，六個白衣童子想用寶刃削它，亦不容易。

雙方力拚了三、四十個回合，仍然是個不勝不敗之局，六個白衣童子也無法越雷池一步，始終被迫在七、八尺外，查子清也沒有捲飛人家一支兵刃，傷一個人。

查子清眼看六個白衣童子精力充沛，毫無敗象，心中暗暗焦急，忖道：這樣耗戰下去，不但形勢於我不利，而且今世英名，也將斷送在這六個娃兒之手，看來不下毒手傷他幾個，不知要打到幾時。

心念轉動，殺機陡生，左手揮動長絹，阻擋住六個童子的攻勢，右手在腰中一探，摸出一條金光燦爛的環鞭。

這種兵刃，十分奇怪，一串小指粗細的金圈連環在一起，每個金圈大約茶杯大小，共有一十三節。

查子清取出金環鞭後，手中抖了一抖，響起一片龍吟之聲，正待施展殺手，忽聽一聲大喝，一股排山倒海般強猛掌風，直擊過來。

六個白衣童子，吃那強猛的掌風撞擊之勢，迫得紛紛向旁側躍進，劍陣立時大亂。

但見一條迅如驚鴻的人影，疾掠而入，落在于成身側。

于成一見來人，突然挺身而起，大聲笑道：「相公沒有……事嗎？」他心中太過高興，大笑難止，一句話，分了幾段說完。

來人正是徐元平，他滿懷悲憤，衝到那莊院之中，從前院找到後園，不但未見金老二的下落，連一條人影也沒有遇到，氣忿之下，逢物就打。

但那莊院之中大都是空無陳設的房間，也沒有可打之物，徐元平運掌擊破了幾扇門窗後，突然想到于成還在莊院外等地，怕于成再被擄去，急急趕了出來，正趕上查子清久戰六個白衣童子不下，立時大喝一聲，全力發出一掌，把六個白衣童子的劍陣衝亂，縱身躍落于成身邊。

查子清細看來人，不過十八、九歲，而且素昧平生，不禁心頭暗生凜駭，忖道：這娃兒不過弱冠之年，掌力竟如是雄渾，老夫數年未到中原，想不到後輩之中，竟然有了這等人物……

忖思之間，徐元平已對他抱拳行了一禮，道：「多謝老前輩拔刀相助，在下感激不盡。」

查子清回頭望了徐元平一眼，道：「你可是給老夫行禮嗎？」

徐元平道：「不錯，晚輩……」

查子清大聲笑道：「不用謝啦，老夫素來不願平白無故的幫助別人。」

徐元平怔了一怔，道：「這麼說來，老前輩和于兄是舊相識了。」

查子清道：「老夫相識滿天下，如果但憑相識之緣，老夫就要相助於他，這樣說來，豈不是助不勝助了？」

徐元平只覺此人言語冷怪，句句字字都頂得人答不上話，但人家有相助于成之恩，心中縱然對言詞不滿，也不好發作出來。

于成趕忙接口說道：「這位查老堡主，和我有約在先，他助我奪回戮情劍匣，我幫他找出查少堡主的下落……」

查子清冷哼一聲，接道：「我幾時答應你奪回戮情劍匣了？」

于成微微一怔，暗暗忖道：不錯，他倒是沒有答應奪得戮情劍匣還我……

忽聽衣袂飄風之聲，六個白衣童子已躍奔丈餘開外。

徐元平、查子清同時縱身躍起，疾追過去，一躍之勢，兩丈開外。

六個白衣童子狡猾無比，突然分散開來，鑽入草叢之中，這六人衣著一般，高矮相同，徐元平、查子清都不知那戮情劍匣在哪個手裡，一時之間，不知追哪個才對，微一猶豫，那六個白衣童子，已走得蹤影全無。

查子清回目望了徐元平一眼，問道：「這六個白衣娃兒是什麼人？」

徐元平聽他問話口氣托大，本想不理，但轉念一想，他既有相救于成之恩，又是查玉之父，只好忍氣答道：「是神州一君易天行的手下。」

查子清道：「易天行也在此地嗎？」

徐元平道：「此人神出鬼沒，行蹤忽隱忽現，誰知此刻哪裡去了？」他似是覺著言未盡意，略一停頓，又接口說道：「不過那六個白衣童子是他貼身近衛，六人既在此地出現，神州一君大概就在附近！」

這時，于成也走了過來，接道：「那六個娃兒現身之前，易天行曾經親自現身……」

徐元平急道：「他可提過我二叔父嗎？」

于成道：「他卻沒有提及金老二的事，只要我把戮情劍匣給他，並且告訴我已身中劇毒。三天之後毒性發作，全身潰爛而死。」

查子清道：「什麼毒這等厲害，給兄弟瞧瞧看能不能醫？」

于成伸出傷臂，查子清凝目瞧了一陣，道：「于兄手上之毒，已然深浸肌膚，恐已混入了血液之中，療救只怕不易。」

他探手入懷取出一只玉瓶，倒出兩粒黃色丹丸，接道：「兄弟這解毒藥物，雖然算不上靈丹仙品，但對療毒方面，甚具神效，于兄先服用兩粒試試。」

于成接過丹丸道：「查兄博學多聞，想必已知兄弟身中何毒了。」

查子清乾咳了兩聲，道：「兄弟雖然看不出于兄身受何毒，但我這解毒藥丸，效能甚廣，于兄但請放心服用，至低限度可以延緩于兄毒性發作的時間。」

于成舉手吞下兩粒丹丸，笑道：「查兄可是怕兄弟毒性發作過早，那就無法相助查兄，尋找少堡主的下落了。」

查子清拂鬚一笑，道：「于兄快人快語，兄弟正是此意，不知于兄還有什麼未完之事，如果沒有，咱們還是早些行動得好。」

徐元平道：「怎麼？查兄沒有北返查家堡嗎？」

查子清只此一子，鍾愛甚深，徐元平一問，使他再也難忍耐住心中激動之情，但見他臉上肌肉一陣顫動，怒道：「小兄弟幾時見過他了？」

徐元平沉思了一陣，說道：「大概有一個多月之久了！他身上受了內傷，曾對我說過要回查家堡去養息……」

查子清雙目圓睜，滿蘊淚光，身軀微微顫抖了一下，道：「什麼人傷了他，小兄弟可知道嗎？」他聲音波動不平，顯然心中異常悲忿震怒。

徐元平道：「查兄傷在千毒谷冷公霄的手中，不過他當時已及時運氣調息，復原甚多，看去不太嚴重。」

查子清激動略平，緩緩問道：「冷公霄傷他之事，小兄弟是親眼所見，還是耳聞人言？」

徐元平道：「查兄和在下相遇之時，正被冷公霄那老傢伙緊相追迫，在下親眼看到他被冷公霄掌力震傷。」

查子清道：「除了這幾個老鬼之外，也無人能夠傷得了他……」忽然覺著此時此情不是稱狠爭氣之時，趕忙改變語氣說道：「他既被冷公霄掌力震傷，失去了抗拒之力，豈不要被冷公霄斃在掌下，據老夫所知，此人一向手辣心狠，從不肯留人餘地。」

徐元平道：「當時情景，危急異常，在下只好冒昧出手，解了查兄之難。」

查子清雖見過他快速的身法，但難相信他能抵得住冷公霄深厚的內力、雄渾的掌風，望了徐元平一眼，問道：「只有小兄弟一人出手嗎？」

徐元平甚覺不好意思的一笑，道：「不錯。」

查子清滿臉不信之色，道：「小兄弟一人能接下冷公霄的掌力嗎？」

徐元平略一沉吟，道：「雖然稍有不敵，但可勉強接下。」

查子清道：「承蒙相救犬子，老夫心中十分感激。」

徐元平道：「在下和查兄相交時日雖短，但卻一見如故。」

查子清道：「當時不知還有何人在場？」

徐元平道：「除了晚輩之外，還有于兄和金老前輩……」

查子清把目光轉投在于成臉上，接道：「于兄在場嗎？」

于成點點頭，道：「兄弟在場，親自所見。」

查子清心惦愛子下落，又把話引入題中，問道：「小兄弟救得犬子後，就分手了嗎？」

徐元平道：「當時查兄被震傷內腑，席地而坐，運氣調息，不久之後，冷公霄重又帶了兩人趕來，鬼王谷的索魂羽士丁炎山和鬼谷二嬌，也趕到了現場……」

查子清臉色一變，道：「丁炎山也曾向犬子下手了？」

徐元平說道：「他心中是否存有對查兄下手之意，我不知道，但冷公霄再三相激於他，他始終沒有出手。」

查子清道：「這就是了，不知犬子現在下落何處？」

徐元平沉吟了一陣，道：「這我就不知道了，他告訴我要回查家堡養傷。」

查子清仰望天際，沉思了良久，突然又問道：「除了千毒、鬼王二谷中人之外，不知還有何人見過犬子？」

于成接口說道：「神丐宗濤和我們一起來了此地。」

查子清道：「除了宗濤還有何人？」

于成道：「還有楊家堡的楊文堯。」

查子清道：「好啊！看來二谷、三堡中的首腦人物，都親自來趕這場熱鬧了，當真是風雲際會，群英畢至。」

于成望望天色，說道：「相公，神州一君此刻還不現身，大概已經走了，此地林草深茂，到處都可藏身，咱們地勢不熟，如何能和他們較量，敵暗我明，先已吃了大虧，不如放起一把火，燒他們個天昏地暗再說。」

徐元平還未來得及答話，不遠處突然傳來一陣冷笑，道：「他們早已在地下挖了坑道，出口用草叢掩遮，燒完這片野草茂林，也難發現他們的行蹤。」

三人轉頭望去，只見叢草之中，緩步走出一人，正是神丐宗濤。

查子清微一欠身說道：「宗兄別來無恙，咱們兩、三年沒見了吧！」

宗濤道：「查兄怎麼忽然對老叫化這樣客氣，想來定是有求於老叫化？」

查子清本想向他打聽查玉下落，但經宗濤反口一問，倒不好意思說了，冷哼一聲，道：「宗兄難道想要兄弟罵你幾句嗎？」

宗濤冷冷答道：「據老叫化的看法，查兄眼下還不敢罵老叫化子。」

查子清暗暗忖道：此人神氣活現，大概已聽得我們對答之言，如果不知道查玉下落，也不致這般冷言熱語對我。心念轉動，乾笑了聲，道：「咱們老兄弟，多年故友，你譏諷兄弟幾句，也算不得什麼。」

宗濤哈哈大笑道：「江湖之上，都說你老奸巨猾，看來是一點不錯啊！」

查子清笑道：「好說，好說，不過兄弟做事一向只求成功，不問方法。」

神丐宗濤笑道：「那要看對什麼人，如遇上老叫化軟硬不吃，查兄大概就黔驢技窮了。」

查子清微微一笑道：「武林中有誰不知宗兄外剛內和，心胸磊落，俠肝義膽，豪氣干雲，兄弟對宗兄爲人，一向敬佩……」

宗濤笑道：「老叫化平生之中，未受人這般恭維過，今日一試，果然是大感受用，查兄如想知道令郎下落，先得替老叫化做一件事。」

查子清道：「不知宗兄叫兄弟做什麼事？」

宗濤笑道：「查兄答應過追回戮情劍匣，就以此做交換條件。查兄替兄弟追回戮情劍匣，兄弟幫查兄查出令郎下落。」

查子清面現難色沉思了很久，道：「那六個白衣童子早已不知去向，要我如何個查法？」

宗濤笑道：「世界這等遼闊，令郎行蹤飄忽，兄弟又如何查悉令郎的下落呢？」

查子清道：「宗兄話雖不錯，但此中卻有一點不同之處。」

神丐宗濤道：「不知有何不同？兄弟願聞高見。」

查子清道：「救人如救火，豈能延誤時間，何況這小兄弟說過，犬子身上尚負有內傷；至於宗兄那戮情劍匣，早上幾日，或晚上幾日，都不太緊要，只要宗兄幫兄弟尋得犬子下落，兄弟定當盡我所能，幫宗兄尋回戮情劍匣，縱然和神州一君鬧翻動手，也是在所不惜。」言下神情黯然，舐犢之情，流露無遺。

神丐宗濤目光凝注在查子清臉上，瞧了良久，心中暗暗忖道：此人心狠手辣，江湖上無人不知，想不到對他兒子，竟然有這等深摯之情。

他為人俠肝義膽，一見查子清面色，心中大受感動，輕輕歎息一聲，道：「舐犢情深，兄弟豈有不肯成全之理……」

查子清真情激動，呵呵大笑一陣，說道：「江湖之上，盛傳宗兄冷僻孤傲，一向我行我素，今日一見，方知傳言子虛。」

大笑聲中，熱淚滾滾而下，其聲悲壯，叫人聽來難辨他是哭是笑。

神丐宗濤突然回頭望著徐元平，道：「那戮情劍匣上的圖案牽扯著一宗富可敵國的藏寶，老叫化一生吃慣了殘羹剩餚，要是驟然間成了巨富，只怕無福消受，物歸故主，還是你自己收下吧……據老叫化所知，查少堡主已遠離中原，老叫化既然答應幫查兄尋出查少堡主的下落，自當履行承諾之言，如若老叫化料想不錯，查少堡主處境，的確是十分危險，查兄一人勢單力孤，老叫化要助他一臂之力，現下必須趕去，咱們就此別過了……」

徐元平微一沉吟，說道：「老前輩慢行一步，晚輩和查兄相處雖然時日甚短，但他對我徐元平相顧甚深。既然他有困難，我豈有坐視不問之理。」

宗濤哈哈一笑，道：「查玉對你確實不錯，你如一定要去，老叫化也不阻止，那戮情劍匣既然落到了神州一君手中，一時要想取回，亦非容易之事，憑你一人之力，恐難討回。」

查子清接口說道：「如若犬子無恙，兄弟當盡出我查家堡之力，相助宗兄。」

宗濤道：「咱們就此一言爲定。」轉身向前走去。

徐元平忽然歎息一聲，道：「兩位老前輩先走一步，咱們約個相會之處，我先替這位于兄找處養息地方，再趕往相會。」

查子清道：「他身上毒傷絕非一般藥物能夠療……」

徐元平回頭望了于成一眼，接道：「難道他的傷勢當真就沒救了嗎？」

查子清說道：「一宮、二谷、三堡中首腦之人，大都知道一些用毒手段。鬼王、千毒二谷中人，最爲精奧，鬼王谷偏重迷魂藥物，千毒谷卻廣集天下百毒，依兄弟的看法，除了千毒谷三個鬼怪物之外，只怕天下再也無人能夠醫得。」

于成豪壯地說道：「生死之事，算得了什麼？」

宗濤歎息一聲，道：「老叫化生平不通此道，還得請查兄想個法子了。」

查子清道：「兄弟身邊現有一瓶解毒藥物，雖然不能醫好于兄身受之毒，但此藥異常珍貴，其中有三味奇藥，極難尋得，我爲尋那三味藥物，走遍了天下名山，費時三年，才尋齊那三味藥物，兄弟平時對此藥物異常珍視，從不輕用，盡此一瓶靈藥，大概可維持于兄傷勢不致惡化，三個月時間總可支持，待尋得犬子之後，兄弟願和宗兄等同赴千毒谷中一行，找三個老毒物，替于兄療治傷勢，憑宗兄和兄弟兩張老臉，大概三個老毒物，不致拒人於千里之外。」

宗濤道：「好吧，咱們就這樣一言爲定，先尋令郎下落，再上千毒谷找三個老毒物，療救于成總瓢把子的毒傷，然後再找神州一君，追取戮情劍匣。」

于成道：「爲了在下一條無足輕重的性命，怎敢勞動兩位大駕？」

宗濤雙目一瞪，道：「你如果是活得膩了，自己想死，那也是無法之事，你只管放心的死吧！老叫化生平之中，最怕聽違心之論。」

查子清接道：「于兄不必再推辭了，據兄弟所知，除了千毒谷中三個老毒物，只怕世界再無人能療救你身受之毒。」

于成望了徐元平一眼，默然不言。

宗濤側臉對查子清道：「查兄，你那藥物服過之後，能不能施展武功？」

查子清道：「只要不太勞累，就無妨礙。」

宗濤不再接口，轉身向東奔去，徐元平、查子清、鐵扇銀劍于成魚貫相隨身後，放腿緊追。奔行七、八里後，到了一處荒野的大樹下面。
宗濤停下腳步，緩緩走近一座土地廟前，伸手在廟裡一掏，取出一張白箋，展開瞧了一陣，突然一皺眉頭，默然不語。
查子清目視宗濤神色，不禁心間微震，急道：「犬子有了什麼凶險嗎？」
神丐宗濤把手中白箋遞了過去，笑道：「查兄請看。」
查子清接過白箋，只見上面寫道：鬼谷二嬌已為「碧蘿山莊」中人擄去，查玉追蹤往救，同陷「碧蘿山莊」，弟子易容相隨，幸未被人發覺……
最後幾字潦草異常，似是突然發現了什麼事情，詞語未完，草草而終。
他連讀了數遍，一直想不起「碧蘿山莊」在什麼地方。歎息一聲，把手中白箋交還宗濤，說道：「兄弟當真是老邁了，長江後浪推前浪，一代新人勝舊人，中原武林英才輩出……」
他目光緩緩由徐元平臉上掃過，接道：「宗兄，這『碧蘿山莊』，想來定是繼一宮、二谷、三堡之後，又一處崛起的江湖藏龍臥虎之地了？」
神丐宗濤道：「南海門妖女此來，天下武林同道，心慕那南海門下奇書，紛紛趕來中原，『碧蘿山莊』之名，才算傳了出來，老叫化知其名也不過是數日間事。」
查子清道：「這麼說來，宗兄已到過『碧蘿山莊』，不知距此有多少路程？」
宗濤道：「『碧蘿山莊』就在附近，不足百里行程……」
查子清急道：「宗兄如無其他之事，咱們就早些趕去如何？犬子生死固使兄弟掛念，但這留字人的性命，也足使人多慮……」

神丐宗濤目注手中白箋，接道：「字跡雖像是小叫化的手筆，但語氣卻有些不對。」

查子清道：「哪裡不對了？」

宗濤說道：「小叫化給老叫化寫信，從來沒有這麼咬文嚼字過，這封信寫得文謅謅的，看來有些不對了。」

徐元平道：「老前輩這等通訊之法，晚輩作夢也難想到，難道還會有人暗中偷天換日不成？」

宗濤還未來得及答話，查子清已接口說道：「好在那『碧蘿山莊』距此甚近，咱們先去瞧瞧再說罷。」

神丐宗濤不答兩人問話，仰臉望天，思索了半晌，道：「好吧，咱們先去瞧瞧……」忽聽汪的一聲狗叫，遙遙傳來。

眾人轉頭望去，只見一隻奇大的鬈毛黑狗，疾奔而來。

那黑狗奔來之勢奇速，轉眼之間，已到幾人身前。

宗濤望了那黑狗一眼，突然冷哼一聲，蹲下身子，伸手拂拭著那黑狗後胯之處，臉上現出無限憐惜之情。

徐元平凝目看去，只見宗濤手拂之處，點點鮮血滴了下來，宗濤從懷中摸出一個鐵盒，打開盒蓋，倒出很多白色粉末，敷在那黑狗傷處，說道：「小叫化哪裡去了？」

那鬈毛黑狗汪的叫了一聲，放腿向前跑去。

宗濤回頭對徐元平等說道：「咱們跟牠去吧！」當先追了上去。

幾人隨在那黑狗身後，在峰巔縱橫的山中足足跑了一個時辰之久，到了一所松竹環繞著的廣大莊院前面。

抬頭望去，但見紫瓦紅牆，輝煌壯麗，孤立在群山環抱之中。因那環繞在莊院外的松竹，十分密茂，縱有銳利的目光，也難看得清楚那莊院中的景物。

那黑狗在莊院外面停了下來，又回頭望望宗濤，似是等他示下。

宗濤放下于成，笑道：「查兄，這就是『碧蘿山莊』了，咱們叩門求見呢？還是硬闖進去？」

查子清略一沉吟道：「此事還請宗兄作主。」

宗濤笑道：「老叫化素來不會做文文雅雅的事，咱們半禮半兵的闖過去吧！」繞過松竹圍牆，大步向前走去。

一座巍峨聳立的大門上，橫寫著「碧蘿山莊」四個斗大的金字。兩扇紅門，緊緊關閉著。除了風搖松竹的沙沙響聲外，聽不到一點聲息。

查子清微微一皺眉頭，道：「宗兄，這『碧蘿山莊』這等排場，怎麼連守望的人也沒有，咱們已近在門，還不見一點動靜。」

宗濤笑道：「依老叫化的想法，他們早已知道了，這等裝聾作啞的做法，無非叫咱們莫測高深而已……」說著話，人已大步走去，舉手在門上擊了兩下，高聲問道：「裡面有人嗎？」

喝聲甫落，兩扇紅漆大門突然大開，四個黑衣勁裝大漢，一字排開，攔住了去路。

宗濤瞧了四人一眼道：「相煩通報貴莊主，就說老叫化上門討飯來了。」也不容四人答話，大步直向裡面闖進去。

四人忽然向旁側一閃，讓開了去路，竟不出手攔阻，卻緩緩地把大門關上。此舉倒是大出幾人意外，不覺停下步來，回頭望著四個勁裝大漢出神。

四個黑衣大漢也不理會宗濤、查子清等，關好大門之後，魚貫步入門後一座小房子中，呼的一聲，關上木門。

查子清道：「宗兄，這四個人都是啞子嗎？」

宗濤道：「見怪不怪，其怪自敗，別理他們也就是了。」放開腳步，當先向前走去。

一座廣大院中，植滿了各種花樹。滿地綠茵，雜陳著各色奇花，一陣陣花香，撲鼻襲人，花圃盡處，聳立著重重樓閣。

宗濤回頭瞧了查子清一眼，道：「查兄看著這些花樹有什麼古怪沒有？」

查子清以精研八卦九宮、五行奇術著稱於世，目光緩緩掃掠那花樹一眼，說道：「兄弟走在前面，諸位請隨兄弟身後而行。」側身搶在宗濤前面，向前走去。

幾人魚貫而行，穿過了花樹庭院，眼前又是一番景物。但見一座富麗堂皇的大廳中，擺好了一桌豐盛的酒席，席間放著四副杯箸，但那大廳之中，卻是寂無一人。

宗濤目睹滿桌酒菜，不覺饞涎欲滴，回頭對三人說道：「這桌酒席，定是替我們擺的了，咱們先進去吃他一頓再說。」

查子清道：「自古以來，會無好會，宴無好宴，我看還是別吃的好。」

宗濤笑道：「老叫化進去吃上一口嘗嘗，如果酒菜之中無毒，我再來相請三位。」雙肩一晃，人已躍入廳中。

但見那酒桌之間，放著一張白箋，寫道：「四位長途跋涉想必腹中已饑，特備佳釀美餚，略盡地主之誼。」

徐元平大步走了進來，說道：「宗老前輩，那信箋上寫的什麼？我可以瞧瞧嗎？」

宗濤心中甚想吃那酒菜，伸手把白箋遞了過去，口中卻笑著說道：「他們既然在這酒席之上留下函箋，想來這酒菜之中定然沒有毒了。」

徐元平雙手展開白箋，查子清也探過頭去，瞧完之後，搖頭笑道：「這麼看來，這桌酒席愈發的不能吃了。宗兄久走江湖，自然知道江湖上的險詐，他們既然留下這張白箋，無疑告訴我們這酒席之中，早已下了毒啦……」

餘音未住，室外忽傳來了大笑之聲，四個黑漢，魚貫而入，望也不望宗濤等一眼，大馬金刀在四個位置上坐了下來。

只見當先進房之人提起桌邊的酒壺，在其他三人面前斟了一杯，笑道：「咱們兄弟銅膽鐵腸，不怕毒藥，請啊！請啊！」當先舉懷一飲而盡。

但見四人大杯吃酒，大筷吃菜，片刻之間，吃得杯盤狼藉，然後擦擦嘴，又大步退去。

宗濤望著滿桌殘酒剩餚，流了幾滴饞涎，說道：「老叫化說這酒菜之中不會有毒，你們偏偏不信，現在信了吧！」

查子清笑道：「宗兄不必放在心上，咱們救出犬子和令徒後，請到兄弟堡中住上幾日，不是兄弟誇口，查家堡各地口味名廚甚多，只要宗兄賞臉，吃上一個月不重樣，算不得難事。」

宗濤無可奈何地說道：「可是遠水不解近渴啊！唉！好好一桌酒席，被那四個小子吃了，老叫化總不能當真的吃人家殘酒剩餚。」一大步出廳，又向後面走去。

眼前是一座擺滿盆花的庭院，四個翠衣小婢，早已在旁相候，一見四人，姍姍細步，迎了上來，每人手托著一個玉盤，盤中放了一杯碧茶，熱氣蒸蒸上騰，分明剛剛倒入杯中不久。

查子清瞧了四個翠衣小婢一眼，冷冷說道：「不用啦！」

四個翠衣小婢相視一笑，每人取過盤中瓷杯，輕啓櫻唇，一飲而盡，然後對四人躬身一禮，緩緩退入花叢。

神丐宗濤一皺眉頭，道：「臭排場倒是不小。」

查子清道：「不論他們耍出什麼花樣，咱們最好是給他們視而不見，杯不沾唇。」

宗濤哈哈一笑道：「除酒之外，當今之世沒有老叫化喜愛之物，可怕之事。」突然放步向前奔去。

穿過一重庭院，又一座堂皇富麗大廳，正門大開，中間坐著那美麗絕倫的紫衣少女。一個綠衣麗人，傍著她左面而坐，在那綠衣麗人身後，站著一個華衣少年。

徐元平一眼之下，已然辨出那綠衣麗人正是打傷了丁玲之人，那華服少年卻是何行舟。

宗濤一看那綠衣麗人，神情突然一變，豪氣忽消，怔了一怔，停步不前。

查子清側目望了宗濤一眼，奇道：「宗兄，你怎麼停下來？」

宗濤乾咳了兩聲，默然不言。

徐元平一側身，越過宗濤，大步直向廳中走去。

查子清抓著宗濤一隻手腕，拉他進入大廳，于成走在最後。

大廳四周，清一色紫絨布幔，正中一張紅漆八仙桌上，放著一座瑩晶透明的玉鼎，鼎中香煙裊裊，滿室清香。廣闊的大廳中，除了那紫衣少女外，只有那綠衣麗人和何行舟兩個，三個人佔據在一座堂皇的大廳之中，更顯得這大廳空敞廣闊。

徐元平目光環掃了大廳一周，除了那張八仙桌和兩人坐的太師椅外，廳中竟然再無陳設。

查子清看那紫衣少女和綠衣麗人似未曾瞧見幾人一般，連頭也未動，心中忽生怒意，暗道：憑我查子清在江湖上的身分，幾時受過人這等輕視？當下冷哼了一聲，道：「在下查子清，特來拜望貴莊主，不知可否請出一見？」

那紫衣少女緩緩轉過臉，淡淡一笑，道：「你就是查家堡的堡主查子清嗎？」

查子清道：「不錯……」忽然覺著此女口氣托大，臉色一變，怒道：「查子清正是老夫，小小年紀說話這等沒有分寸，如非看你是個女流之輩，憑此一言，就該立時處死。」

他雄霸冀東，江北數省綠林道上人物，個個都對他十分尊敬，從無人敢忤逆於他，平日養成一種頤指氣使，自尊自大之性，不知不覺中，又擺出他一方霸主的雄風。

那紫衣少女仰頭望著屋頂的垂蘇宮燈，不喜不怒地緩緩說道：「三堡堡主，我已會過一位上官嵩了，連你是第二個了！」

查子清微微一怔，暗道：上官嵩主盟西北，甚少到中原來，此女怎的會見過了他？

徐元平聽兩人說了半天，仍未扯入正題，當下一拱手，接道：「在下冒昧闖入貴莊，是問一件事情，尙望姑娘能據實回答，彼此素無仇怨，免得鬧出不歡之局。」

他不待那紫衣少女答話，回頭向宗濤討來了懷中白箋，雙手遞了過去又道：「姑娘請看此箋。」他自說自話，一氣呵成，既不看人喜怒之情，也不待別人允准拒絕。

那紫衣少女望了他手中白箋一眼，別過頭去，冷冷說道：「你怎知道我要看了？」

徐元平愕然說道：「此箋之上，說明了查少堡主和宗老前輩的弟子，均陷落在此莊之中，我們爲此而來，自然要先請姑娘過目此箋，也好給我們一個答覆。」

那紫衣少女慢慢地回過頭來，滿臉憤怒之色，緩伸纖手，接過白箋。

徐元平想她看過白箋後，定然有所答覆，哪知她瞧也不瞧的，隨手撕得粉碎，丟在地上。

查子清臉色一變，大步衝了上去，伸手一把，疾向那紫衣少女抓去。

徐元平突然伸手一擋，把查子清掌勢擋架開去。

查子清怔了一怔，怒道：「你幹什麼？」

徐元平這舉動，只是一種潛在意識的衝動，查子清一問，不禁心頭大急，倒是被他急了一句話出來，說道：「查堡主乃是極有身分之人，如何能對一個女孩子家下手？」

那紫衣少女眼看徐元平出手相救，臉上本已現出笑容，聽完後，突然又恢復冷若冰霜的神情，瞪了徐元平一眼，罵道：「哪個要你救我了，哼！不要臉。」

查子清對徐元平辯答之言，原不滿意，但見那紫衣少女罵他的神情，心中突然一動，暗道：憑我查子清的身分，是不應對一個女娃兒家下手。

只道徐元平真是爲了他的英名，才出手相阻。微微一笑，道：「小兄弟說得不錯，我查子清是何等人物，怎的能對一個女孩子家出手。」瞬息變化，陰錯陽差。

紫衣少女突然舉起右手，一揮羅帕，左面的紫絨布幔，只見緩緩升了起來。

轉頭望去，只見蓬頭垢面的小叫化子，已被人重重綑綁起來，口中塞著一塊絹布，兩個黑衣大漢，分立兩側，架著他的雙臂，三支亮光耀目的寶劍，做成了一個三角劍架，架在兩肩之上，只要身後之人用力一拉，小叫化立時將濺血劍下。

宗濤看得心情激動，但卻不敢出手相救。

只聽那紫衣少女冷笑一聲，左手舉起一揮，右面的紫絨布幔，也緩緩地升了起來。

徐元平看到小叫化被人擺弄的形態，早已熱血上衝，心中幾度欲衝上前去相救，又怕搶救不及，害了他的性命，不覺呆在當地。

轉頭瞧去，只見那右面布幔之中，又是一番景象，一個雙目緊閉，面色蒼白的斷臂之人，被綑在一塊木板之上，兩個黑衣大漢，各執一柄長矛，站在八尺以外之處，矛尖閃閃生光，架在那被綑之人的肩上，只要兩人微一用力，矛尖立即將刺入那人兩面鬢角之中。

徐元平一瞧之下，已經看出那被綑之人，正是急於尋找的金老二，只覺一腔熱血直翻上來，眼前一黑，身軀搖了兩搖，幾乎栽倒地上。

二十　局中有局

忽聽查子清舌綻春雷，大喝一聲道：「快些升起那後壁布幔，老夫要瞧瞧我兒子是死是活？」

這幾句話講得字字如金鐵拍擊，震得人耳際嗡嗡作響。

原來他見了兩面布幔後的景象，心中想著那後壁布幔中定然是查玉了。

紫衣少女目光流轉，輕輕一瞥查子清，突然一揮雙手，後壁布幔也緩緩地升了起來。

查子清雙目圓睜，臉色緊張得成了紫紅之色，凝注在那緩緩升起的紫絨布幔之上。

哪知這片紫絨布幔之後，情景完全不同，三張太師椅並排而設，最左一端坐著一個白髮蒼蒼、手扶竹杖的老嫗，中間太師椅上坐著一個身著錦衣、氣度雄偉的大漢。最右面卻坐著一個紅衣獨腿大漢。

布幔已升起，三人同時站起來，緩步踱入廳中。

神丐宗濤突然放聲大笑道：「諸位這般排場的迎接老叫化子，不覺著小題大做嗎？」

突然一側身子，直向那紫衣少女身側欺去。

只聽那白髮老嫗冷笑一聲，迅快無倫地躍到那紫衣少女身側，手中竹杖一舉，擋住了宗濤欺進之勢。

查子清大聲喝道：「我兒子哪裡去了？」

他不見愛子之面，只道已遇了凶險，只覺胸中熱血沸騰，失去了往常的鎮靜，方寸大亂。

紫衣少女忽的微微一笑，柔聲說道：「你那兒子，可是名叫查玉的嗎？」

查子清雖然滿腹怒火，但卻不敢貿然出手，因他還未知查玉是否已遭毒手，只怕一有差錯，害了查玉之命，但心中的悲憤急怒，卻又無法遏止，怒髮直豎，衝起了包頭青巾。

待他聽了那紫衣少女柔和的聲音，心中忽然平靜了不少，急急答道：「不錯，不錯，犬子草字，正叫查玉，不知他是否在貴莊之中？」

紫衣少女盈盈一笑，道：「他雖不在此地，但我知道他還活在世上，你儘管放心好了！」

這幾句話說得隱隱約約，叫人無法聽出真正結果，查子清沉吟了一陣，說道：「姑娘如能相告犬子下落，在下立時退出此莊。」

紫衣少女道：「不必慌啦，既然來了，怎麼能立刻就走呢……」

忽然轉過頭去，望著宗濤，接道：「老叫化子，你認識那邊坐的人嗎？」

宗濤冷冷說道：「認識又怎麼樣？」

紫衣少女道：「你們師兄妹本是青梅竹馬長大的情侶，何苦鬧得水火不容，我來替你們和解算了。」

她盡說些不著邊際之言，聽得宗濤等一時間真不知如何回答。紫衣少女目光又轉到于成身上，笑道：「你中了易天行的劇毒，只怕難以再活多久，不過不要緊，我有辦法醫治，只要三日工夫，就可以使你劇毒消除，身體復原。」說完，伸手指著那綠衣麗人笑道：「過來！」

那綠衣麗人果然應聲站起身子，姍姍走了過來。

神丐宗濤愕然地望著那綠衣麗人，流現一副慌張無措的神情。

那綠衣麗人，輕啓櫻唇，嬌聲嬌氣地說道：「咱們同師學藝從小在一起長大，師兄難道真還要和小妹作對嗎？」

宗濤皺皺眉頭，默然不言。他一向豪氣干雲，但見了那綠衣麗人之後，就有些神情恍惚，不知所措，沉吟了半晌，仍然想不出回答那綠衣麗人之言。

大廳中的形勢，由劍拔弩張的局面，突然間變得十分微妙，那紫衣少女似乎給了廳中諸人，每人一個希望，查子清想早知愛子下落，于成心中卻在想那紫衣少女替他療毒之事，神丐宗濤被那綠衣麗人困擾得不知如何應付。

這情景突然使徐元平心中生了很大的感慨，他覺得隨來三人之中，似乎都和他有了距離，自己陡然間變得孤立起來……

只聽那綠衣麗人嬌脆的聲音又說：「師兄如果不念舊惡，小妹極願重返咱們金牌門下。唉！自那古廟之中，重和師兄相見之後，使我回憶到亡師諄諄的相誡之言，咱們金牌門下，只有師兄和我兩人，如果再同門操戈，不僅要被武林同道恥笑，而且也愧對亡師在天之靈……」

神丐宗濤歎息一聲，道：「師妹此言，可是由衷而發的嗎？」

綠衣麗人道：「字字句句，都是肺腑之言，師兄如若不信，難道要小妹立誓不成？」

宗濤仰首深思，默然不語。

查子清突然上前一步，對那紫衣少女說：「在下急於要知犬子下落，姑娘相示一條明路，在下感激不盡。」

紫衣少女微微一笑，回頭對那紅衣獨腿大漢說道：「二師兄請帶這位查老堡主到後院之中，告訴他查玉下落……」

她微微一頓，又望著查子清道：「此地人多耳雜，其中又有妒恨令郎之人，我如說出令郎下落，實有不便之處！」

查子清雖然覺出紫衣少女一番話過於牽強，但他懷念愛子心切，寧願信其有，不願信其無，略一忖思，問道：「不知何人妒恨犬子，老夫極願和他認識認識。」

紫衣少女星目轉動，輕輕一瞥徐元平微笑不答。

查子清冷哼了一聲，道：「姑娘可知他爲何妒恨犬子嗎？」

紫衣少女秀眉微顰，緩緩道：「此中之情一言難盡，老堡主見得令郎後，自會知道了。」

只聽婺的一聲，那紅衣獨腿大漢一頓腋下鐵拐，接道：「老堡生如不相疑，請隨在下走吧！」大步向外走去。

查子清心中雖然半信半疑，但他自信武功足以對付，當下隨在那獨腿大漢身後而去。

紫衣少女忽然舉起纖纖玉手，對于成招了一招，笑道：「你過來，讓我看看你中的是什麼毒？也好用藥。」

鐵扇銀劍于成不自主地移動了腳步，走近紫衣少女身前。

紫衣少女滿臉無限溫柔地拿起于成傷臂，仔細地瞧了半天，道：「易天行果非平庸之輩，此毒不但絕毒，而且侵入肌膚之後，就和血液混合，隨行血侵入內腑，最是不易療救……」
徐元平聽她說得嚴重，不自覺地接口說：「難道就沒有救治之法嗎？」
紫衣少女臉色突然一冷，頭也不轉地說道：「誰說沒有法治了？哼！多管閒事。」
徐元平呆了一呆，垂下頭去，紫衣少女又恢復滿臉笑容，對于成說道：「如非你遇到我，只怕世間難有救你之人；不過此毒非同一般毒物，必須內服解毒之藥，外用針灸之法雙管齊下，才能收效，只是療救此毒，非一日一時之功，最少也要七日時間，你必須留在我們這『碧蘿山莊』之中，過上七天，才能把身中之毒完全解去。」
于成回頭望著徐元平，正待開口，徐元平已搶先答道：「那于兄就在這裡留住七天吧！」
紫衣少女也不望徐元平，冷冷說道：「誰要和你說話了，你怎麼老是愛接嘴呢？」
徐元平心中大怒，正待反唇相譏，忽然心念一轉，暗道：是啊！她和于成說，我接的什麼口呢？強忍下胸中憤怒之氣。
神丐宗濤沉思了半晌，突然對那綠衣麗人說：「是你把小叫化擒來的嗎？」
綠衣麗人還未來得及接口，那紫衣少女已搶先接說：「如若我們不把令徒生擒住，這般綑了起來，你們衝進來，勢必難免一場大戰，現下你已經心平氣和，自是用不著這般待他了。」
當下手一揮，說：「把那小叫化放下來吧！」
只見那站在小叫化身側的黑衣大漢，先把那小叫化頸上架的利劍，取了下來，然後解開他身上繩索，取出他口中的絹布。
但聞那小叫化長長噓一口氣，緩步走了出來，奔到宗濤身前，雙膝跪了下去，道：「弟子罪該萬死，替師父丟人現眼。」

宗濤一揮手，說道：「起來吧，此事不能怪你。」

紫衣少女突然接口說道：「你們師兄妹彼此既都無為敵之心，事情就好辦了，我已代你們備好酒席，為你們師兄妹和解祝賀。」

此女不論對待何人，言笑間都有著無比的溫和，單單對徐元平冷若冰霜，不假詞色。

只聽那綠衣麗人嬌聲笑道：「小妹一點錯處，難道師兄真要記上一輩子嗎？」

宗濤道：「這個小兄不敢，師妹如果真有重振咱們金牌門的雄心，請於百日後，重在那座破廟之中相晤，老叫化先要幫人了斷『碧蘿山莊』之事……」

紫衣少女笑道：「好啊！老叫化子，我幫你們師兄妹和解，你還要和我作對？」

宗濤道：「老叫化生平之中說出之事，從未背諾，此次相訪責任，為人助拳，自然不能因姑娘相助調解我們金牌門下恩怨，要老叫化背棄信諾。」

忽聽那握杖老嫗冷笑一聲，晃晃滿頭白髮，道：「這麼說來，你們是有意到我們『碧蘿山莊』生事來了，是也不是？」舉杖緩步而出。

紫衣少女微微一笑，道：「梅娘，別動手，快些回去。」

那綠衣麗人回顧了紫衣少女一眼，緩緩從杯中摸出一面金牌，高高舉了起來，笑道：「師兄快請拜見咱們金牌門中信物。」

宗濤抬頭望了一眼，果然對那金牌跪了下去。

綠衣麗人嬌聲笑道：「小妹以咱們金牌門中信物，命師兄退出『碧蘿山莊』，別過問這是非。」

紫衣少女突然站起身來，走近于成，柔聲說：「你想好了沒有，如果你信得過我，我就要動手替你療傷啦！」

鐵扇銀劍于成沉吟了半晌，道：「這個，這個……」

紫衣少女笑道：「別這個那個啦！你們中原武林道上人物，只怕無人能治你這毒傷。」

于成回頭目注徐元平，一副不知所措神態。

徐元平道：「于兄儘管由她療毒傷吧。」

紫衣少女回頭對于成一招手，輕移蓮步，緩緩向後壁紫絨布幔中走去。

鐵扇銀劍于成不自覺地隨在那紫衣少女身後，走入紫幔之中。

徐元平側目望了被綑的金老二一眼，突然高聲說：「姑娘請慢行一步，在下還有話說。」

但聞那紫幔後傳來那紫衣少女清脆的聲音道：「梅娘，你們都進來吧！他要動手，就先把金老二殺了算啦。」

梅娘回頭望了徐元平一眼，道：「小娃兒，你如不想金老二死，就乖乖的坐著別動。」說完，緩步走入後壁紫幔之中，那錦衣大漢緊隨在梅娘身後，也消失在那紫幔之中。

徐元平轉臉望去，宗濤和那綠衣麗人亦不知何時而去．廣闊的大廳之中，只餘下了他一個人。三面的紫幔，都緩緩垂了下來，大開的廳門，也突然自動關上。

一側紫幔中傳出一個聲音，道：「你如妄動一步，金老二立時濺血矛下。」

徐元平略一沉吟，答道：「你們把我留在大廳之中，究竟是何用心……」他一連問了數聲，竟是得不到一點回應之聲。

那紫衣少女似是有意和他一人爲難，不論對待何人，都十分和氣，但對他卻是冷漠輕藐，不假詞色，金老二生死之危，卻使他不敢莽動，動一動即將抱憾終生，但如就這樣坐下去，也非長久之策……

忖思良久，仍難思想出打開眼下僵局之策，不禁心中急了起來，長歎一聲，站起身子，緩步在廳中踱來踱去。

忽聞一陣輕微的步履聲響，後壁紫幔輕啓，緩步走出來一個全身紅裝的垂髫小婢，手托玉盤，面帶笑容，姍姍細步走來。此女年約十四、五歲，眉目清秀，雖非絕美，但一臉天真無邪之氣，看去甚是嬌甜。

徐元平停下腳步，凝目相注，那紅衣小婢卻對他直走過來，笑道：「你肚子餓了沒有？」

徐元平搖搖頭道：「我不餓。」

紅衣小婢望望手中托著的玉盤，說道：「那就喝杯茶吧！」端起一只玉杯，遞了過來。

徐元平看那杯中滿是碧色汁液，而且十分濃厚，心中暗忖：這哪裡像茶……但覺一股清香之氣，撲入鼻中，微微帶著甜味。

那紅衣小婢笑道：「這是姑娘由南海帶來的梅子露，好吃極了。」低頭尋思了一陣，忽然展顏一笑，從懷裡掏出五顆櫻桃大小的石頭，道：「有啦，咱們玩抓子吧！」

徐元平望著那五顆櫻桃大小的石子，愕然相顧了一陣，皺皺眉頭，道：「這五顆石子有什麼好玩，我不會玩。」

他幼年在孤苦寂寞之中長大，很少同遊同玩的孩子，對女孩子家的抓子遊戲，是聞所未聞，見所未見。

那紅衣小婢抿嘴一笑，道：「你這人這樣大了，連玩抓子也不會，唉！真是笨死了……」盤膝坐了下去，把手中石子攤在地上，拋起一顆，再由地上撿起一顆石子，再把拋起的石子接在手中，由一進二，直到四子抓完，才停下手，笑道：「會了沒有？」

徐元平看她玩得十分有趣，微笑道：「有什麼困難。」

當下伸手接過石子，依樣畫葫蘆地抓了一遍。

紅衣小婢道：「原來你很聰明啊！看了一遍，就學會啦。」

徐元平心中雖然急欲由她口中探得一些隱秘，但卻不知道第一句話該如何開口才好，思索了半天，說道：「你們小姐可也喜歡抓子嗎？」他生平之中，第一次動用心機，探人隱秘，只覺心中惶惶不安。出口之言，甚不自然。

那紅衣小婢大眼睛眨了兩眨，道：「你問的哪位小姐？」

徐元平怔了一怔，道：「你們有幾位小姐？」

紅衣小婢道：「兩位。」

徐元平道：「我問那穿紫衣的那位？」

紅衣小婢搖搖頭道：「那我就不知道了。」

徐元平沉吟了一陣，道：「誰要你給我送飯的？」

紅衣小婢笑道：「你猜猜看？」

徐元平道：「莊主。」

紅衣小婢道：「不是，不是，是那位穿紫衣的姑娘啊！」

徐元平心中暗暗忖道：只怕這茶飯之中，早已暗下了毒藥……

只聽那紅衣小婢嬌聲笑道：「你知道我們這莊院之中，誰最厲害了？」

徐元平搖搖頭道：「不知道。」

紅衣小婢道：「本來是莊主最厲害，但那紫衣姑娘來了之後，莊主就沒她厲害了，事事請命於她。」

徐元平啊了一聲，還未來得及開口，那紅衣小婢突然跳了起來，叫道：「啊喲！我要回去啦！小姐吩咐過我，等你吃完飯後，叫我立即回去，不要多停留。」端起玉盤，急步而去。

徐元平心中暗想道：這女孩子年幼無知，甚難從她口中探得隱秘，看來此事非得見那紫衣少女不可。當下高聲叫道：「姑娘慢走一步，在下還有話說！」

那紅衣小婢回過身來，說道：「什麼話，快些說啦，人家心裡急得要命。」

徐元平緩步走了過去，說：「你回去見到那位紫衣姑娘時，就說我要見她，有事相商！」

紅衣小婢沉吟了一陣，無可奈何地說道：「好吧！但她如果不見你，我就沒有辦法了。」

徐元平微微一笑，道：「姑娘只要把口信傳到，見與不見，自是不干姑娘的事。」

紅衣小婢眨了眨眼睛，緩步走了過來，低聲說道：「如果姑娘不肯見你，我就偷偷跑來告訴你，要不然你等她不著，心中定然十分著急。」

徐元平微微一怔，道：「怎敢這般相煩姑娘？」

紅衣小婢笑道：「我瞧你這人心地滿好，唉，不知姑娘爲什麼那麼恨你？」

徐元平奇道：「她爲什麼要恨我呢？」

紅衣小婢偏頭想了陣，道：「唉！這我就想不通啦！」滿臉困惑之情地轉過身子，步入紫幔之中。

廣闊的大廳上，又只餘下徐元平一人，四周紫幔低垂，難見窗外天色，但見室中逐漸地黑了下來，想來外面天色已然不早。

他緩緩走到廳門之處，伸手一摸，只覺一片冰冷，敢情這兩扇鐵門，竟是生鐵鑄成，不禁心中一動，暗暗忖道：這廳門既是鐵鑄，只怕四壁、窗櫺，都是鋼鐵之物造成……

心念一轉，忽生出廳之想，又怕一時莽動，害了金老二的性命，暗自歎息一聲，忖道：唉！世上有很多事不但是武功難以解決，就是不惜個人的性命，也無法辦通，如若不是爲了金叔叔，這大廳外面縱然是刀山劍林、必死絕地，也絕難使我忍受屈辱，守在此廳。

只覺一股憤怒之氣衝了上來，滿胸熱血沸騰，不能自已，雙手抱頭，涔涔淚下，他幼年受盡了輕藐、屈辱，養成一種強烈的反抗意識和衝動性格，想到被人擺弄坐等大廳之辱，心中如受錘擊、劍創，恨不得破壁衝出……

忽覺眼前一亮，八仙桌邊多了一支熊熊高燒的火燭，白髮蒼蒼的梅娘，手中持著竹杖，傍案而立。

這位一向莊嚴的老嫗，此刻卻滿臉和藹之容，輕輕一頓竹杖，柔聲說道：「孩子過來，我有話問你。」一聲音之中，無限和藹，有如慈母呼喚他久別歸來的孩子一般。

徐元平慢慢地站起身子，茫茫然地走了過去，舉起衣袖，拂拭一下臉上的淚痕，深深一揖，說道：「老前輩有何教諭？」

他心中本有著無比的憤怒，但聽得梅娘那親切慈愛的呼聲之後，竟然發作不出。梅娘輕輕歎息一聲，道：「唉！孩子，這是何苦呢？」

徐元平呆了一呆，道：「老前輩說的什麼？」

梅娘似是自覺到言中之意，甚是費解，不知內情之人，自是聽不懂了，當下微微一笑，反問道：「孩子，你剛才抱頭而泣不知是爲了什麼？」

徐元平道：「這個……這個……」只覺心中之意甚難用話說得清楚，「這個」了半天，仍然說不出個所以然來。

梅娘忍不住嗤的一笑，說道：「不用說啦，老身是何等人物，難道當真連你們一點心事，都猜不出來嗎？」

徐元平輕輕歎了一聲，道：「但望老前輩從中相助……」

梅娘截住了徐元平的話道：「我如沒有助你之意，也不會來這裡看你了。」

徐元平深深一揖，道：「晚輩感恩必報，日後老前輩如有需用晚輩之處，定當全力以赴。」

梅娘道：「不過此事，我也難作主張，孩子，你在這裡等一會兒吧，我去告訴她一聲，你再自己去對她說吧。」

說完，轉過身子，緩步走入紫幔之中。

徐元平望著梅娘的背影，呆呆出神，心中千迴百轉，暗自忖思道：那老嫗所指之人，定然是那紫衣少女了，她心中不知何故，十分恨我，我如有求於她，不知她會不會答應，萬一不肯答應，怎生是好？等會兒見她之面，該如何開口，才能討她歡心……

心念掄轉，主意難拿，呆呆地想了半晌，仍然是想不出該說些什麼！

大約有頓飯工夫之久，梅娘帶著那紅衣小婢重又回到大廳之上，笑說道：「孩子，跟著這小丫頭去吧！」

徐元平茫然地啊了一聲，正待舉步而行，梅娘又接口說道：「慢著。」

徐元平回過身來說道：「老前輩還有什麼吩咐？」

梅娘輕輕搖動滿頭白髮，笑道：「她從小在嬌生慣養之中長大，你見著她時，最好能讓她幾分。」

徐元平長長歎了口氣，道：「晚輩記下了。」轉過身去，隨著那紅衣小婢走入紫幔之中。

紫幔後石壁間，有一扇長形小門，紅衣小婢步入小門之後，突然回過身來，說道：「這一段甬道之中，十分黑暗，你緊靠我身後，別走錯了路。」

徐元平道：「姑娘只管放心走吧，在下眼睛能夠黑夜見物。」

紅衣小婢嫣然一笑，欲言又止，放腿向前走去。徐元平隨在那紅衣小婢身後，走約三、四丈遠，轉了四、五個彎，已到盡處。

跨出一座小門，已見天光，抬頭看星河耿耿，天色已到初更時分。

紅衣小婢舉手遙指著花樹叢中一座高樓，說道：「那座高樓就是我們的住處了。」

徐元平心中一直在想見著那紫衣少女時，該如何開口說話，根本未聽清那紅衣小婢說些什麼，口中嗯啊兩聲，含含糊糊地應付過去。

那紅衣小婢年紀幼小，一片嬌憨，也聽不出徐元平是含含糊糊地在應付她，微微一笑，又說：「我們小姐房中，不用燈火……」

徐元平接道：「夜暗之中，不用燈光，難道要摸黑不成？」

紅衣小婢道：「你急什麼呢？人家話還沒有說完哩……」

徐元平道：「好好，姑娘請說，在下洗耳恭聽。」

他一心想救金老二的性命，對任何能救金老二性命之人，都十分客氣小心。

兩人默然走了兩、三丈遠，那紅衣小婢似是忍不住腹中之言，低聲說道：「你知道我們小姐房中為什麼不點燈嗎？」

徐元平道：「不知道啊！」

紅衣小婢搖搖頭道：「還是不要告訴你吧！等一下你一看就知道了。」

徐元平道：「唉！你小小年紀，也會放刁。」

談話之間，已進入那花樹叢中，兩道強烈的孔明燈光，突然由花叢中照射出來，暗影中傳出來一個冷冷的聲音，道：「站住，把身上帶的兵刃、暗器放下再走。」

徐元平暗暗想道：我身上帶有戮情寶刃，如若取將出來，只怕他們見寶起意，不肯再還給我……但他又不善謊言，一時之間，呆在當地，不知如何答話。

那紅衣小婢回頭在徐元平臉上瞧了一陣，搖搖頭道：「他身上沒帶兵刃。」

暗影中又傳出冷冷的聲音道：「有暗器嗎？」

徐元平因身上未帶暗器，聽得那喝問之言，立時理直氣壯地答道：「在下從不帶暗器。」

兩道強烈的孔明燈光，突然隱失不見，暗影又傳來冷冷的聲音，道：「兩人請過吧！」

紅衣小婢回頭望著徐元平微微一笑，低聲說道：「此處原是我們莊主的宿住之處，自從小姐到此，莊主自行遷居，讓出此樓。」口中說話，人已放步而行。

穿過了幾叢花樹，才到樓下，兩扇緊閉的木門，突然大開。室中火燭輝煌，門口並立著駝、矮二叟，兩人臉色一片冰冷，輕輕地掃掠了徐元平一眼，緩緩轉過身子，讓開去路。

紅衣小婢柳腰輕扭，轉過嬌軀，直向靠左壁木梯上走去。

徐元平回頭望了駝、矮二叟一眼，隨在那紅衣小婢身後，登上樓梯。

二樓上也是座闊敞的大廳，四盞垂蘇宮燈，分吊四角，正中一張紅漆圓桌上，鋪著黃緞，桌子中間端放一座白玉鼎，也不知那鼎中放的什麼，但聞香氣撲鼻卻不見有煙開冒出。

這座廣敞的大廳，雖然打掃得纖塵不染，但卻寂無一人。

紅衣小婢回過頭來，扮了一個鬼臉，低聲說道：「小姐就住在三樓上面。」她也不待徐元平回答，直向廳壁一角走去。

徐元平忽覺心中湧滿了甚多委屈，恨不得掉頭而去，但又想到金老二生死之事，只好按捺下胸中的憤怒，暗暗歎息一聲，急步追了上去。

但見那紅衣小婢伸手在壁角一幅山水圖下一拂，壁間忽然裂現一座暗門，便見樓梯藏在壁間。

登上了十五層梯階，眼前景物忽然一變，但見四壁一色白綾垂幔，倚窗處端坐那紫衣少女，雖然她是背向梯門，看不清楚她的面貌，但那熟悉的衣色，美麗的背影，徐元平一眼之下，就看出了是誰。

紅衣小婢突然伸手扯扯徐元平的衣角，舉手指指室中垂吊的一顆明珠。原來這房中未點燈光，室中垂吊著一顆胡桃大小的珠子，襯著四壁白綾，滿室盡都是耀目的寶光。

徐元平望了那珠子一眼，暗暗忖道：這大概就是夜明珠了。

只聽那紅衣小婢嬌脆聲音，傳入耳際道：「姑娘，姑娘……他來了……」她不知徐元平的姓名，姑娘了半天，仍然不知如何稱呼，只好說他來了。

那紫衣少女頭也未轉一下，卻似已知來人是誰，冷冷地答道：「知道啦，你下樓去吧！」

紅衣小婢年紀幼小，尚不知男女間情愛之事，猶豫了一下，道：「姑娘不要人侍候嗎？」

紫衣少女道：「不用啦！」

紅衣小婢才躬身一禮，轉身下樓而去。

徐元平望著那紅衣小婢的背影消失之後，才緩緩轉過身子，幾度啓唇欲言，但卻不知如何開口才好，每每話到口中，重又嚥了回去。這僵局持續有一刻工夫之久，那紫衣少女始終未回頭望過一次。

徐元平心中暗暗忖思道：這樣僵持下去，也非長久之策。當下重重地咳了一聲，問道：「姑娘有事嗎？」

紫衣少女冷冷答道：「是你自己要見我，我哪裡有事。」

徐元平又輕輕地咳了兩聲，道：「不錯，不錯，是在下要見姑娘。」

紫衣少女道：「你要見我，可有事嗎？」

徐元平道：「在下有一點不情之求，不知姑娘是否應允？」

紫衣少女的聲音，忽然間變得十分溫柔，道：「你有什麼話，儘管說吧！這樓上只有我們兩個，縱然你說錯了，也不要緊。」

徐元平長長歎息一聲，道：「姑娘這等寬宏大量，徐元平感激不盡……」

紫衣少女道：「不用客氣啦……」

徐元平舉起衣袖拂拭一下額上的汗水，道：「在下想求姑娘……」只覺一股羞憤之氣，泛上心頭，再也接不下去。

耳際間響起了那紫衣少女嬌脆的笑聲，道：「你怎麼不說了，可是怕羞嗎？我不是對你說過了，這樓上只有我們兩個人，不論你說什麼，別人都聽不到。」

徐元平又長長地歎了口氣，道：「在下幼年父母早喪……」

紫衣少女道：「那當真是可憐，我媽媽也早死了，爹爹雖然異常疼我、惜我，但卻無法使我忘去思念媽媽之心。」

徐元平道：「我父親生前有兩位好友，一個把我從小撫養長大，視我如子，身兼恩師、養父兩職……」

紫衣少女始終背向著他，也不知他話還未完，立時接口道：「那人真好心，你該好好的孝敬於他才對，他可有女兒嗎？」
徐元平道：「沒有，他只有一個兒子。」
紫衣少女道：「那你們定是情如手足了，不知他現在何處？」
一句話觸動了徐元平傷心往事，登時熱淚滾滾並且道：「我那位師弟死了……」
紫衣少女似是受了徐元平的感染，聲音也變得悲傷起來，說道：「你別傷心啦，人死了難再復活，傷心也沒有用。」
徐元平突然咬牙切齒地說道：「我師父、師弟，都是為我而死，只要我能活在世上，定要替他們報此大仇……」
紫衣少女道：「你可是求我幫助給他們報仇嗎？」
徐元平道：「不是……」
紫衣少女轉過身，星目中滿蘊淚光，嘴角間泛現微微的笑容，臉上神情極是奇異，暈生雙頰，喜上眉梢，帶三分緊張地問道：「只要是你求我，不論什麼事，我都會答應你的……」
徐元平黯然歎息一聲道：「求人之事，實叫人羞於出口……不過……不過……」
紫衣少女聽他不過了老半天，仍然接不下去，忍不住地接口說道：「你慢慢的說吧！我會很耐心的等待你……」
徐元平道：「我師父、師弟為我而死，父親早歸道山，母親雖然存亡不明，但想來死去成份甚大，這茫茫人世，我沒有一個親人……」
紫衣少女幽幽接道：「唉！你的際遇，當真是慘，聽來就使人情不自禁生出憐憫之情。」

徐元平忽然一揚劍眉，說道：「因此在下不顧羞恥之心，求姑娘。」突然臉上一熱，話頭倏然中斷。

紫衣少女滿臉期待之情，柔聲說道：「你怎麼又不說了，我媽媽死後，爹爹絕不會反對我，什麼事，快說吧！」

徐元平鼓足了勇氣，道：「因此在下相求姑娘，釋放我世間僅有的一位尊長之輩，他是我父親的結拜兄弟，也是我唯一的親人。」

紫衣少女忽然睜開雙目，凝注在徐元平臉上，緩緩地問道：「你說的可是那位金老二嗎？」

徐元平道：「不錯，敬望姑娘看在在下份上，放了他吧！」

紫衣少女舉起衣袖，拂拭一下臉上的淚水，緩緩點頭，答道：「我答應你。」

徐元平突然深深一揖，道：「姑娘量大如海，在下感激不盡。」

紫衣少女緩緩轉過身去，低聲說：「你還有別的事嗎？」

徐元平道：「沒有了。」

紫衣少女突然站了起來，說道：「當真沒有了？」

徐元平沉吟了一陣，道：「沒有。」

紫衣少女道：「那你該走啦！」

徐元平應了一聲，轉身向樓梯口處走去。

走到梯口之時，忽然想起一件事來，停下腳步，轉過身子。

那紫衣少女不知何時，又轉了過來，四目接觸，彼此都覺著心頭一震，徐元平忙垂下了頭，那紫衣少女卻急急別過臉去，說道：「你怎麼不走了？」

徐元平道：「我又想起一件事來，再煩問姑娘一聲。」

紫衣少女道：「又是爲了那金老二嗎？」

徐元平道：「姑娘雖然答應了我，但卻未講幾時放他……」

紫衣少女揮手說道：「今夜就放，你到莊外等他吧……」

徐元平又抱拳一個長揖，道：「多謝姑娘盛情，日後如有機緣，定將酬報今日之恩！」

紫衣少女怒道：「你還不快些走嗎！囉嗦什麼，我心中恨死你了。」

徐元平呆了一呆，轉身下樓而去。

二樓上廣敞的大廳中，紅漆圓桌旁，亭亭站著那紅衣小婢。

此女一派嬌稚天真，一見徐元平，立時迎了上去，笑道：「小姐對你說的什麼？」

徐元平搖搖頭道：「沒有什麼。」

紅衣小婢仍看不出徐元平喜怒之情，輕歎一聲，道：「你很早就和我們小姐認識嗎？」

徐元平道：「不認識！」大步直向樓下走去。

紅衣小婢緊隨身側道：「那就奇怪了？」

徐元平道：「奇怪什麼？」

紅衣小婢道：「除了我和梅娘之外，小姐閨房之中，從來不許他人涉足，就是和我們莊主相見，也要在這二樓之上，不知何故，她卻要我帶你到她閨房之中。」

徐元平突然停下身來，仰臉望著屋頂，若有所悟地嗯了一聲，又繼續向樓下走去。

這時，天色已到二更時分，一彎新月，高掛碧空，徐元平出了花叢，回首對那紅衣小婢笑說道：「姑娘請留步！在下就此告辭。」

紅衣小婢微微一怔道：「你要到哪裡去，不回那大廳中了？」

徐元平道：「不回去啦！我要離開貴莊。」

紅衣小婢一尋思，道：「我們貴莊之中，到處有人把守，你如何能走得了呢？」

徐元平暗暗想道：這話倒是不錯，這莊院內的明卡暗樁，雖然未必攔得住我，但如動起手來，難免失手傷人，那時她如藉故反悔，不肯釋放金老二，事就難辦了……

那紅衣小婢見他沉思不言，忽的展顏笑道：「這麼吧！我送你走好了，全莊院的人，都知道我侍候小姐，我送你保險沒有人敢出面攔阻。」

她年幼無知，不懂利害，覺得徐元平為人甚好，居然自作主張送他。

徐元平略一沉吟，道：「這主意倒是不錯，只不知姑娘是否方便？」

紅衣小婢奇道：「有什麼不方便呢？我送你到莊外之後，立時回來就是。走吧。」

徐元平默默無言，隨在那紅衣小婢之後，向前走去。

她道路熟悉走的盡是捷徑。

沿途之上，果然無人攔阻，片刻工夫，到了一座竹林旁邊。

出了竹林，眼前是一片廣大的草坪，紅衣小婢放開徐元平左腕，說道：「我要送你出來時，心中也不覺得什麼，但現在我忽然害怕起來，你快些走吧，我要回去了……」也不待徐元平答話，回身奔入林中。

徐元平望著那急奔入林的背影，心中泛起無比的恐慌和不安，忖道：如若她因送我而受到責罰，豈非讓一個少女代我受過……正在忖思之間，忽聽一陣衣袂飄風之聲，起自身後。

抬頭望去，只見白髮蒼蒼的梅娘，手拄拐杖，屹立在月光下，滿臉春風地說道：「孩子，你們談得好嗎？」

徐元平道：「很好，她答應我……」

梅娘雙目圓睜，神光閃爍，驚喜若狂地說：「這麼容易！孩子，你真是世間第一幸運人，老身要向你恭喜了……」

徐元平呆了一呆，正待出言相詢，梅娘已搶先說道：「看來我這雙老眼，還不昏花……」

她自言自語，怡然自得，緩緩抬起頭來，望著月光，接道：「我最擔心的就是這件事情。現在，也可了去一樁心願了……」

徐元平輕輕歎息一聲，道：「老前輩……」

梅娘突然低下頭來，雙目神光如電，盯注在徐元平臉上，怒聲問道：「你歎什麼氣，你得到世上第一美女傾心相愛，難道還不知足嗎？」說來理直氣壯，大有責備之意。

徐元平道：「唉！老前輩誤會了……」

梅娘一頓手中竹杖，怒道：「南海神叟只此一女，你如不能好好待她，讓她受到半點委屈，你就別想活了。」

徐元平心頭大急，高聲說道：「老前輩可否聽晚輩把話說完？」忽聽一陣步履之聲，由竹林中傳了出來，一個高大駝背之人背負一人，疾奔而出。

此人來得甚快，一眨眼間，已到徐元平身前，放下背上之人，冷冷說道：「這人交給你了。」

徐元平凝目瞧去，看那被駝子放下之人，正是金老二，顧不得再和梅娘講話，急步奔了過去，扶他起來，說道：「叔叔……」只感咽喉如物堵塞，竟是接不下去。

金老二滿眶熱淚：「孩子，苦了你啦！」

徐元平拭一下臉上淚水，說道：「如若不能救出叔叔，平兒死了也難以瞑目。」

梅娘急步走了過來，問道：「孩子，你剛才說她答應了你什麼事？」

徐元平道：「她答應釋放我金叔父，果是言而有信，老前輩見著她時，請代我相謝一聲，在下就此別過了。」深深一揖，背起金老二大步向前走去。

梅娘怔了一怔，喝道：「站著。」

徐元平停下腳步，回身說道：「老前輩有何教諭？」

梅娘長長歎息了一聲，側目對那高大的駝背之人說：「你回莊去吧！」緩步走了上來，接道：「孩子，你們相見之後就沒有談過別的事嗎？」

徐元平道：「沒有，我只求她釋放我叔父，承她一口答應，怎敢再多相求？」背起金老二放步行去。

梅娘望著他大步而去的背影，心中泛上來一股淒涼之感，暗暗歎道：「她生性好強，不論何等男人，從不稍假詞色，這次受了這麼大挫折，如何能受得了……」

想著，想著，心頭火起，突然一頓手中竹杖，大聲喝道：「給我站住。」

抬頭望去，徐元平已走得不知去向。原來她在低頭沉思之時，徐元平已加快腳步而去。夜色中但聞回音響徹山谷，繚繞耳際，歷久不絕。

她呆呆地站了一陣，忽然想到該回去看看那紫衣少女了，立時轉身，奔回莊院。

她心中憂急，疾奔如電，眨眼之間，已到花樹環繞的高樓之下，急步衝入樓中，直向三樓趕去。

只見那紫衣少女面窗而立，望著月色呆呆出神。梅娘一直走到她身旁尺許之處，她仍然渾無所覺，似是正在想著一件沉重的心事。

梅娘舉起左手，輕拂著她垂在肩後的長髮，柔聲說：「孩子，你在想什麼？」

紫衣少女緩緩回過頭來，滿臉哀怨之情，幽幽說：「梅娘，我今年幾歲了？」

梅娘吃了一驚，暗道：這孩子氣瘋了嗎？目中卻十分慈愛地答道：「你怎麼連自己的歲數也記不起了，今年十八歲啦！」

紫衣少女緩緩舉起左手，扶在窗門上，說道：「十八歲了，那早該嫁人了。」

梅娘怔了一怔，道：「什麼？」

紫衣少女一笑，道：「你叫什麼！我將來總是要嫁給人家做媳婦啊！」

梅娘黯然一歎，兩行老淚順腮而下，搖頭說；「孩子，怎麼啦……」

紫衣少女接道：「我很好，梅娘！不用擔心。」

梅娘道：「茫茫濁世，有誰能配娶你這個人間仙子。」

紫衣少女搖頭笑道：「我自己已經找到了，不用你們多費心啦！」

梅娘訝然問道：「什麼人？我怎麼不知道呢？」

紫衣少女道：「我爹爹不是說過麼，我喜歡誰就嫁給誰，我爹爹都不管我，你還要管？」

梅娘道：「孩子，我不是管你，只想問問是哪個有此福氣。」

紫衣少女格格大笑道：「他有什麼福氣，誰娶了我，誰倒霉，我每天要和他大吵兩場。」

梅娘越聽越是驚心，暗暗忖道：這孩子定是瘋了，早些想法把她送回南海的好。心念轉動，低聲說：「孩子，你今天很累了，早些睡覺吧。」

紫衣少女搖頭說道：「我要出去看月亮，你自己去睡吧。」

梅娘道：「那怎麼行，我陪你去。」

紫衣少女笑道：「你陪我幹什麼？」

梅娘道：「此時此地，你如何可以獨自行動，中原武林中人物，大都聚集在洛陽附近，候機奪取『南海奇書』，說不定這碧蘿山莊外面，早已有很多武林人物在等候著機會了，你一個人萬一遇上了什麼凶險，如何能夠應付？」

紫衣少女道：「碧蘿山莊四周，戒備森嚴，縱有人伺機莊外，也難入咱們莊中一步，我又不出莊外，怕什麼？」

梅娘歎息一聲，正待開口，忽聽一陣步履之聲，那紅衣小婢急步奔上樓來，躬身對那紫衣少女一禮，道：「姑娘，莊主有要事，想見姑娘，但他叮囑小婢，如若姑娘在熟睡中，就不要驚擾於你。」

紫衣少女道：「他現在什麼地方？」

那紅衣小婢道：「現在樓下等候。」

紫衣少女道：「請他到二樓相見。」

那紅衣小婢應了一聲，奔下樓去。

紫衣少女同時望了梅娘一眼，笑道：「你還要跟我去麼？」緩步向前走去。

梅娘搖頭歎道：「唉！頑皮的孩子，你越大就越不把我放在心上了。」只覺得心頭一酸，熱淚湧了出來，但她一瞪雙目，硬把湧出的淚水忍住，不讓它落下。

要知梅娘從小把她帶大，名雖主僕，實則情若母女，紫衣少女幼小之時，十分聽話，今日連番使她難堪，不禁觸動傷懷……

紫衣少女緩緩回過頭來，奔到梅娘身旁，偎入她懷中說道：「梅娘，你生氣了？」

梅娘搖頭說道：「老僕怎敢生小姐的氣……」這兩句說得甚是淒涼，再也忍不住心頭傷疼，淚水滾滾而下。

紫衣少女舉起衣袖，拂拭著她臉上淚水，黯然歎道：「我這幾日，心中不樂，說話沒輕沒重，傷了你心……」

只覺一股氣忿湧上心來，話未說完，人卻伏在梅娘懷中大哭起來。

她這一哭，情勢大變，害得梅娘反來哄她。

紫衣少女哭了一陣，心中似是暢快了不少，拭去臉上淚痕，扶住梅娘右肩，說道：「咱們下樓去吧！只怕大師兄早已在樓下等侯了。」

廣闊的大廳中間，站著那長髯垂胸，身著錦衣的大漢，他雖然等了很久，但神色間卻毫無不耐之情。

紫衣少女放開梅娘肩頭，急步走了過來，微微一笑，說道：「有勞大師兄久候了。」

那錦衣大漢恭恭敬敬地答道：「師妹今日已甚疲倦，小兄再來打擾，心中甚是不安。」

紫衣少女道：「我一點也不覺累，大師兄有何教諭，儘管請說，小妹洗耳恭聽。」

那錦衣大漢歎道：「師妹此來，旨在觀賞風物，似是不宜捲入中原武林道上爭霸漩渦之中，小兄斗膽替師妹回絕了神州一君易天行相晤之約……」

紫衣少文秀眉微顰，接道：「易天行來過了嗎？」

那錦衣大漢道：「來過了，但已被小兄婉言謝絕。」

紫衣少女默然不語，緩緩轉過身去，走到窗前，抬頭望著明月。

那錦衣大漢望了梅娘一眼，追了過去，說道：「易天行爲人，表面和善，內心陰險，看去他似置身武林中雄主爭霸之外，其實處心積慮，貪求之心，比人更切，近日之中，風聞他派在某一門派中的伏樁，被人查出，業已引起武林中各大門派中首腦的疑慮，紛紛清整門戶，追查門下弟子身世。

「如若傳言不虛，易天行果真在各大門派伏有暗樁，在各大門派首腦人物細心追查之下，只怕難保不被查出，一旦被人查出，勢必引起江湖上所有各大門戶的圍剿，易天行縱有通天徹地之能，也難敵武林間各大門戶聯手圍剿之力。

「他數十年來獨行其事，不和別人來往，遊俠江湖，博取善名，固然掩盡天下耳目，如願以償，身受當代黑白兩道人物推崇敬愛，但因少和別人交往，甚少知交，一旦被人揭去偽善面目，勢必四面楚歌。他對師妹百般依順，只恐別具用心，想把咱們南海門拖入這場江湖恩怨之中，用做他擋箭牌。」

紫衣少女緩緩轉過頭來，說道：「其人外貌偽善，一望即知，難道他還能騙過我嗎？」

錦衣大漢道：「師妹才智過人，世無其匹，小兄難及萬一……」

紫衣少女忽然歎息一聲，道：「唉，凡是見我之人，無不讚我聰明、美麗，可是過人的才智，絕世的容色，又有什麼用呢？」

那錦衣大漢一時之間，想不出她言中之意，但又不便置若罔聞，乾咳了兩聲，仍想不出該說什麼。

紫衣少女盈盈一笑，道：「大師兄，你瞧我是不是真的美麗？是不是真的有過人的才智與絕世容色？」

錦衣大漢道：「貌羞花月，容沉魚雁，師妹當之無愧。至於才智確有過人之處。」

紫衣少女忽的舉起羅袖，掩住面孔，轉過身去，低聲說道：「由來紅顏本薄命，何必有羞花之容，我要毀了這副美麗的容顏，也許就沒有煩惱……」

那錦衣大漢如受重擊一般，嚇得向後退了一步道：「師妹受了什麼委屈？」

紫衣少女緩緩放下掩面羅袖，回過臉來說：「我很好。」

錦衣大漢沉吟了良久，道：「師妹心中如有不悅之事，甚望能對小兄說明，小兄身受師門培育之恩，重如山嶽，日夜感念於懷，思報無門……」

紫衣少女微微一笑，接道：「我爹爹已把你逐出門牆，你心中不恨他也就夠了，對師門還有什麼恩義可言。」

那錦衣大漢正容道：「師恩浩蕩，如汪洋大海，小兄怎敢一日忘懷，別說把我逐出師門，縱然要我粉身碎骨，赴湯蹈火，小兄也是萬死不辭。」

紫衣少女笑道：「爹爹一生不計毀譽，我行我素，世間從無他畏懼之事，師兄是爹爹首座弟子，怎的行事爲人和爹爹大不相同？」

錦衣大漢一皺眉頭，道：「我雖因一時莽撞，觸犯了恩師禁忌，被逐門牆，但自信生平之中，尚未做過有失咱們南海門聲譽之事。」

紫衣少女道：「那你爲什麼畏首畏尾，怕助神州一君，和中原武林各大門戶衝突？」

錦衣大漢道：「這個……」

紫衣少女黯然一歎，說道：「別說啦！你們若不願相助於我，我自己去找神州一君晤談也就是了。」

錦衣大漢側目望了梅娘一眼，說道：「神州一君和咱們素無淵源，師妹又何苦幫他和天下武林同道作對？」

紫衣少女正待答話，忽見一道火焰，沖天而起，半空中砰然爆響，散出一片火花。

錦衣大漢雙眉一聳，道：「有人闖進咱們莊中了。」

原來這爆裂火花乃「碧蘿山莊」中緊急警訊，除非來人闖入了莊中禁要之區，才准施放。

那紫衣少女不知「碧蘿山莊」傳遞警訊之法，側目問道：「大師兄，這火焰可是莊中緊要的傳警信號？」

錦衣大漢心中雖甚焦慮，急於出去查看，但又不好不答那紫衣少女的問話，一面探首窗外查看，一面答道：「不錯，來人已闖過花樹陣的攔阻，進入莊中禁要之區了。師妹請獨坐片刻，小兄去查看一下就來。」

紫衣少女笑道：「不用去看了，神州一君來啦！」

請續看《玉釵盟》（三）

臥龍生武俠經典珍藏版 6

玉釵盟（二）

作者：臥龍生
發行人：陳曉林
出版所：風雲時代出版股份有限公司
地址：10576台北市民生東路五段178號7樓之3
電話：(02) 2756-0949　　傳真：(02) 2765-3799
執行主編：劉宇青
美術設計：許惠芳
行銷企劃：林安莉
業務總監：張瑋鳳
出版日期：臥龍生60週年珍藏版 2022年3月
ISBN ：978-986-5589-59-2
風雲書網：http://www.eastbooks.com.tw
官方部落格：http://eastbooks.pixnet.net/blog
Facebook：http://www.facebook.com/h7560949
E-mail：h7560949@ms15.hinet.net
劃撥帳號：12043291
戶名：風雲時代出版股份有限公司

風雲發行所：33373桃園市龜山區公西村2鄰復興街304巷96號
電話：(03) 318-1378　　傳真：(03) 318-1378
法律顧問：永然法律事務所 李永然律師
　　　　　北辰著作權事務所 蕭雄淋律師

行政院新聞局局版台業字第3595號 營利事業統一編號22759935

定價：320元　

國家圖書館出版品預行編目資料

玉釵盟／臥龍生 著. -- 臺北市：風雲時代出版股份有限公司，2021.06- 冊；公分（臥龍生武俠經典珍藏版）
ISBN：978-986-5589-58-5（第1冊：平裝）
ISBN：978-986-5589-59-2（第2冊：平裝）
ISBN：978-986-5589-60-8（第3冊：平裝）
ISBN：978-986-5589-61-5（第4冊：平裝）

863.57　　110007325